« *le français sans frontières* »

Collection dirigée par Christian Baylon

Maître de conférences en linguistique à l'Université de Montpellier

outils pédagogiques

REGARDS SUR LA CIVILISATION FRANÇAISE

NOUVELLE ÉDITION

JOSEPH SCHULTZ

Docteur ès Lettres et Sciences humaines
Professeur à l'Université Paul Valéry (Montpellier)

CLE international

79, avenue Denfert-Rochereau 75014 PARIS

SOMMAIRE

© CLE INTERNATIONAL, 1987 - ISBN 2-19-033 081-5

AVANT-PROPOS

Écrire un livre sur la civilisation française est une entreprise périlleuse: le risque est grand d'être taxé de subjectivité ou d'insuffisance, et cela d'autant plus que l'ouvrage n'atteint pas deux cents pages, obligeant forcément à un choix de sujets. L'autre écueil concerne le jugement que l'on porte sur tel ou tel aspect de la civilisation: si l'on se montre sévère pour la France, on est traité de masochiste ou bien d'être politiquement engagé à gauche; si l'on est indulgent, alors c'est le contraire, on est chauvin ou bien favorable au «régime», au «système».

Notre objectif n'est pas de donner un tableau complet de tous les aspects de la civilisation, mais de permettre aux étudiants étrangers qui viennent en France pour approfondir leurs connaissances sur nos structures, nos traditions, nos préoccupations, de trouver un livre d'idées simples, assorti d'une documentation abordable.

La civilisation française, comme toute autre forme de civilisation, ne peut être exclusivement livresque; rien ne peut, en effet, remplacer la richesse de l'expérience vécue. Les expériences ponctuelles, partielles, doivent être replacées dans un ensemble plus vaste, doivent en quelque sorte être généralisées, ce qui justifie la réalisation de ce livre.

Dans l'enseignement de la civilisation, dans l'utilisation de ce livre, l'enseignant joue un rôle fondamental: rendre vivants des textes par l'explication des nuances, l'illustrer par des exemples et par une documentation complémentaire visuelle ou sonore. La vérité absolue n'existe pas: les discussions, les controverses autour d'un thème apportent un enrichissement plus grand que la lecture de longues pages. C'est pourquoi chaque sujet abordé dans ce livre est suivi d'une série de documents annexes souvent contradictoires, reflétant les divergences de position qui dominent l'opinion publique en France et servant de cadre à ces débats.

Les sujets ont été choisis après les résultats de sondages personnels réalisés pendant trois ans auprès des étudiants étrangers des cours d'été. Les trente sujets intéressant le plus grand nombre des étudiants ont été retenus. Nous en avons ajouté six autres, moins demandés, pour équilibrer l'ouvrage. Les trente-six sujets analytiques sont regroupés dans six chapitres (six par chapitre) introduits par une vue synthétique: l'économie, la société, la vie politique, l'espace géographique, la vie quotidienne ainsi que la culture et les loisirs. Pour que la consultation du livre soit facilitée, nous avons limité la présentation des sujets analytiques à quatre pages (deux pages de description, deux pages de documents annexes) et celle des sujets synthétiques à six pages (cinq de description, une de documents).

3

Des aspects pourtant importants de la civilisation française n'ont été qu'effleurés (comme les relations de la France avec le monde extérieur, les traditions populaires, la vie littéraire et artistique). Nous avons pensé que ce sont les sujets les mieux connus par les étrangers, souvent fort bien étudiés dans les pays étrangers.

Joseph SCHULTZ,
Docteur ès Lettres et Sciences humaines
Professeur à l'Université Paul Valéry (Montpellier)

PANORAMA D'ÉVOLUTION DE LA FRANCE

1 particulier, spécifique
2 oublient
3 perd l'estime, la confiance
4 10 années
5 agitations, chocs
6 succèdent à
7 annule
8 s'étend
9 secrets
10 groupements de partisans
11 importants, principaux

La compréhension de la société actuelle nécessite en France, bien plus qu'ailleurs, le retour vers le passé. Le processus d'évolution *propre à*[1] un État, ainsi que le cheminement des idées, éclairent toujours le présent, mais en France l'Histoire est revécue quotidiennement, les Français y attachant une grande importance. Tous les ans, une messe est dite le jour anniversaire de l'exécution de Louis XVI (1792) ; la victoire de 1918 est dignement fêtée tous les ans dans les villages de France ; sur les cartes de visite les gens n'*omettent*[2] jamais d'indiquer s'ils sont possesseurs de la Croix de guerre ou de la médaille militaire de 1940 ; les gaullistes, 10 ans après la mort de De Gaulle, défendent toujours les mêmes idées et restent au premier plan de la scène politique ; tout homme politique doit justifier d'un comportement patriotique au temps de la Résistance (1940-45) sinon il perd tout son *crédit*[3] (campagne contre Georges Marchais en avril 1980) ; on a la nostalgie du Front Populaire (1936) ou de Mai 1968...

En 1987, les règles essentielles de la vie politique et sociale ont été définies par la Constitution de la Ve République (1958), pourtant, les exigences de l'actualité nous entraînent à considérer la France contemporaine depuis 1940.

L'évolution des quatre *décennies*[4] est soulignée par une surprenante régularité historique : de fortes *secousses*[5] politiques et sociales *alternent*[6] avec de longues périodes de calme et de stabilité. Les moments de tourments ou de bouleversements interviennent tous les dix ans : 1936, 1947, 1958, 1968, 1981. Hasard de l'histoire ou constance de la nature, des caractères des Français, ces Français qu'Alain Peyrefitte définit comme des «conservateurs contestataires» (*Le Mal Français*, p. 379) ?

● **La Résistance et «l'Union sacrée» (1940-47).**
Avec la rapide victoire des Allemands en 1940 et l'armistice signée, la France éclate : tandis qu'à Paris s'installe l'occupant, le sud de la France reste apparemment libre sous «le Gouvernement de Vichy» que dirige le maréchal Pétain en étroite collaboration avec les Allemands.

A Londres, où il organise «une France libre», le général de Gaulle *dénonce*[7] l'armistice, le pouvoir illégal de Vichy, et appelle les Français à la résistance («appel du 18 juin 1940»). La résistance s'organise et s'*intensifie*[8], surtout après l'occupation de la «zone libre» par l'armée allemande (novembre 1942). Depuis les réseaux *clandestins*[9] jusqu'aux *maquis*[10] armés, la Résistance prend des formes d'organisation multiples, réunissant des patriotes de toutes tendances politiques, même si les communistes, après l'entrée en guerre de l'U.R.S.S., apparaissent comme les éléments *déterminants*[11]. De Gaulle réussit à unifier les différentes tendances (Conseil National de la Résistance) et la Résistance prend une part active dans la libération du pays (exemple : l'insurrection de Paris).

Le gouvernement provisoire de De Gaulle formé en juin 1944 exercera le pouvoir une fois la guerre terminée. Ce gouvernement est *issu*¹ de la Résistance et comprend des ministres communistes, socialistes, MRP (catholiques républicains) et gaullistes, réalisant ainsi l'union nationale. L'État prend en main l'économie par des nationalisations (secteur de l'énergie, circuits financiers, quelques grosses usines comme Renault), par la création du Commissariat du Plan, organisme de planification, dont la première tâche est la reconstruction de l'économie durement *éprouvée*² par la période de la guerre. L'assistance sociale est considérablement étendue (Sécurité Sociale, Allocations Familiales) ainsi que les droits sociaux (par exemple, droit de vote des femmes). Pendant ce temps, l'Assemblée Constituante prépare la Constitution qui, acceptée par le pays (13 octobre 1946) met en place un pouvoir légal.

● «L'année terrible» (1947).
De Gaulle n'accepte pas la Constitution qui, selon lui, institue le pouvoir des partis politiques de coalition, incapables de gouverner; il démissionne, et le parti qu'il a créé (R.P.F.) se retrouve dans l'opposition. De plus, le parti communiste sera exclu du pouvoir à la suite de son alignement sur les thèses de Moscou concernant le partage du monde en deux blocs. La «guerre froide» qui commence dans le monde *exacerbe*³ les opinions et le parti communiste français perd définitivement l'image favorable qu'il avait auprès de la masse populaire. Ainsi, deux des grandes formations politiques issues de la Résistance sont éliminées du pouvoir, qui reste pour 10 ans aux mains des socialistes (SFIO) et des républicains chrétiens (MRP), appelés «la troisième force».
Le passage des communistes dans l'opposition est marqué par une suite de grèves et d'incidents violents (Renault, Marseille, Valence) réprimés durement en automne 1947. L'opposition fondamentale entre communistes et socialistes est la cause de l'éclatement du vieux syndicat, la CGT, avec la création de FO et de la FEN.

● La IVᵉ République (1947-1958).
La Constitution de 1946 fait naître la IVᵉ République, qui, après l'année tourmentée de 1947, s'installe définitivement. Une stabilité relative marque les dix années suivantes, avec quelques grandes dominantes:
— L'influence déterminante des États-Unis. Avec l'acceptation du Plan Marshall (aide économique), et la signature du Pacte Atlantique (défense militaire), la politique intérieure et extérieure de la France est soumise au contrôle américain. Au-delà de la dépendance économique et militaire, l'influence américaine est partout sensible et envahissante: avec l'aide économique on importe la technologie et les formes de gestion; la découverte de l'Amérique influencera profondément les goûts (arts, langage, mode) et la façon de vivre.
— Cette période est aussi celle de la renaissance démographique de la France, grâce à une forte natalité *persistante*⁴ qui fait passer la population de 40 à 45 millions d'habitants en dix ans, autant que pendant le siècle précédent (1850-1950). Ce renouveau s'explique par une politique très suivie en faveur de la famille. La forte natalité, et par voie de conséquence la constitution des familles avec plusieurs enfants en bas âge, n'est pas sans importance sur la mentalité sociale et sur les formes de consommation.
— Ces dix années sont fortement marquées par les guerres coloniales incessantes. Dès 1950, la guerre s'installe au Viêt-nam et malgré l'effort militaire important, l'armée française essuie des *revers*⁵; après la défaite de Diên Biên Phu, la France doit se retirer. Quelques semaines à peine séparent la Conférence de Genève accordant l'indépendance au Viêt-nam et le début d'une autre guerre coloniale: celle d'Algérie, beaucoup plus complexe, beaucoup plus proche des Français et plus meurtrière aussi.

[1] *donnent*
[2] *introuvable*
[3] *jeunes faisant le service militaire*

En effet, l'Algérie est la seule colonie de peuplement de la France où vivent près de 1 million de Français (huitième de la population totale) ; géographiquement et sentimentalement, l'Algérie est considérée comme le prolongement de la France en Afrique ; sous l'angle économique, la découverte et l'exploitation du pétrole du Sahara *confèrent*[1] à cette zone une importance autrement plus grande que les terres lointaines de l'Indochine. L'opinion publique est favorable à la guerre, mais comment la gagner contre un ennemi *insaisissable*[2] qui pratique la guérilla ? De plus en plus de soldats partent en Algérie et dès 1955, on fait appel aux soldats du *contingent*[3]. Au départ presque indifférente, la société française en sera bouleversée jusque dans ses fondements institutionnels.

— Les guerres coloniales (Indochine, Suez, Tunisie, Maroc, Algérie) sont en grande partie responsables de l'instabilité du pouvoir, autre caractéristique de cette période. La lourdeur des dépenses de guerre (28 % du budget national en 1957), les revers militaires, l'incapacité de trouver des solutions à la question coloniale ont raison des gouvernements successifs de coalition socialiste-centriste. En 10 ans la France a ainsi usé 20 gouvernements ! Seuls ceux de Pinay (stabilisation monétaire) et de Mendès-France (paix en Indochine) réussissent une œuvre durable.

● 1958 : la révolte d'Alger et le retour du Général de Gaulle.

[4] *empêcher*
[5] *pouvoir*
[6] *accepté*
[7] *applaudit*
[8] *bénéficie*
[9] *charme*
[10] *parole*
[11] *créant l'émotion*
[12] *mouvement oratoire poétique*
[13] *étrange, inusité*

Les Français d'Algérie, mécontents de la conduite de la guerre et inquiets pour leur avenir, entrent en révolte contre le gouvernement de la métropole, exigeant sa démission, et font appel au Général de Gaulle (13 mai). Incapable d'*endiguer*[4] la révolte et malgré le soutien du Parlement, le gouvernement Pflimlin démissionne. Devant la pression des événements, le Président de la République appelle le Général de Gaulle pour former un nouveau gouvernement. De Gaulle reçoit l'*investiture*[5] le 1er juin, les pleins pouvoirs le 2 (par 322 voix contre 232) pour six mois, avec mission de préparer la révision constitutionnelle. C'est la fin officielle de la IVe République. Le projet constitutionnel, soumis au référendum le 28 septembre, est *approuvé*[6] par 80 % des votants, et conformément à la Constitution, l'élection du Président de la République a lieu (le 21 décembre) et de Gaulle l'emporte avec 77 % des voix. En l'espace de 8 mois, la France passe de l'agitation révolutionnaire à la démocratie réfléchie, d'une république au pouvoir dispersé et faible à une autre, présidentielle et forte grâce à la magie d'un homme oublié que tout le monde *acclame*[7] : de Gaulle.

● La France de De Gaulle (1958-1968).

La décennie qui commence est fortement marquée par la personnalité et la conception politique du Général de Gaulle.

— Le Président *jouit*[8] d'un prestige immense lié à son rôle pendant la guerre. Il considère que la tâche qu'il accomplit est une mission historique que la «France éternelle» lui a confiée et qui consiste à redonner au pays une place brillante dans le monde. Négligeant le Parlement, méprisant les partis politiques, interprétant parfois de façon douteuse la Constitution, il préfère s'adresser directement au peuple, par les référendums, les conversations «au coin du feu», renforçant le sentiment de lien sacré entre lui et les Français. De Gaulle *enchante*[9], ou impressionne, ne laisse personne indifférent. Il est un véritable virtuose d'une *éloquence*[10] originale, *saisissant*[11] l'auditeur tantôt par ses *envolées*[12] pathétiques et son vocabulaire *insolite*[13], tantôt par un tour familier et direct que la télévision, dont il se sert très habilement, met à la portée de tous.

— La confiance personnelle dont il bénéficie crée un vaste mouvement populaire autour de lui, lui donnant une majorité confortable au Parlement et des votes favorables aux référendums. La Ve République amène ainsi la stabilité politique.

— Dès son installation au pouvoir, de Gaulle s'attaque au problème des colonies. La Constitution de 1958, instituant la Communauté Française, accorde l'autonomie aux colonies avec possibilité d'accéder à l'indépendance à n'importe quel moment. La très grande majorité des colonies sera libre en 1960. Il restait à régler la question algérienne. La politique de De Gaulle évolue rapidement vers la nécessité du désengagement de la France qui, malgré de très violentes protestations des Français d'Algérie (plusieurs attentats contre le Président, putsch des généraux à Alger, actes de terrorisme de l'*O.A.S.*[1]) sera *scellé*[2] par les accords d'Evian en 1962.

— Une fois le handicap colonial surmonté, de Gaulle entreprend une longue lutte pour affirmer la présence française dans le monde. Refusant la division du monde en deux blocs antagonistes, il cherche une voie intermédiaire pour la France. L'affirmation de l'indépendance de la France passe par une politique anti-américaine (sortie de la France de l'OTAN, refus de l'entrée de la Grande-Bretagne à la C.E.E., discours de Pnom Penh et de Montréal, attaque du dollar, etc.) par une ouverture vers l'Est (échanges franco-soviétiques, reconnaissance de la Chine), par la création d'une force militaire indépendante (« la force de frappe» nucléaire). C'est parce que la France a besoin de l'Europe pour augmenter sa crédibilité dans le monde que de Gaulle va favoriser la construction européenne. C'est en tant qu'Européen que de Gaulle propose ses solutions aux problèmes du Tiers Monde (voyages en Amérique du Sud, en Afrique).

— Cette période est très fortement marquée par de profondes et rapides mutations dans les structures sociales et économiques: rythme élevé d'urbanisation et d'émigration rurale, diminution considérable des agriculteurs, accroissement des emplois dans les secteurs non productifs, progrès scientifiques et techniques entraînant des meilleurs rendements, une plus grande productivité, des produits nouveaux et des orientations économiques nouvelles. La croissance économique régulière est synonyme de l'augmentation générale du niveau de vie, et le pays est atteint par l'ère de civilisation de consommation. Mais l'inégale redistribution des richesses, un certain retard des infrastructures, l'immobilisme des institutions et des pratiques sociales sont en contradiction avec le progrès général. Les mutations trop rapides, la seule *optique*[3] de l'efficacité économique, dans une France qui supporte mal l'ouverture des frontières européennes (Marché Commun), créent un sentiment de *frustation*[4] et de malaise qui ne cesse de grandir.

● **Mai 68.**

La contestation, partie des Universités, *ébranle*[5] toute la société française. Au mois de mai, la France vit dans l'*effervescence*[6] révolutionnaire, au bord de la guerre civile.

L'amélioration des conditions de travail et des revenus, la participation aux responsabilités sont les premières *revendications*[7], qui bientôt posent le problème de changement des institutions, et l'établissement d'une nouvelle société. De Gaulle réussit à *désamorcer*[8] la situation explosive par l'acceptation d'une partie des exigences des syndicats («accords de Grenelle») et par la proposition d'une solution législative à la crise (élections à l'Assemblée Nationale); cependant 1968, malgré son échec, aura profondément marqué toute la société.

● **La France bipolarisée (1968-80).**

Le Général de Gaulle, battu au référendum de 1969, démissionne. Si un gaulliste convaincu lui succède (Georges Pompidou)? poursuivant ses orientations politiques, il n'a pas le magnétisme du Général. La réponse aux difficultés économiques grandissantes et complexes est de plus en plus cherchée dans une alternative de société que propose la gauche.

— Pour les partis de gauche, l'échec de 1968 impose la nécessité de la recherche d'union. En juillet 1971, au Congrès d'Epinay, les socialistes décident leur rapprochement avec le parti communiste. Les pourparlers aboutissent à la signature du «Programme Commun» de gouvernement, qu'une fraction des radicaux acceptera aussi (27 juin 1972). Cette identité de pensée et d'action permet une spectaculaire remontée de l'*audience*¹ de «l'Union de la gauche». Par rapport à 1968, où les partis d'opposition ont recueilli 42 % des votes (élections législatives), en 1973 ils atteignent 45 % (législatives) et le candidat unique de la gauche, François Mitterrand, obtient en 1974 aux élections présidentielles 49,3 %. Le XXIIᵉ Congrès du parti communiste, affirmant l'abandon du principe de «la dictature du prolétariat», enlève le dernier obstacle sur la marche vers le pouvoir par la voie législative.

Aux élections locales (cantonales) en 1976, pour la première fois, la gauche est majoritaire, obtenant 53 % des sièges.

— La mort subite du Président Pompidou laisse les gaullistes en plein *désarroi*². Divisés sur les candidatures, c'est Giscard d'Estaing qui sera élu en 1974. L'audience des gaulliste décroît parallèlement à la montée de la gauche. Devant le danger de la prise de pouvoir par l'opposition, les différents courants de la droite se rapprochent. Ainsi se cristallise l'opposition de deux blocs politiques que tout sépare : c'est la bipolarisation, qui concerne non seulement l'opinion politique mais aussi les attitudes dans la vie quotidienne.

— Le renforcement de la gauche ne s'explique pas seulement par le départ du Général de Gaulle. Les difficultés économiques et sociales, mises au grand jour par les événements de mai 68, ne cessent de *s'amplifier*³ avec la crise mondiale. Les grandes réformes sociales de Giscard d'Estaing (majorité à 18 ans, amélioration de la condition féminine) sont insuffisantes en face des problèmes quotidiens graves : chômage, inflation, stagnation du niveau de vie. L'économie française dont la restructuration n'est pas encore terminée est durement touchée par le renchérissement des matières premières et la concurrence effrénée sur le marché mondial. Beaucoup d'usines ferment leurs portes et le nombre de chômeurs atteint 1.500.000 en 1980, 6 % de la population active. La situation est particulièrement grave dans la sidérurgie et l'industrie textile. La hausse des prix est continue, l'inflation, supérieure à 10 % annuels, fait doubler les prix entre 1973 et 1980. La politique d'*austérité*⁴ qu'impose le gouvernement provoque le mécontentement, car elle signifie stagnation, voire baisse du pouvoir d'achat et du niveau de vie.

● **1981, l'année de la gauche.**

Dans cette période de crise où les difficultés multiples de la vie quotidienne sont ressenties comme autant d'injustices, le programme humaniste de la gauche politique séduit une partie importante de l'opinion publique. Le 10 mai 1981, François Mitterrand est élu président de la République (52,2 % des voix), dans une *liesse*⁵ populaire que la France n'a pas connue depuis la Libération. *Sur la lancée*⁶, les socialistes emportent nettement les élections législatives, obtenant 270 sièges sur les 491 de l'Assemblée nationale.

● **L'alternance (1981-88).**

— Le gouvernement socialiste entreprend immédiatement la réalisation du programme social électoral : lutte contre les inégalités (relèvement des bas salaires, des diverses allocations ; impôt sur la grande fortune), amélioration des conditions de travail (39 heures par semaine, 5ᵉ semaine de congés payés), humanisation des cadres de la société et défense des libertés (peine de mort et tribunaux d'exception supprimés, autorisation des radios privées, augmentation du rôle des syndicats, des locataires, des associations, etc.), décentralisation du pouvoir. La stratégie économique de la gauche passe par les nationalisations (système bancaire et financier, les plus grandes entreprises industrielles), le contrôle des capitaux et des investissements.

— La politique sociale socialiste coûte cher, il s'ensuit un endettement de l'État de plus en plus inquiétant. Le chômage, un moment *contenu*⁷, s'accélère

(2.400.000 demandeurs d'emploi en 1985) car l'économie est *chancelante*[1], ne pouvant profiter ni des trois dévaluations du franc, ni de la reprise économique internationale. Le changement d'optique des socialistes en 1984 améliore la situation mais il est insuffisant pour retourner l'opinion publique déçue de la gauche, qui, aux élections législatives de 1986 donne la majorité à la droite politique. La France connaît alors un régime inhabituel avec un président de gauche et un gouvernement de droite: c'est la "cohabitation".

— Le gouvernement Chirac prend le *contrepied*[2] de la politique socialiste *prônant*[3] la libéralisation de l'économie et des rouages de la société (privatisation des banques, des entreprises, de l'information, suppression de l'impôt sur les grandes fortunes, encouragement de l'initiative privée, etc.). Aidée par la baisse du dollar et du prix du pétrole, par une conjoncture internationale plus favorable, la situation économique s'améliore sans pour autant faire disparaître les grands problèmes de la société (chômage par exemple).

CHRONOLOGIE DES ÉVÉNEMENTS IMPORTANTS

1940	18 juin:	De Londres, appel du Général de Gaulle.
	22 juin:	Armistice signé à Rethondes avec l'Allemagne. L'État français du Maréchal Pétain.
	28 juin:	Reconnaissance de De Gaulle comme chef des Français libres.
1941	juillet:	Communistes dans la Résistance: série d'attentats.
1942	8 novembre:	Débarquement allié en Afrique du Nord.
	11 novembre:	«La zone libre» occupée.
1943	17 février:	«Service du Travail Obligatoire»
	15 mai:	Création du Conseil National de la Résistance, J. Moulin, Président.
1944	30 janvier:	Combat du maquis de Glières.
	6 juin:	Débarquement allié en Normandie.
	8-10 juin:	Massacres de Tulle et d'Oradour-sur-Glane.
	28 juin:	La Résistance exécute Henriot (Radio Paris).
	juillet:	Combat du maquis du Vercors.
	18-25 août:	Insurrection et libération de Paris. Le gouvernement provisoire de De Gaulle s'installe à Paris.
1945	4 octobre:	Ordonnance instituant la Sécurité Sociale.
1946	19 janvier:	Démission du Général de Gaulle.
	13 octobre:	Constitution de la IVe République.
1947	5 mai:	Éviction des ministres communistes.
1948	1er juillet:	Début du Plan Marshall.
1949	4 avril:	Signature de l'OTAN.
1950	8 octobre:	Défaite de Cao Bang (Indochine).
1951	18 avril:	Création de la CECA.
	13 décembre:	Découverte du gaz de Lacq.
1952	mars:	Stabilisation de la monnaie par A. Pinay.
1954	7 mai:	Défaite de Diên Biên Phu (Indochine).
	21 juillet:	Accords de Genève sur l'Indochine.
	1er novembre:	Début de la guerre d'Algérie.
1956	mars:	Maroc et Tunisie indépendants.
	5-6 novembre:	Expédition de Suez.
1957	25 mars:	Traité de Rome (Marché Commun et Euratom).
1958	13 mai:	Emeutes en Algérie.
	1er juin:	De Gaulle appelé au pouvoir.
	17 juin:	Emprunt Pinay indexé sur l'or.
	28 septembre:	Référendum sur la Constitution: début de la Ve République.
	30 novembre:	Élections législatives, succès gaulliste.
	21 décembre:	De Gaulle élu Président de la République.
	27 décembre:	Accord monétaire européen et création du franc lourd.
1959	1er janvier:	1re réduction des droits de douane du Marché Commun.
	24 décembre:	Loi Debré sur l'enseignement privé.
1960	24-31 janvier:	«Journées des barricades» à Alger.
	13 février:	1re bombe atomique française suivie de la définition de la «Force de frappe».
	septembre:	Indépendance des colonies africaines.
1961	3 janvier:	Référendum pour l'autodétermination en Algérie.
	21-26 avril:	Putsch en Algérie (généraux Salan, Challe, Zeller, Jouhaud).
1962	janvier-juin:	Attentats OAS.
	18 mars:	Accords d'Évian, fin de la guerre d'Algérie.
	22 août:	Attentat du Petit-Clamart contre de Gaulle.

1963	14 janvier:	De Gaulle rejette la candidature anglaise au Marché Commun.
1964	27 janvier:	La France reconnaît la Chine communiste.
	juin:	Convention de Yaoundé (CEE-Afrique noire).
1965	29 octobre:	Affaire Ben Barka.
	19 décembre:	De Gaulle réélu Président de la République.
1966	9 mars:	Départ de la France de l'OTAN.
	30 octobre:	Discours de De Gaulle à Pnom Penh.
1967	23-31 juillet:	Voyage de De Gaulle au Canada («Vive le Québec libre»).
	11 décembre:	Création du supersonique *Concorde.*
1968	mai-juin:	Manifestations et émeutes.
	27 mai:	Accords de Grenelle avec les syndicats.
	23-29 juin:	Élections, succès gaulliste.
1969	3 janvier:	Embargo sur les livraisons d'armes en Israël.
	28 avril:	Référendum sur la régionalisation et le Sénat, victoire des «non», démission de De Gaulle.
	15 juin:	Pompidou élu Président de la République.
1970	9 novembre:	Mort du général de Gaulle.
1971	juillet:	Congrès d'Epinay du P.S.: décision de l'alliance avec les communistes.
1972	22 janvier:	Admission dans la CEE de la Grande-Bretagne, l'Irlande, le Danemark.
	juin:	Signature du Programme commun de la gauche.
1973	mars:	Manifestations étudiantes contre la loi Debré (suppression des sursis longs).
	avril-décembre:	Affaire Lip.
	10 octobre:	Loi Royer sur le commerce.
	16 octobre:	Doublement du prix du pétrole, entrée dans la crise économique.
1974	19 mai:	Élection de Giscard d'Estaing, Président de la République (50,8% des voix).
	25 juin:	Majorité à 18 ans.
	26 novembre:	Débat et vote de la loi libéralisant l'avortement.
	14 décembre:	Jacques Chirac, secrétaire général de l'UDR.
1975	mars:	Manifestation contre la réforme Haby (enseignement).
	août:	Graves incidents séparatistes en Corse (Aléria, Bastia).
1976	février:	XXIIe Congrès du P.C.: abandon du principe de la dictature du prolétariat.
	septembre:	«Plan Barre».
1977	31 janvier:	Inauguration du Centre Georges-Pompidou (Beaubourg).
	mars:	Élections municipales, majorité de gauche.
	septembre:	Actualisation du Programme Commun de la gauche (échec).
1978	12-19 mars:	Élections législatives: la gauche est battue.
	9 avril:	Congrès extraordinaire du RPR, violente critique de Giscard d'Estaing.
	mai:	Intervention de l'armée au Zaïre.
	20 septembre:	«Plan acier» pour sauver la sidérurgie.
1979	13 mars:	Entrée en vigueur du système monétaire européen.
	mai:	Graves incidents entre sidérurgistes et forces de l'ordre.
	30 mai:	Le troisième pacte pour l'emploi.
	10 octobre:	Affaire des diamants de Bokassa.
	25 octobre:	Publication du «Projet socialiste».
1980	2 mars:	Giscard d'Estaing se prononce pour ''l'autodétermination des Palestiniens''.
	4 mars:	Echec des négociations agricoles de la CEE.
	16 octobre:	Emprunt d'État au taux record de 13,8%.
	30 octobre:	Contingentement de la production d'acier dans la CEE.
1981	1er janvier:	La Grèce, 10e membre de la CEE.
	10 mai:	Élection de François Mitterrand, Président de la République.
	21 juin:	Victoire des socialistes aux élections législatives (270 députés sur 491). Gouvernement Mauroy.

	1er juillet:	Grandes mesures sociales (minimum vieillesse + 20 %, allocations familiales + 25 %).
	22 septembre:	Inauguration du TGV entre Paris et Lyon.
	3 octobre:	Dévaluation du franc.
1982	14 janvier:	Ordonnance sur la durée de travail (39 h) et les congés payés (5e semaine).
	5 février:	Loi sur les nationalisations.
	25 mars:	La retraite à 60 ans.
	10 juin:	Loi Quillot sur les loyers.
	27 juillet:	Loi Auroux sur les droits des travailleurs.
	29 juillet:	Autorisation des radios privées.
1983	7 janvier:	Loi de la décentralisation administrative.
	21 mars:	3e dévaluation du franc.
	8 août:	Intervention au Tchad (opération "Manta").
	23 octobre:	58 soldats français de l'ONU tués au Liban (attentat).
	21 décembre:	Scandale des "avions renifleurs".
1984	21 mars:	Politique de restructuration industrielle.
	avril:	Début des violences en Nouvelle-Calédonie.
	12 juillet:	Retrait du projet de loi sur l'enseignement libre.
	19 juillet:	Gouvernement de Fabius.
	26 septembre:	Mesures en faveur de l'emploi et la formation des jeunes.
1985	25 janvier:	Lancement du programme "informatique pour tous".
	26 février:	Le dollar atteint le cours record de 10,61 F.
	4 mai:	Sommet de Bonn: la France refuse de participer au projet américain "IDS".
	29 juin:	Accord européen pour la réalisation du projet "Euréka".
	10 juillet:	Affaire Greenpeace (attentat contre le *Rainbow-Warrior*).
	7 septembre:	Mise en service du surgénérateur *Super-Phénix* à Creys-Malville.
1986	1er janvier:	L'Espagne et le Portugal, nouveaux membres de la CEE.
	16 mars:	Élections législatives et régionales: victoire de la droite politique.
	20 mars:	Gouvernement Chirac.
	avril:	Le baril de pétrole en dessous de 10 $.
	4 juin:	Loi supprimant l'autorisation préalable de licenciement dans les entreprises.
	3 juillet:	Loi d'habilitation autorisant le gouvernement à agir par ordonnances dans le domaine économique et social.
	16 juillet:	François Mitterrand refuse de signer l'ordonnance sur les privatisations.
	31 juillet:	La loi sur les privatisations votée par le Parlement.
	10 septembre:	La France refuse d'aider l'attaque américaine de la Libye.
	17 novembre:	Assassinat de Georges Besse, P.-D.G. de Renault (12e attentat terroriste de l'année).
	24 novembre- 10 décembre:	Protestation violente et massive des étudiants contre le projet de loi Devaquet (réforme des universités). Le gouvernement retire le projet.

1
ÉCONOMIE FRANÇAISE

La France est une des premières puissances économiques du monde : elle se place en 5e position pour le volume du produit national brut ou pour la valeur de la production industrielle, 4e pour le commerce extérieur. Cette place, elle la doit à une croissance économique soutenue et régulière après la seconde Guerre mondiale (augmentation annuelle du *PNB*[1] entre 4 et 6 %). Pourtant, malgré de brillantes *performances*[2], les problèmes sont nombreux, soulignés par la dureté de la crise actuelle. L'explication des résultats heureux comme celle des préoccupations actuelles se trouve pour l'essentiel dans les *modalités*[3] des structures productives et mentales.

1. L'État, moteur et frein de la croissance économique.

La longue tradition de centralisme en France ne peut expliquer le rôle considérable que l'État remplit dans le domaine économique et social. L'extension très large de ses interventions est surtout le résultat des nationalisations et de *prises de participation*[4] rendues inévitables par les crises économiques, sociales ou politiques de la période de 1936-46 (récession économique mondiale, Front Populaire, guerre, reconstruction).

[1] *Produit National Brut*
[2] *succès, exploits*
[3] *conditions, particularités*
[4] *achats d'actions*
[5] *(ici) dépendent, appartiennent*
[6] *communes, organismes de niveau communal, cantonal*
[7] *accord*
[8] *Salaire Minimum Interprofessionnel de Croissance, salaire de base garanti par l'État et qui suit le coût de la vie*
[9] *diriger à distance*

● L'État oriente et contrôle l'activité économique. La création du Conseil National du Crédit et la nationalisation de la Banque de France sont en 1946 les premiers signes du contrôle étroit des circuits financiers. Aujourd'hui les plus grandes banques de dépôts et les réseaux de crédit sont nationalisés (Crédit Lyonnais, Société Générale, Banque Nationale de Paris, Caisse d'Épargne, Chèques Postaux) ou fortement contrôlés (Crédit Agricole, Crédit Foncier, Crédit Hôtelier, etc.) ; il en est de même dans les plus grandes compagnies d'assurances. Si les grandes banques d'affaires *relèvent*[5] du domaine privé, la Caisse des Dépôts et Consignations, nationalisée, est le principal créditeur des *collectivités locales*[6] et des organismes d'aménagement du territoire, le principal pourvoyeur du large secteur de la construction immobilière.
Le ministère des Finances (directement ou à travers l'activité de la Banque de France) détient la clé de la politique monétaire, surveille le marché des capitaux, réglemente l'activité bancaire (modalités d'*octroi*[7] et taux des prêts), définit une partie des prix, détermine le *SMIC*[8] et les salaires distribués dans les entreprises ou services publics. L'action se prolonge dans la répartition budgétaire : l'État finance le tiers des investissements en France et ses commandes sont déterminantes pour l'activité économique. La pratique de la planification, la politique d'aménagement du territoire assorties d'investissements et de subventions multiples sont encore d'autres moyens dont dispose l'État pour *téléguider*[9] les secteurs économiques.

● L'État est aussi un intervenant direct dans la production. Les entreprises publiques réalisent en 1980 11 % du chiffre d'affaires et emploient 12 % de l'effectif industriel. L'*emprise*[1] de l'État s'exerce au niveau des entreprises nationalisées et des «compagnies mixtes», où les capitaux publics et privés sont associés. Dans le secteur de l'énergie, Charbonnages de France, Gaz de France, Électricité de France, Commissariat à l'Énergie Atomique disposent d'un quasi-monopole sur la production et la distribution, et par Elf-Erap, l'État est très actif dans la recherche pétrolière. En ce qui concerne le transport, l'État est maître des communications ferroviaires *(SNCF*[2], *RATP*[3]), aériennes (Air France, Air Inter), maritimes (Compagnie Générale Maritime), ne laissant au privé que le transport routier. L'intervention publique est plus discrète dans le secteur de l'industrie, jusqu'en 1981, ce qui n'exclut pas sa forte présence dans certaines branches comme la construction aéronautique *(SNIAS*[4], *SNECMA*[5]), l'industrie automobile (Renault), l'industrie de l'armement ou la chimie minérale (Société Chimique des Charbonnages, Office National Industriel de l'*Azote*[6]), et puis la multitude de *filiales*[7] des entreprises dominées par l'État lui permet d'avoir un droit de regard dans chaque parcelle de l'activité du pays.

A cette liste déjà longue, il faut ajouter les services publics qui ont souvent une forte activité de commerce (Postes et Télécommunications, Chambres de Commerce, Marchés d'Intérêts Nationaux (M.I.N.), Aéroport de Paris, Ports autonomes), ou qui, par l'importance de leur budget et du volume de leurs commandes, ont une part non négligeable dans les activités économiques (administration dans un sens large, services de santé, d'enseignement et de culture).

Dans ces activités tertiaires, la recherche mérite une place à part: 56 % du financement de la recherche est effectué par l'État. Parmi les nombreux instituts de recherche, le Centre National de la Recherche Scientifique (CNRS) se distingue par l'étendue de ses activités.

● L'État exerce son rôle d'arbitre dans les conflits économiques ou sociaux. Pendant longtemps, ses interventions se sont caractérisées par le souci de *tempérer*[8] les effets négatifs de la concurrence et de *sauvegarder*[9] les intérêts de la collectivité des hommes face aux exigences de la croissance économique: défense des entreprises nationales par un certain *protectionnisme*[10], gestion des unités de production en *déficit*[11] constant mais d'utilité publique certaine, octroi de subvention aux industries utilisant beaucoup de main-d'œuvre pour défendre l'emploi, garantie de *prix-plancher*[12] pour certains produits, politique d'aménagement du territoire, etc.

Mais progressivement, l'État doit s'effacer devant les conventions du Marché commun et les impératifs d'efficacité imposés par la crise économique.

[1] *ascendant, autorité, mainmise, influence*
[2] *Société Nationale des Chemins de Fer Français*
[3] *réseau du métro parisien (Réseau Autonome de Transport Parisien devenue Régie Autonome de Transport Parisien)*
[4] *Société Nationale des Industries Aéronautiques et Spatiales*
[5] *Société Nationale d'Étude et de Construction de Moteurs d'Avion*
[6] *corps simple gazeux, symbole chimique N*
[7] *entreprises dirigées et contrôlées par une société mère*
[8] *atténuer, modérer, diminuer*
[9] *garantir*
[10] *pratique d'un ensemble de mesures contre la concurrence étrangère*
[11] *dépenses supérieures aux recettes*
[12] *prix minimum de vente*
[13] *changement*

2. Forces et faiblesses des structures économiques.

La relative régularité de la croissance économique, évoquée plus haut, ne s'accomplit pas dans des structures stables. Bien au contraire, la caractéristique principale des années d'après-guerre est la rapide *mutation*[13], bien plus forte que dans les pays comparables à la France.

● Le changement des structures est illustré dans l'ensemble par la répartition sectorielle de la population active. Au cours de la décennie 1950, la population active se répartissait de façon égale entre les trois secteurs agricole, industriel et tertiaire. Actuellement, sur 10 Français qui travaillent on n'en trouve plus qu'un seul dans l'agriculture, 4 sont dans l'industrie et 5 dans les activités de service. L'évolution est donc surtout marquée par la forte diminution des agriculteurs (ils sont 7 fois moins nombreux qu'en 1946) et l'augmentation considérable

des emplois de service qui ont doublé par rapport à 1946. Dans le secteur industriel, l'évolution est plus nuancée : si globalement l'effectif augmente, dans certaines branches de production les emplois ont beaucoup diminué (textile et habillement, extraction de minerais, *sidérurgie[1]*, travail de cuirs et de peaux).
L'orientation générale de cette évolution est conforme à ce qui se passe dans les autres pays développés comparables à la France. Partout, en effet, on assiste à un transfert de main-d'œuvre des secteurs de production en déclin ou en forte mécanisation vers les secteurs de production nouveaux, de technologie *de pointe[2]*. Partout aussi on remarque l'augmentation de l'emploi dans les transports, commerces et services, liée aux exigences sans cesse renouvelées de notre civilisation de consommation. Ce qui fait la particularité de la France, c'est l'importance quantitative et la rapidité dans le temps de ces mouvements. La structure économique de la France en 1950 indique de très grands retards par rapport aux pays voisins, surtout par l'importance de l'effectif agricole. En l'espace de 30 ans, la France a dû combler ce retard ; c'est cela qui explique l'*ampleur[3]* sans égale de l'évolution, qui, d'ailleurs, ne s'est pas déroulée sans occasionner de profonds *remous[4]* sociaux.

● Pendant cette période de 30 ans, la richesse nationale, exprimée par le Produit National Brut, triple. L'augmentation rapide du volume de la production s'effectue pourtant pratiquement avec une main-d'œuvre stable, 20 millions, ce qui signifie que ce résultat a été acquis grâce à un fort accroissement de la *productivité[5]* (près de 5 % annuels).
Ce taux, trois fois supérieur à celui des États-Unis, dépassé, parmi les pays développés, seulement par le Japon et l'Italie, indique encore qu'il s'agit d'un rattrapage de la part de la France. Le dynamisme de l'économie, sa capacité de modernisation sont évidents, tout au moins jusqu'en 1970. D'ailleurs, les secteurs non agricoles ont été capables de créer près de 2 millions d'emplois nouveaux entre 1950 et 70. Si, pris dans leur ensemble, les facteurs de progrès économiques sont importants, l'examen sectoriel révèle des déséquilibres profonds, une stagnation anormale de certaines branches de production aggravée par des *divergences[6]* de structure régionale inquiétantes.

● L'entreprise française demeure assez mal adaptée à l'évolution du marché. Elle est de petite taille (l'entreprise industrielle a en moyenne 15 employés, contre 25 en Allemagne et 58 aux États-Unis) et les entreprises familiales sont encore trop nombreuses. Divisées, dispersées, disposant de moyens financiers limités et bien fortement endettées par la nécessité de modernisation, ces unités de production supportent mal la concurrence internationale, surtout en temps de crise. Pourtant, poussé par l'*échéance[7]* d'ouverture du Marché Commun, un fort processus de concentration *s'amorce[8]* dans les années 60 : des accords de fusions ou d'ententes se multiplient et modifient progressivement la structure de certaines branches de production à l'exemple de l'aéronautique, de l'automobile, de la chimie, de la sidérurgie ou de l'industrie textile. Malgré cette évolution, peu de grandes entreprises françaises peuvent *lutter à armes égales[9]* avec leurs concurrents américains, européens ou japonais. En 1982, huit *firmes[10]* françaises réalisent plus de 40 milliards de F. de chiffre d'affaires et se trouvent ainsi parmi les 100 premières du monde (Compagnie Française des Pétroles 17e, Elf-Aquitaine 20e, Renault 29e, Peugeot-Citroën 47e, Compagnie Générale Électrique 58e, Thomson 83e, St-Gobain 84e, Péchiney 87e).

● Certes, dans de nombreux secteurs de l'activité économique, la France a su être à la pointe du progrès. On peut citer, parmi tant d'autres, l'ensemble des télécommunications, la fabrication de véhicules et du matériel de transport, la recherche spatiale ou pharmaceutique ou encore la technique de construction

[1] *métallurgie du fer*
[2] *en avance*
[3] *largeur, importance*
[4] *troubles*
[5] *accroissement simultané de la production et du rendement*
[6] *écarts*
[7] *date, fin de délai*
[8] *commence*
[9] *avec les mêmes atouts*
[10] *entreprises*

de barrages. Mais bien que du point de vue technologique ou technique, le matériel soit parfaitement au point, les réalisations ne sont pas ou sont mal exploitées commercialement (exemples : *l'usine marémotrice*[1] de la Rance, le four solaire d'Odeillo, le système de télévision en couleur Secam, les avions comme *Concorde* ou *Airbus*, etc.). Pendant la période de la croissance, on a appris à produire, mais on ne sait toujours pas vendre. La France est absente d'une bonne partie du monde, et quand elle est présente elle se trouve en position difficile par rapport à ses concurrents. On reproche aux entreprises françaises l'irrégularité de leurs livraisons, la défectuosité du service après-vente, le manque de variété dans les articles ou options offerts, que ne peut *contrebalancer*[2] la *prééminence*[3] du «goût français». Alors pour beaucoup de pays la France ne peut présenter que ses parfums, les produits de sa haute couture et de sa gastronomie.

● Habitué depuis longtemps à l'omniprésence de l'État dans les domaines économiques et sociaux, le producteur, a fortiori le consommateur, a acquis une mentalité d'assisté. Il manque à la France des hommes d'affaires au goût du risque, à l'esprit d'initiative. Tout effort, toute orientation sont attendus de l'État, et quand les difficultés apparaissent, il est la cause la plus souvent évoquée. Mais que des changements hardis soient décidés et l'on s'accroche à ses privilèges, à ses habitudes, à son individualisme et manifestation syndicale, grève aidant, on défend farouchement sa façon de vivre contre l'État inhumain. Alors, sous la pression, l'État recule, *pérennise*[4] les structures en retard et non rentables, distribue aides et subventions, entretient une masse de fonctionnaires parfois inutiles ou sous-employés.

[1] *usine utilisant la force des marées pour produire de l'électricité*
[2] *compenser*
[3] *supériorité*
[4] *rend perpétuel*
[5] *augmentation du prix*
[6] *démesurée, excessive*

3. La crise économique.

Les grandes mutations des structures de production et la modernisation des infrastructures ne sont pas encore réalisées, quand les effets de la crise internationale atteignent la France.
Les entreprises engagées dans les reconversions et lourdement endettées par les investissements massifs ne pouvaient supporter le choc du *renchérissement*[5] généralisé des matières premières et de la concurrence *effrénée*[6] sur le marché international. Il s'ensuit une crise économique grave dont on ne voit pas très bien la fin : les fermetures d'usines se succèdent, l'industrie perd 1 million d'emplois entre 1975 et 1985, l'inflation dépasse plusieurs années de suite les 10 %, on compte deux millions et demi de chômeurs en 1986, le commerce extérieur est régulièrement déficitaire et la monnaie accuse des signes de faiblesse.

● Dans ce désordre économique tout le monde attend les solutions de l'État. Mais ''l'État-providence'' est incapable de provoquer des miracles : le sauvetage des entreprises en faillite, les subventions généreusement distribuées, la défense des plus défavorisés coûtent cher, exigeant une contrepartie de rigueur pour limiter les dettes publiques : augmentation des impôts, de charges, blocage des salaires et des prix, réduction des dépenses de fonctionnement des services publics, économie d'énergie. Cette politique est difficile à supporter car elle est synonyme de baisse du niveau de vie, de multiplication de contraintes, et nécessite un changement de mentalité auquel la France est allergique.

● Le mécontentement a toujours une expression politique, idéologique en France. La gauche est élue au pouvoir en 1981 pour que l'État soit mieux gouverné. Pour les socialistes le renforcement du contrôle de l'État sur les mécanismes économiques est le remède indispensable à la crise. Par la nationalisation des circuits financiers (80 % des dépôts et de crédits bancaires), et de nombreuses entreprises (27 % des ventes, 21 % de l'emploi, 34 % des investissements industriels sont dans le secteur public) par les contrôles fiscaux (impôt sur la grande fortune, contrôle des marges bénéficiaires), l'État veut contrôler le capital et canaliser l'investissement, mais il suscite méfiance, détournement et *attentisme*¹, sans pour autant réussir dans la bataille économique.

● L'échec du dirigisme économique donne raison à ceux qui combattent pour un libéralisme très large. La réduction du rôle de l'État apparaît inéluctable (même aux socialistes dès 1983). La diminution des prélèvements obligatoires, la baisse des impôts, la liberté des prix, l'abandon du contrôle des changes et de l'autorisation du licenciement, la décentralisation des pouvoirs et les dénationalisations massives : toutes les actions de la droite libérale (qui a retrouvé le pouvoir en 1986) vont dans le même sens. C'est dans un capitalisme libéral que les espoirs sont placés à la fin des années 80.

	Population millions	PNB, 1983 milliards de $	PNB/ habitants 1983 dollars	Exportation milliards de $ 1985	Solde des échanges milliards de $, 1985	Inflation %, 1985	Chômage % popul. active 1985
États-Unis	234	3292	14090	206	- 129,0	3,0	7,2
URSS	272	1500	5500	86	+ 7,0	—	—
Japon	119	1204	10100	176	+ 54,0	2,5	2,0
RF Allemagne	61	702	11420	182	+ 29,2	2,2	8,2
France	55	568	10390	102	- 4,5	5,7	10,5
Royaume-Uni	56	505	9050	101	- 2,7	5,0	11,7
Italie	56	357	6350	78	- 10,2	9,2	10,2
Chine	1021	300	290	27	- 7,6	—	—
Canada	25	300	12000	88	+ 54,0	4,0	10,4
Brésil	129	245	1890	26	+ 13,0	230	13,0

Sources : ONU, OCDE, Le Monde

Évolution de la population active, répartition sectorielle (%)

	1946	1954	1962	1968	1975	1982	1982 effectif
Secteur primaire	36,5	27,7	20,6	15,6	9,6	8,1	1759000
Secteur secondaire	29,2	36,4	39,1	40,2	37,7	34,2	7345000
Secteur tertiaire	34,3	35,9	40,3	44,2	52,7	57,6	13362000

Sources : Recensements de la population

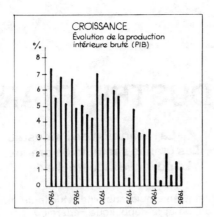

CROISSANCE
Évolution de la production
intérieure brute (PIB)

INFLATION
Pourcentage annuel
de la hausse des prix

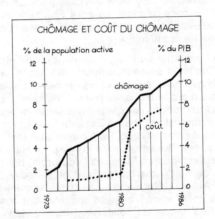

CHÔMAGE ET COÛT DU CHÔMAGE

% de la population active   % du PIB

chômage

coût

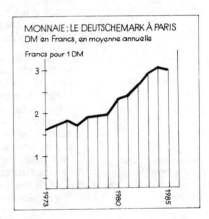

MONNAIE : LE DEUTSCHEMARK À PARIS
DM en Francs, en moyenne annuelle

Francs pour 1 DM

L'INDUSTRIE FRANÇAISE

La répartition de l'industrie.
Les grands secteurs de production.
La politique industrielle de l'État.

La France est la cinquième puissance industrielle du monde, derrière les États-Unis, l'URSS, le Japon et la République Fédérale Allemande. L'industrie contribue pour 54 % du *PIB*[1], pour 81 % des exportations, et la balance commerciale des produits industriels est continuellement positive. Elle joue pourtant un rôle relatif moins important que dans les États voisins : elle n'emploie que 34 % des actifs (42 % au Royaume-Uni, 44 % en Italie, 50 % en RFA), et elle n'est pas diffusée dans tout l'espace national. La crise économique des années 1970-80 a révélé sa fragilité et sa structure déséquilibrée : des secteurs dynamiques voisinent avec des secteurs anémiques.

● Le poids de l'industrie varie sensiblement d'une région à l'autre. La France industrielle, où l'on recense les trois quarts des actifs, se situe au nord-est d'une ligne reliant Le Havre à Marseille. Depuis un siècle, ce partage inégal de l'espace industriel français n'a guère changé malgré les efforts de l'État et les modifications profondes intervenues dans le jeu des facteurs économiques. Les grandes concentrations industrielles du Nord-Est sont basées sur le charbon ou le minerai de fer, tels le Nord-Pas-de-Calais (*sidérurgie*[2], textile), la Lorraine (sidérurgie), autour des ports, tels Dunkerque (sidérurgie), Le Havre-Basse-Seine (pétrochimie, automobile, textile), Fos-Marseille (sidérurgie, pétrochimie), relayés par les espaces ruraux où l'industrie est partout présente (Alsace, Vosges, Picardie, Jura, Nivernais, Alpes du Nord, etc...). De cet ensemble industrialisé, l'agglomération parisienne et la région lyonnaise apparaissent comme des *phares*[3].

[1] Produit intérieur brut, richesse nationale
[2] métallurgie du fer (acier, fonte)
[3] modèles

Leur place est solidement établie dans les industries exigeant une main-d'œuvre qualifiée et un encadrement de valeur : matériel électrique et électronique, industrie mécanique, chimie. A l'exception de la chimie synthétique dont le grand centre français est Lyon, dans toutes les autres branches d'activité, Paris a le rôle majeur de direction. Dans l'ouest de la France point de grandes concentrations, les zones d'industrie diffuse sont rares aussi. Deux centres importants sont à noter, Nantes (métallurgie) et Bordeaux (aéronautique), auxquels s'ajoutent, grâce à la volonté d'industrialisation récente, Toulouse (aéronautique), Rennes et Le Mans (automobile), Montpellier (électronique) et quelques centres isolés de la vallée de la Loire.

● On peut regrouper les fabrications industrielles dans trois grands secteurs : celui des biens intermédiaires, celui des biens d'équipement et celui des biens de consommation. La situation de chacun de ces secteurs est fort différente.
— L'industrie des biens intermédiaires, qui transforme les matières premières minérales ou végétales, est en mauvaise posture, la crise économique l'a frappée de plein fouet. La situation est

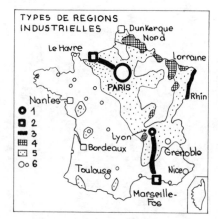

TYPES DE REGIONS INDUSTRIELLES
Dunkerque
Nord
Le Havre
Lorraine
PARIS
Rhin
Nantes
● 1
■ 2
▬ 3
▦ 4
▫ 5
∞ 6
Lyon
Bordeaux
Grenoble
Toulouse
Nice
Marseille-Fos

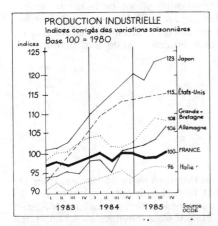

PRODUCTION INDUSTRIELLE
Indices corrigés des variations saisonnières
Base 100 = 1980

123 Japon
115 États-Unis
108 Grande-Bretagne
106 Allemagne
100 FRANCE
96 Italie

1983 1984 1985
Source OCDE

¹Compagnie générale électrique
²de pointe, avancés
³gloire
⁴non organisées

dramatique dans la sidérurgie, grave dans la métallurgie des non-ferreux ou la construction navale. La grosse construction mécanique par contre résiste bien; branche très dynamique, elle travaille beaucoup pour l'exportation, produisant des usines "clefs en main" fournies à la demande pour n'importe quelle branche d'industrie: centrales nucléaires, des plates-formes de forage en mer, des infrastructures de transport telles que des aéroports ou des métros. L'industrie chimique est à double visage: elle englobe aussi bien des activités traditionnelles de plus en plus menacées par la concurrence des pays du Tiers Monde (engrais, plastiques, etc...), que les activités de pointe en forte croissance (comme la biochimie), présentant une multitude de petites entreprises à côté des entreprises multinationales (Péchiney-Ugine-Kuhlmann, Rhône-Poulenc, St-Gobain, Michelin).

— Dans l'industrie des biens d'équipement la production française occupe plusieurs positions solides. L'industrie aéronautique et l'industrie des armements sont mondialement connues. Une haute technologie et des efforts soutenus à l'exportation sont à l'actif de la construction du matériel ferroviaire. La construction électrique et électronique (avec les grandes entreprises de CGE¹ et Thomson-Brandt) est celle dont la croissance est la plus rapide. A côté de ces secteurs convenables ou même performants², d'autres montrent des faiblesses inquiétantes, comme l'industrie des machines-outils, de véhicules industriels, de machines agricoles dominés pour les deux tiers du marché national par l'étranger.

— La situation du secteur des biens de consommation est la plus préoccupante: la moitié du marché national de la petite fabrication électrique et électronique (postes de télévision, appareils électroménagers, matériel audiovisuel, etc...) est conquise par les marques étrangères. Il n'y a plus d'industrie française de l'optique. L'industrie textile et de l'habillement est en crise profonde (la moitié des emplois supprimée entre 1974 et 1985), l'industrie du bâtiment et des travaux publics est en stagnation (même si quelques entreprises, comme Spie Batignolles ou Bouygues réussissent bien, même à l'étranger). La seule réussite dans ce secteur est la construction automobile, au 4e rang dans le monde, avec la moitié de sa production exportée (Renault, Peugeot-Citroën).

A la fin des années 60 les observateurs soulignent les grands défauts de l'industrie française: insuffisante industrialisation de l'espace français, politique préférant des opérations de prestige³ ruineuses aux dépens d'une expansion industrielle vigoureuse et compétitive, taille insuffisante des entreprises, méthodes de gestion empiriques⁴, faible niveau technique des dirigeants, réticence pour chercher et maintenir des marchés étrangers. Rien d'étonnant alors, et cela malgré des progrès importants accomplis entre 1966-74 (concentration financière, modernisation technique) que la crise économique touche gravement l'industrie française.

● La politique industrielle de l'État, après une période de soutien financier aux entreprises en difficulté (1974-76) choisit la stratégie d'aide aux régions en difficulté, en favorisant la "reconversion" ("Fonds spécial d'Adaptation Industrielle" de 1978, aide spéciale aux "Pôles de conversion" en 1983). Parallèlement, on définit des secteurs prioritaires à aider car ils représentent l'industrie du futur: la bureautique, l'électronique grand public, l'off-shore, la bio-industrie, la robotique, les matériels pour économiser l'énergie, les machines automatiques ("Redéploiement industriel", 1980).

Les controverses subsistent quant au rôle de l'État dans la bataille économique (nationalisations de la gauche en 1982, dénationalisations de la droite après 1986), le *consensus¹* se fait de plus en plus autour de l'idée que c'est l'entreprise qui détient la clef du problème, que c'est elle qu'il faut aider par une politique libérale (allègement fiscal, liberté des prix, autorisation de licenciement en 1986).

DOCUMENTS

Annexe I.

L'industrie française a accompli une réelle mutation en deux décennies : mais la *greffe²* de cette rapide industrialisation s'est faite sur un corps économique et social qui n'avait connu que la stagnation pendant les trente années précédentes. Aussi, des distorsions, des anomalies, étaient-elles inévitables. Au débit de l'industrie française, les experts mettent :
— une importance encore trop grande des industries traditionnelles, celles qui se développent les premières dans les pays à main-d'œuvre bon marché ;
— une importance trop faible des industries dites de pointe, telles la péri-informatique, l'électronique, les composants électroniques, la machine-outil, les véhicules industriels ;
— une main-d'œuvre industrielle qualifiée par certains d'''inférioriséе'' (travailleurs émigrés, féminins, temporaires assurant des emplois à bas salaire et faible qualification)...
— des établissements ''sous-dimensionnés'', aux structures financières fragiles ;
— l'insuffisance des maisons de commerce internationales.

P. Pinchemel : *La France,* tome 2, P. 138, Ed. Armand Colin, 1981

Annexe II.

Les entreprises françaises sont affectées de maladies congénitales — *accoutumance³* à l'inflation, faiblesse des fonds propres, effectifs *pléthoriques⁴*, manque d'agressivité à l'étranger, insuffisance de la notoriété internationale — plus ou moins supportables quand tout va bien mais paralysantes dès que l'environnement n'est plus porteur. Autrement dit, elles ne peuvent pas et ne savent pas profiter des vents contraires, grave déficience quand une récession prend la forme d'une dépression.

L'Expansion, n° 204, décembre 1982

Annexe III.

L'opinion s'est émue pendant l'été 1983 des 7 330 suppressions d'emplois chez Peugeot-Talbot, suivies des 3 000 pertes d'emplois chez Citroën au printemps 1984, symptômes de difficultés jalonnés par de grands conflits sociaux. Divers rapports et études économiques font apparaître dès l'automne 1983 (INSEE) la possibilité de supprimer 80 000 emplois d'ici à 1988. Les sureffectifs dans les industries de fournitures et de montage automobile sont actuellement évalués entre 60 000 à 100 000 personnes ce qui entraîne un surcoût d'exploitation de 4 à 8 milliards de francs.

L'Information géographique, n° 3, 1985.

Annexe IV.

Aujourd'hui, on s'équipe beaucoup moins pour produire davantage que pour produire mieux, afin d'améliorer la rentabilité des unités de production. Moins d'un tiers des investissements matériels correspondent à des accroissements de capacité. L'heure est à l'automatisation et à de nouvelles organisations de la fabrication. Les progrès de l'informatique et de l'électronique permettent la mise en œuvre d'équipements particulièrement performants, économisant matières premières, énergie et main-d'œuvre. Une teneur croissante d'intelligence est incorporée dans les produits.

Le Monde, Bilan économique et social 1985, janvier 1986

Annexe V.

[1] idée qui revient sans cesse

Trop de charges : c'est le *leitmotiv* des chefs d'entreprise. De fait, elles n'ont cessé d'augmenter entre 1973 (à l'exception de l'année 1978) et 1983. Depuis, le mouvement a été stoppé, et il s'est même inversé en 1985 : la part des charges fiscales et sociales dans la valeur ajoutée des sociétés a reculé d'un demi-point (29,4 % contre 30 %). Multiplication des aides et mesures fiscales en faveur des créateurs d'entreprises (plus de 100 000 en 1985), diminution à 45 % de l'impôt sur les bénéfices réinvestis, mesures destinées à renforcer les fonds propres... La gauche a réhabilité le chef d'entreprise, ''fer de lance de la modernisation''.

L'Événement du jeudi, 27 février / 5 mars 1986

Annexe VI.

Répartition géographique du chiffre d'affaires et des effectifs pour les entreprises publiques industrielles en 1983.

		Chiffre d'affaires				Effectif		Bénéfice
		Total, MF	% France	% Export	% Etranger	France	Etranger	millions F
I. Entreprises publiques ''traditionnelles''								
SNIAS	Aéronautique, espace	24025	41,2	58,8	—	39331	905	+ 330
SNECMA	Aéronautique	9287	46,3	53,7	—	25475	—	+ 40
SNEA	Pétrole, chimie	134033	70,3	6,5	23,2	58039	19592	+3723
CdF-Chimie	Chimie	19450	63,7	32,9	3,4	17741	2025	- 865
EMC	Potasse, chimie	11575	52,6	16,2	31,2	9600	3300	0
Renault	Automobile	110274	53,0	33,2	13,8	161700	58105	-12500
II. Entreprises nationalisées en 1982								
CGE	Constructions électriques	62462	61,1	23,9	15,0	129060	19640	+ 650
St-Gobain	Verre, chimie	57894	36,4	14,2	49,4	69998	63595	+ 500
Thomson	Constructions électriques	49448	44,0	29,6	26,4	85000	22300	0
Bull	Électronique	11519	62,5	20,2	17,3	6065		- 500
CGCT (ITT)	Électronique	1519	89,9	10,1	—	6104	23	- 110
Rhône-Poulenc	Parachimie	43117	33,0	35,9	31,1	50696	30081	+1989
Péchiney	Aluminium	29009	38,7	36,0	25,3	49160		+ 550
Sacilor	Sidérurgie	31542	54,0	36,0	10,0	60410	6000	-8100
Usinor	Sidérurgie	32491	58,2	41,8	—	58400	1100	-7300
Dassault	Aéronautique militaire	13987	28,4	71,6	—	15799	—	+ 432
Matra	Armement	15000	27,0	73,0	—	28000	—	0
Imétal	Métallurgie	14719	—	—	—	3000	12000	+ 166
Roussel-Uclaf	Pharmacie	10866	—	—	—	17266		+ 350

Sources : *Le Nouvel Économiste* (20.6.1983), *L'Expansion* (déc. 1984)

LA CRISE DE LA SIDÉRURGIE

L'évolution de la sidérurgie jusqu'en 1973.
La crise et la politique de restructuration
La politique industrielle de l'État

[1] émotion
[2] Communauté Économique Européenne
[3] au bord de la mer
[4] idée fixe

Au cours de 1978 et surtout 1979, de très violentes manifestations secouent les régions de Lorraine et du Nord: À Longwy, Denain, Thionville, partout, les sidérurgistes expriment leur *désarroi*[1] devant la situation catastrophique: les usines ferment l'une après l'autre, suppriment 50.000 emplois en 5 ans, causant le déséquilibre économique et social dans plusieurs régions.
Victime de la crise économique, la sidérurgie illustre les difficultés que connaît l'ensemble de l'industrie française.

● La production sidérurgique était assurée après la guerre par 122 entreprises, le plus souvent de capitaux et de gestion familiaux, à capacité de production limitée, dans des usines vieilles, à technologie dépassée. La modernisation des structures, vainquant enfin la mentalité individualiste, n'intervient que tard et encore, pressée par la concurrence vive dans la *CEE*[2]. Les fusions nombreuses réduisent de moitié le nombre des entreprises et en 1966-68 deux grands groupes sont créés: Usinor, centré sur la région du Nord et Wendel-Sidelor sur la Lorraine.
Des investissements gigantesques sont alors réalisés entre autres, dans les deux complexes sidérurgiques «*sur l'eau*»[3]: Dunkerque et Fos-sur-Mer. Garantis par l'État, des emprunts successifs sont lancés, et l'État finance même directement le tiers des dépenses de ces grands travaux. On ne ferme pas pour autant les vieilles installations des régions traditionnelles, et le nombre de personnes employées est identique entre 1960 et 1974 (158 000).

La productivité de travail est pourtant particulièrement basse: 175 tonnes par an et par salarié en 1974 contre 240 en Allemagne, 250 aux USA et 360 au Japon. Mais l'objectif, l'*obsession*[4] même, a toujours été l'augmentation de la production. Elle passe de 17 millions de tonnes en 1960 à 27 millions en 1974, et on prévoit (VIIᵉ Plan) 34 millions de tonnes pour 1980.

● Les grands travaux sont loin d'être terminés quand, en 1974, éclate la crise économique mondiale. La consommation d'acier chute de 16 % en 1975, et ne reprend depuis que très lentement. Il s'ensuit une concurrence effrénée entre les producteurs pour trouver une clientèle.
Le tiers-monde, sur lequel la France a beaucoup compté (exemple la stratégie de Fos face à l'Afrique en voie de développement) préfère créer sa sidérurgie nationale. Des exportateurs nouveaux apparaissent sur le marché mondial, pratiquant des prix très bas grâce à leur main-d'œuvre bon marché, comme les pays socialistes, mais aussi l'Inde, le Mexique, le Brésil, et surtout le Japon.

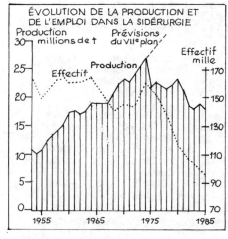

ÉVOLUTION DE LA PRODUCTION ET DE L'EMPLOI DANS LA SIDÉRURGIE

LA SIDÉRURGIE FRANÇAISE

Unité de production

Usine touchée par les licenciements massifs

Source : Economie - Géographie n° 133, 1976

[1] insuffisance de vente
[2] poids
[3] empruntés
[4] limitation
[5] adaptation à un nouveau métier
[6] mises à l'épreuve
[7] entreprises fabriquant une partie de matériel confié à une autre entreprise

Les pertes de production subies par la *mévente*[1] s'ajoutent au *fardeau*[2] du remboursement des crédits d'investissements *contractés*[3] avant la crise. L'endettement de la sidérurgie augmente désespérément et, en 1977, son montant dépasse le chiffre d'affaires! Les mesures protectionnistes de la CEE (*contingentement*[4] des exportations, hausses des prix intérieurs) ne suffisent pas. La suppression de 20 000 emplois en 1977 (départs volontaires, mises à la retraite anticipée) soulage à peine.

● Pour sauver les entreprises de la faillite et éviter ses répercussions économiques et sociales, le gouvernement propose en 1978 un «Plan de sauvetage de la sidérurgie» que le Parlement vote en automne.
L'État prend à sa charge une grande partie des dettes, 22 milliards de francs. En même temps il assure le contrôle des plus grandes entreprises, Usinor et Sacilor-Sollac (successeur de Wendel-Sidelor) en partie directement (avec 15 % des actions) mais surtout à travers les banques nationalisées ou des établissements financiers publics (70 %).
Une direction nouvelle est nommée par l'État dont la mission est le rétablissement de la rentabilité et la compétitivité des entreprises.
Le plan de redressement prévoit la fermeture des usines non rentables (comme Denain, Valenciennes, Longwy, Hagondange, Homécourt), la réduction de la capacité de production à 25 millions de tonnes et la suppression de 20 000 emplois, réduisant les effectifs de 150 000 en 1974 à un peu plus de 100 000 en 1980.
Malgré ces décisions douloureuses pour la sidérurgie, on ne réussit pas à endiguer l'hémorragie, même si les pertes financières des deux compagnies sidérurgiques françaises sont un moment stabilisées grâce au plan européen (1978) de contingentement de la production et de défense des prix. La gauche, arrivée au pouvoir en 1981, après avoir nationalisé les deux entreprises, propose le ''Plan Acier'', véritable bouée de sauvetage. Mais, en dépit des promesses, la suppression de 12 000 emplois en 1982 est inévitable. Le marché s'effondre, la production d'acier diminue encore (de 23 millions de tonnes en 1980 à 18 millions de tonnes en 1983), les pertes des groupes Usinor et Sacilor atteignent 10 milliards de francs.
Un nouveau ''Plan Acier'' est décidé en 1984, avec l'objectif, non d'aider, mais de rendre compétitive la sidérurgie. A côté de la fermeture de nouvelles usines en Lorraine, on en modernise d'autres et 15 milliards de francs sont investis dans la création de deux aciéries électriques. Le coût social de cette modernisation: 20 à 25 000 suppressions d'emplois en 4 ans (moitié en ''préretraite'', l'autre moitié en ''congés de conversion'').

● Si un tel plan était intervenu au temps de la prospérité (comme ce fut le cas en Allemagne) il n'aurait pas suscité autant de remous sociaux, car les emplois étaient alors abondants, la *reconversion*[5] professionnelle des sidérurgistes aurait été moins douloureuse.
En 1986 la situation est différente: la crise sévit dans des régions déjà fortement *éprouvées*[6]. Le Nord et la Lorraine ont déjà connu la crise du charbonnage et de l'industrie textile. La compression considérable de la sidérurgie n'affecte pas seulement quelques aciéries, mais aussi une multitude de *sous-traitants*[7]. Dans certaines villes, comme Longwy, un ouvrier sur deux travaille ainsi pour la sidérurgie; quasiment toutes les activités, qu'elles soient industrielles ou commerciales, dépendent de la sidérurgie. Dans ces conditions, les fermetures d'usines signifient un effondrement économique et social général.

DOCUMENTS

Annexe I.

« Les capacités de production de la France représentaient 17,8 % de celles de la CEE en 1975 et 16,2 % en 1978. C'est la plus forte baisse enregistrée. La France est le seul pays qui enregistre une réduction absolue de ses capacités (− 10 millions de tonnes), celles de la CEE progressant dans le même temps de 11,3 millions de tonnes...
Les experts de la CEE estimaient, en juillet 1978, que les programmes de fermetures d'installations annoncées à ce moment étaient nettement insuffisants, et concluaient: ''La fermeture supplémentaire des installations les moins compétitives paraît donc indispensable''. »

Conseil économique et social,
rapport sur la situation et l'avenir de la sidérurgie, 4 juillet 1979.

Annexe II.

« Le processus de liquidation de la sidérurgie va s'accélérer parce qu'il en a été décidé ainsi ailleurs, et que Giscard entend − sous couvert de compétitivité − plier toute la vie du pays aux exigences des forces dominantes du monde occidental. »

Francette Lazard, *L'Humanité,* 21 septembre 1978.

Annexe III.

[1] *personnes payant des impôts*
[2] *introduit*
[3] *payés*

« Le gouvernement s'apprête à débarrasser les groupes capitalistes de leurs seules activités déficitaires, c'est-à-dire exclusivement sidérurgiques. Il choisit de mettre les pertes à la charge des *contribuables*[1], laissant aux intérêts privés des possibilités imméritées de profits, et se prive des moyens techniques et financiers indispensables à une conversion progressive de la sidérurgie. »

Déclaration du Parti Socialiste, *Le Monde,* 22 septembre 1978.

Annexe IV.

« Mais ce plan de sauvetage *déclenche*[2] néanmoins une crise politique et sociale majeure. Pourquoi? D'abord, la sidérurgie est un métier d'hommes, chefs de famille, spécialisés et en général bien *rémunérés*[3]. On comprend que les travailleurs ne se résignent pas aisément à quitter un métier auquel ils étaient d'autre part attachés sentimentalement, malgré sa dureté, comme les mineurs aux mines de charbon... En Lorraine, dans le Nord, on ''appartient à l'acier'' et c'est pourquoi la restructuration apparaît comme un véritable arrachement. »

Christian Stofaës : «Le Dysfonctionnement du système acier».
Revue d'Économie Industrielle, 2e trimestre 1979.

Annexe V.

¹coûteux
²ici, une chose impossible
³manque d'assiduité au travail
⁴travail répétitif, à la chaîne

«Comme la CGT, la CFDT, par la voix de M. Jacques Chérèque, secrétaire général de la Fédération de la métallurgie, demande l'instauration de la cinquième équipe et le passage à 35 heures par semaine qui, selon lui, permettrait d'éviter 10 000 licenciements. Impossible, trop *onéreux*[1] répondront, peut-être, les nouveaux dirigeants de la sidérurgie... Impossible? Il y a quelques années, la retraite à 60 ans était l'*épouvantail*[2]. Aujourd'hui, on en est à 56 ans et 8 mois, et même moins... Trop onéreux? Compte tenu du coût social de l'*absentéisme*[3] et celui des accidents provoqués par le *travail posté*[4], on peut en douter.»

F. Renard, *Le Monde*, 19 décembre 1978.

Annexe VI.

«Selon les statistiques du ministère du Travail et de la Participation, 5 852 travailleurs de la sidérurgie (3465 à Usinor et 2387 à Sacilor) ont perçu la prime de 50 000F, dont 1433 étrangers qui ont, en plus, touché 10 000F au titre de ''l'aide au retour'' (toutes sommes payables dans leurs pays d'origine)... Sur les 5852 bénéficiaires officiels, 806 sont des femmes. Sur les 2478 ''partants'' de Sacilor-Sollac près de 1900 avaient moins de 40 ans. Des couples ont perçu, indemnités de licenciement comprises, plus de 150 000F.»

Le Monde, 26 février 1980.

Annexe VII.

⁵transformée
⁶diminué

«Depuis des millénaires, on fabrique de l'acier par une ''voie fonte'', dite encore ''noble'' ou ''de conversion''. Le minerai de fer mélangé à du coke dans les hauts fourneaux donne de la fonte qui est *convertie*[5] en acier dans les aciéries (aujourd'hui par jet d'oxygène)... Or cette ''voie fonte'' est dépassée pour un nombre croissant de produits banalisés par la ''voie électrique'' qui permet de récupérer de la ferraille refondue dans des mini-aciéries électriques. Les célèbres ''Bresciani'' italiens ont apporté la démonstration que cet acier pouvait être jusqu'à 30% moins coûteux. Ils ont ainsi pénétré le marché français des ronds de béton, des fils et des petites poutrelles à partir de ferrailles françaises. Car l'Hexagone, qui n'a guère construit d'aciéries électriques sauf dans les aciers spéciaux — pour défendre l'acier lorrain ''noble'' — exporte 3 millions de tonnes de ferrailles chaque année.»

Le Monde, Bilan économique et social 1984, janvier 1985.

Annexe VIII.

«La crise est générale. De 1974, année record, à 1983, la production mondiale a *régressé*[6] de 703 à 663 millions de tonnes. La Communauté européenne ne produit plus que 16,5% de l'acier mondial (22,2% en 1974). Les raisons de la crise? L'arrivée de nouveaux producteurs, même si elle a moins joué qu'on ne le croit : la production du Tiers Monde a doublé en dix ans, mais elle reste modeste (63 millions de tonnes). La baisse des achats des principaux clients: la production automobile a diminué aux États-Unis; la construction navale, affectée par la stagnation du commerce mondial, est en chute libre; partout le bâtiment et les travaux publics souffrent. La concurrence des autres matériaux : pour alléger les automobiles, on utilise de plus en plus l'aluminium et les matières plastiques. La technologie, enfin: l'amélioration de la qualité des aciers permet de réduire l'épaisseur des tôles ou des poutrelles.»

L'Express, 6-12 avril 1984.

E3

LE PROBLÈME DU CHÔMAGE

**Les risques de chômage.
Les causes du chômage.
La politique d'emploi et d'aide.**

[1]compte
[2]dégradation, dommage
[3]ensemble
[4]difficultés, embarras
[5]congédiements,
mises au chômage

Au début de 1986, on *recense*[1] officiellement près de 2 500 000 demandeurs d'emploi insatisfaits. Une part importante de la population active, 11,2 %, se trouve ainsi sans travail. Le plus inquiétant est l'accroissement continuel des chômeurs : en six ans leur nombre a été multiplié par quatre. Si la France n'est pas le seul pays dans cette situation (le Marché commun enregistre 16 millions de chômeurs, chiffre égal à celui des États-Unis), la *détérioration*[2] cependant y est plus grave qu'ailleurs : au cours de 1986, les chômeurs ont augmenté de 14 %.

● Le risque de chômage concerne inégalement la population. Les catégories les plus durement touchées sont :
— les jeunes de moins de 25 ans qui constituent 45 % des chômeurs, et qui sont souvent à la recherche d'un premier emploi (15 %) ;
— les femmes, qui, ne formant que le tiers de la population active, fournissent près de la moitié (48 %) des chômeurs ;
— les personnes âgées de plus de 50 ans, qui, une fois au chômage, ne retrouvent plus d'embauche.
Les secteurs d'activité économique les plus durement touchés sont ceux de l'industrie (perte d'un million d'emplois en 10 ans) et surtout les industries employant beaucoup de main-d'œuvre telles l'extraction minière, la sidérurgie, les chantiers navals, le textile et l'habillement, les constructions mécaniques... Dans ces secteurs, des mises au chômage massives signalent l'ampleur de la crise (exemples des entreprises de Sidelor, de Boussac, de Manufrance, de Creusot-Loire, de Nord-Méditerranée).

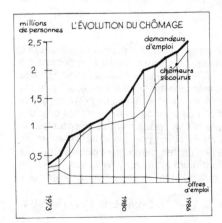

millions de personnes
L'ÉVOLUTION DU CHÔMAGE
2,5 — demandeurs d'emploi
2 — chômeurs secourus
1,5
1
0,5
offres d'emploi
1973   1980   1986

● Les causes du chômage et de son rythme accéléré sont nombreuses et le plus souvent interviennent *conjointement*[3].
Le ralentissement des activités productrices, les fermetures d'usines, indiquent un *malaise*[4] économique qui provoque le chômage temporaire ou définitif. Pour mieux résister à la crise, on recherche une meilleure gestion, une productivité supérieure, synonyme la plupart du temps de *licenciements*[5] d'une partie au moins du personnel, et même si la conjoncture redevient favorable, à cause des charges salariales élevées, on préfère offrir des heures supplémentaires à la main-d'œuvre déjà formée plutôt que d'embaucher de nouveaux salariés.

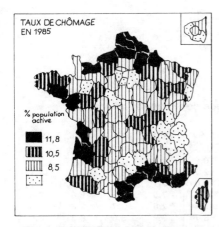

TAUX DE CHÔMAGE
EN 1985

% population
active

■ 11,8
▥ 10,5
▦ 8,5
░

[1] ensemble des personnes
du même âge
[2] personnel d'encadrement
[3] facilité à se mouvoir
[4] pourcentage de chômeurs
par rapport à la population
active totale
[5] travailleurs sans déclaration
ni autorisation
[6] possesseurs de plusieurs
emplois
[7] poids, conséquence
[8] exemption
[9] intégration

Les investissements créateurs d'emplois stagnent car le gros des investissements n'est plus affecté à la croissance de la capacité de production mais à l'automation et à la nouvelle technologie, ceci afin de réduire la main-d'œuvre devenue trop chère. Les investissements productifs s'effectuent ailleurs, dans le Tiers Monde où la main-d'œuvre est bon marché.

● À ces causes économiques du chômage s'ajoutent les causes socio-démographiques.
Les classes d'âge[1] très nombreuses nées au cours de la forte natalité des années cinquante arrivent sur le marché du travail au moment où les départs à la retraite sont insuffisants, car la population concernée est celle des classes d'âge nées pendant la première guerre mondiale.
L'évolution des mœurs et la rapide évolution de la condition féminine conduisent les femmes à passer du travail gratuit à la maison au travail rémunéré en dehors du foyer.
L'élévation du niveau des études rend les jeunes plus difficiles dans le choix d'un premier emploi ; l'enseignement, le niveau des diplômes ne correspondent pas à l'exigence de la vie active. On recense déjà 180 000 cadres[2] en trop !
La mobilité[3] géographique est insuffisante, difficilement acceptée en France, ce qui explique les écarts considérables du taux de chômage[4] d'une région à l'autre. Les difficultés de plus en plus grandes poussent les uns à accuser les ouvriers étrangers, les travailleurs au noir[5] les «cumulards»[6], les autres à parler de faux-chômeurs, de fainéants...

● Pour maintenir ou accroître les emplois disponibles, trois types d'action sont menés parallèlement par les pouvoirs publics.
— Les mesures de soutien à l'emploi servent à atténuer l'impact[7] de la crise sur l'emploi : contrôle des licenciements économiques pour éviter les abus (abandonné en 1986), licenciement collectif lié à la présentation d'un plan de reconversion sociale, diminution du temps de travail à 39 heures (ordonnance du 16 janvier 1982), abaissement de l'âge de la retraite à 60 ans (1er avril 1983), diminution des charges fiscales entravant les entreprises.
— Les aides directes à la création d'emploi visent à créer un mouvement supplémentaire d'embauche par rapport à celui qui résulterait du comportement spontané des entreprises. Mis en place en 1982, les ''contrats de solidarité'' permettent le départ des personnes en préretraite (qui touchent jusqu'à l'âge de la retraite, l'allocation de solidarité égale à 70 % de la dernière année d'exercice) dans le cas d'une embauche équivalente la promotion de l'emploi aux niveaux régional et local passe par des primes à la création de l'entreprise, à la création d'emploi et à l'octroi des prêts à long terme.
— Les mesures de politique économique envisagent l'aide financière aux entreprises : financement des investissements, exonération[8] d'impôts des entreprises nouvelles, l'aide à l'innovation (50 % du coût des innovations à la charge de l'État), mesures concernant les industries en déclin (sidérurgie, textile). Parallèlement à ces mesures générales, l'insertion[9] sociale et professionnelle des jeunes est toujours considérée comme une priorité. Les stratégies successives : ''Pacte pour l'emploi des jeunes'' (1977-80), ''Plan Avenir jeunes'' (1981-85) encouragent l'effort des entreprises en faveur de l'embauche des jeunes (exonération des cotisations sociales des employeurs), permettent aux jeunes de parfaire leur formation et leur expérience professionnelle par des mesures diversifiées : contrats emploi-formation, stages d'orientation, d'insertion ou de qualification, avec 40 % du SMIG perçu, stage de travaux d'utilité collective (TUC, 1200 F pour 20 heures par semaine en 1986).

DOCUMENTS

Annexe I.

Le chômage dans le monde, en pourcentage de la population active.

	Moyenne 1962-73	1974	1978	1982	1983	1984	1985	1986
États-Unis	4,6	5,4	6,0	10,9	9,5	7,4	7,1	7,2
Royaume-Uni	3,1	2,9	5,8	12,7	13,2	13,2	13,2	11,7
France	2,2	2,7	5,3	8,0	8,1	9,7	10,1	11,2
Allemagne	0,6	1,5	4,0	6,1	7,6	8,5	8,6	8,6
Japon	1,2	1,4	2,2	2,4	2,6	2,7	2,6	2,5
Ensemble OCDE	2,8	3,3	5,3	8,1	8,9	8,6	8,5	8,5

Source : *OCDE*

Annexe II.

[1] *dédommagement*
[2] *voies*

« Moins de 40 pays dans le monde possèdent un régime d'assurance-chômage, alors que près de 140 disposent d'un système d'*indemnisation*[1] des accidents du travail. L'indemnisation des travailleurs sans emploi existe dans la totalité des pays industrialisés du monde capitaliste (24 pays), dans trois pays socialistes (Bulgarie, Hongrie, Yougoslavie), dans six pays d'Amérique latine (Barbade, Brésil, Chili, Costa-Rica, Équateur, Uruguay), deux du Proche-Orient (Égypte et Israël), un d'Afrique noire (Ghana), un d'Asie (Hong-Kong), ainsi qu'à Chypre et Malte. »

V. Drouin : L'assurance-chômage : Éléments de droit comparé,
Droit social n° 6, juin 1984.

Annexe III.

« Derrière ces innombrables variantes, cependant, il y a trois grandes *filières*[2]. L'ordinaire d'abord : théoriquement, tout demandeur d'emploi a droit à une formation payée par l'État pendant laquelle il reçoit 70 % de son salaire antérieur. Seule condition : suivre un stage agréé par les pouvoirs publics. Mais pour trouver un de ces stages, il faut attendre souvent plusieurs mois, voire plusieurs années. La filière ''jeunes'' ensuite : créée par Raymond Barre dès 1978 avec le premier pacte pour l'emploi, elle n'a cessé de se développer. En 1985, plus de 500.000 chômeurs âgés de moins de 26 ans devraient trouver une place soit dans des stages, soit dans des entreprises avec des contrats prévoyant en alternance travail et formation. Les moins qualifiés recevront 500 francs par mois, ceux qui peuvent déjà tenir un emploi, 80 % du SMIC. Dernière filière : celle des chômeurs ''protégés'', disons plutôt ''explosifs'', ceux que l'on manie comme des barils de poudre tant que la résignation et l'isolement n'ont pas désamorcé leur colère. Ceux-là ont généralement droit à une formation spécifique et même, quelquefois, à des offres d'emploi à la sortie. »

L'Expansion, 16 novembre - 6 décembre 1984.

Annexe IV.

¹*mis ensemble*
²*enthousiasme*
³*reçoit*
⁴*abandonnés*
⁵*travail momentané*

«Une vague annuelle sortant du système scolaire correspond à 800 000 jeunes de 16 à 25 ans. L'analyse de sa composition est la suivante:
— 120 000 ne sont pas demandeurs d'emploi;
— 120 000 sont en apprentissage;
— 40 000 ont des diplômes, tous diplômes *confondus*[1], mais la moitié de ces diplômés n'ont pas trouvé de travail au bout d'un an;
— 160 000 n'ont aucune qualification.
Globalement, sur 800 000, la moitié sont au chômage pendant plus d'un an.»

Économie-Géographie, n° 215, mai 1984.

Annexe V.

«Les contrats Emploi-Formation (C.E.F.). Là, le taux d'embauche atteint 80 %. Cette formule s'adresse à des jeunes ayant un bagage scolaire plus étoffé, voire un début de formation professionnelle. Lancée en 1975, elle remporte un franc succès auprès du patronat. Les raisons d'un tel *engouement*[2]? ''Nous prenons en contrat emploi-formation des jeunes que nous aurions embauchés de toute façon'', explique Jacques Favier, directeur des relations sociales d'une filiale de BSN à Givors (Rhône). La quasi-totalité des embauches réalisées depuis deux ans dans cette entreprise s'est faite à travers des C.E.F. Avec deux avantages capitaux par rapport à un contrat de travail habituel. D'une part, l'entreprise *empoche*[3] une subvention de 45 francs par heure de formation (entre 150 et 499 heures par an). D'autre part, elle ne prend guère de risque puisqu'elle a opté pour des contrats à durée déterminée.»

L'Express, 16-22 décembre 1983.

Annexe VI.

«Avec la persistance du chômage, les jeunes font figure de victimes, voire de *laissés-pour-compte*[4]. Non seulement 26 % d'entre eux sont demandeurs d'emploi et représentent près de la moitié des personnes inscrites à l'ANPE, mais ils supportent, plus que d'autres, les conséquences de la crise en étant condamnés aux petits boulots, aux emplois à temps partiel, à durée limitée ou à l'*intérim*[5].»

Le Monde, Bilan économique et social 1984, janvier 1985.

Annexe VII.

«Le travail ayant disparu de l'univers de l'individu, les fonctions qu'il remplissait ne sont plus assurées: le chômeur perd, certes, son revenu ou une partie de celui-ci, mais il perd surtout un cadre de référence; son temps n'est plus structuré, ses habitudes de contacts sociaux sont bouleversées, son identité personnelle remise en question; le chômeur est désorienté; il met souvent deux à trois mois à surmonter le choc de la perte de l'emploi, quand il y parvient. D'une façon générale, le travail, et en particulier le travail salarié à temps plein, reste de nos jours un mode d'insertion sociale privilégié. Le travail n'attire pas car il est pénible; mais le non-travail repousse car il inquiète.»

Problèmes politiques et sociaux, n° 497,
La Documentation Française, octobre 1984.

E4

LE PROBLÈME ÉNERGÉTIQUE

**Le faible potentiel énergétique de la France.
Le choix nucléaire et ses contradictions.**

● La France a consommé, en 1973, 180 millions de tonnes équivalent de pétrole pour ses besoins énergétiques. Au même moment, la production nationale était de 40 millions de tonnes, couvrant donc 22 % des besoins. La France est ainsi sous une dépendance énergétique *indéniable*[1]. Elle a dû importer en 1973, 140 millions de tonnes dont 115 millions de pétrole brut, ce qui constitue 23 % de la valeur des importations totales. A travers la hausse continuelle des prix des hydrocarbures importés, on comprend l'importance primordiale de la question de l'énergie pour la France.

La crise éclate en période de forte croissance de la demande d'énergie, et les prévisions officielles même prudentes (envisageant une croissance du PNB de 2,5 % annuels) comptent un besoin de 315 millions de *tep*[2] à la fin du siècle. L'énergie chère et qui se raréfie exige une politique d'ensemble qui touche non seulement les structures de production, mais aussi les habitudes de consommation.

● L'optique officielle envisage parallèlement des économies d'énergie et la recherche de nouvelles sources nationales.

La France se révèle être déjà un des pays parmi les plus économes (la consommation par habitant est deux fois et demie inférieure à celle des États-Unis, deux fois inférieure à celle des pays scandinaves), pourtant la consommation peut encore fortement diminuer. Les campagnes d'économie d'énergie menées depuis 1974 (isolation des logements, réduction du chauffage, diminution de la consommation d'essence, etc) ont donné des résultats non négligeables.

L'augmentation nationale de la production des matières énergétiques classiques est limitée par la pauvreté des ressources, ou des prix de revient trop élevés: le gaz de Lacq est quasiment épuisé; les recherches intenses d'hydrocarbures dans la mer d'Iroise (Bretagne) ou dans le golfe du Lion (Méditerranée) n'ont pas donné de résultats *tangibles*[3]; la France a un potentiel hydro-électrique assez faible, et l'équipement des sites favorables aux centrales hydrauliques (avec les barrages du Rhône) est en voie d'achèvement. En fait, seuls les charbons et lignites présentent de l'intérêt. Les conditions d'exploitation peu rentables et devenues dangereuses ont exigé la fermeture de beaucoup de mines et la production évaluée à 60 millions de tonnes en 1958 est retombée au tiers (21 millions de tonnes) 20 ans plus tard.

La hausse des prix des hydrocarbures rend le charbon de nouveau compétitif et le maintien en exploitation de quelques mines auparavant condamnées est du domaine du possible (Lorraine, Nord, Provence) avec les futures centrales thermiques de Carling et de Gardanne.

Bilan énergétique quantités en millions de tep (tonne équivalent pétrole)	Production		Consommation	
	1978	1985	1978	1985
Charbon	15	10	32	24
Pétrole	2	3	106	84
Gaz naturel	7	5	21	23
El. hydraulique	14	21	17	19
El. nucléaire	6	37	6	37
TOTAL	44	76	182	192

Production d'électricité milliards de kwh (TWh)			
	Total	Hydraul.	Thermique	Nucléaire
1950	33,2	16,2	17,0	—
1960	72,3	40,5	31,6	0,2
1970	140,7	56,6	78,9	5,2
1975	178,5	59,8	101,1	17,6
1980	245,8	69,8	118,8	58,2
1984	309,5	67,0	60,7	181,8
1985	328,6	63,4	52,1	213,1

● Mais pour l'essentiel, la politique énergétique française envisage l'avenir par le nucléaire. Ce choix, par ailleurs si contesté pour remplacer progressivement le pétrole, s'explique par la sécurité et la facilité d'approvisionnement (2,2 % des réserves, 8 % de la production de minerais d'uranium du monde), l'avance de la France en matière technologique, son niveau élevé d'équipement en centrales électro-nucléaires (puissance électrique nette en 1986 : 39 000 mégawatts, 15 % du monde).

Le Parlement a accepté en 1975 la proposition gouvernementale en faveur de l'accélération du programme nucléaire dont les études sont confiées aux services du Commissariat à l'énergie atomique et les réalisations sont le domaine de l'*EDF*[1].

En 1986, 15 centrales sont déjà opérationnelles avec 44 tranches nucléaires (4 tranches nucléaires anciennes à graphite-gaz, 38 réacteurs à eau ordinaire sous pression et 2 surgénérateurs), 6 autres sont en construction, qui en 1990 porteront le nombre de tranches nucléaires à 57. Fournissant à peine le dixième de l'électricité consommée en 1973, le nucléaire intervient 12 ans plus tard pour les deux tiers de celle-ci. Pour la fin du siècle, les estimations officielles espèrent pouvoir couvrir le tiers des besoins énergétiques totaux du pays.

[1] *Électricité de France*
[2] *oscillations périodiques du niveau de la mer*
[3] *source de chaleur de l'écorce terrestre*
[4] *trop grand*

● La France n'a pas attendu la crise économique pour rechercher des sources énergétiques nouvelles. En 1968, le four solaire d'Odeillo (Pyrénées orientales) est mis en service et demeure un outil de recherche unique au monde ; l'usine marémotrice de la Rance (1966, Bretagne) est la première usine au monde à capter l'énergie des *marées*[2]. Les réalisations pratiques sont de plus en plus nombreuses : en 1985, 200 000 équivalents-logements sont chauffés par *géothermie*[3] et 600 000 par les capteurs d'énergie solaire. Malgré ces résultats, les énergies nouvelles ne seront appelées à jouer un rôle important qu'au XXIe siècle. Les prévisions officielles ne leur attribuent en l'an 2000 que moins de 10 % de la consommation énergétique.

● Le choix du nucléaire, comme source énergétique principale de l'avenir, peut être lourd de conséquences par les dangers, certains encore insoupçonnables, qu'il présente pour l'environnement humain et physique.

Le grave accident de Tchernobyl (URSS) en 1986 en témoigne. Pourtant les sondages d'opinion le montrent : il y a un consensus autour du nucléaire en France, comme l'unique solution possible pour le pays. Les manifestations anti-nucléaires parfois violentes (Fessenheim, Creys-Malville, Cattenom) concernent les centrales proches des frontières où la majorité des participants sont des étrangers. L'opinion publique hostile se prononce localement contre tel ou tel choix d'implantation de centrale (Nogent-sur-Seine, Plogoff) ou de centre de traitement des déchets atomiques (La Hague), mais la défense de l'emploi peut pousser à l'action inverse (Golfech).

● Le programme électro-nucléaire est décidé en 1974 au moment où l'énergie devient chère et rare. Les prévisions de production électro-nucléaire ont été fidèlement réalisées, mais les prévisions de consommation énergétique globale s'effondrent dans les années 80, d'une part à cause de la persistance de la crise industrielle, d'autre part à cause des économies d'énergie réalisées autant dans l'industrie que dans la consommation ménagère. La société s'est adaptée progressivement à l'idée d'économiser l'énergie et a rejeté le gaspillage.

Le résultat de cette évolution est une surabondance d'électricité, un parc électro-nucléaire *surdimensionné*[4].

DOCUMENTS

Annexe I.

« On a longtemps cru que la consommation d'énergie était un signe de développement. Nous affirmons maintenant que non seulement une forte consommation d'énergie n'entraîne pas forcément la croissance, mais encore pour obtenir la croissance économique dont nous avons besoin, une utilisation plus rationnelle de l'énergie est une condition *impérieuse[1]*. » [...]

« Une utilisation rationnelle de l'énergie devrait ainsi permettre de gagner 20 à 35 % de la consommation dans les transports, de 15 à 35 % dans l'industrie et l'agriculture, et jusqu'à 50 % dans les *secteurs domestiques[2]* et le tertiaire en se contentant de développer et d'appliquer des techniques connues. »

Saint-Géours[3], *Le Monde*, 6 novembre 1979.

Annexe II.

« Il faut environ 2000 litres de fuel pour chauffer une maison neuve (de 100 m²) en 1984, contre 3700 en 1973. Entre 1962 et 1975 il a été installé 5 600 000 chauffages centraux en France, ce qui a provoqué une augmentation de consommation pour le chauffage d'un peu plus de 11 millions de t.e.p. ; entre 1975 et 1983, il a été installé également 5 600 000 chauffages centraux, mais la consommation d'énergie de chauffage a diminué d'environ 500 000 t.e.p. »

D. Clerc : Énergie : toujours plus, in *L'état de la France et de ses habitants* (dir. J-Y. Potel), P. 377, Ed. La Découverte, 1985.

Annexe III.

« D'après un sondage Le Sauvage-Ifop, si la France avait voté le 8.4.1978, 62 % des Français auraient dit oui à l'énergie atomique (malgré la catastrophe de Harrisburg). Les plus farouches partisans du nucléaire auraient été les professions libérales, cadres supérieurs et petits patrons (plus de 73 % étant favorables à l'accélération du programme). »

Quid, p.10, 1980.

Annexe IV.

« Le gouvernement préfère donner la priorité au programme nucléaire. Cette préférence agit de façon très directe sur les comportements des ''agents économiques''. Quand, comme il l'a fait il y a un an, le ministre de l'Industrie déclare au patronat que le solaire ''exige encore des inventions scientifiques qui sont improbables avant la fin du siècle'', tout entrepreneur, tout financier comprend qu'il vaut mieux s'abstenir. Quand on sait d'autre part, que le budget solaire de la France est trente fois plus faible que celui des États-Unis ; qu'il ne dépasse pas celui de l'Opéra de Paris ; qu'il représente en francs constants, 8 % du budget dont disposait il y a vingt ans le Commissariat à l'Énergie atomique, on comprend que le solaire n'est pas chez nous un ''gadget écologique''. »

Le Nouvel Observateur, 21-27 juin 1980.

Annexe V.

«Pensez-vous que le solaire pourrait apporter d'ici à trente ans environ une vraie solution au problème énergétique de la France?»
Réponses: Oui 58%, non 29%, sans opinion 13%.

«Si la France s'engageait dans un vaste programme pour développer l'énergie solaire, souhaiteriez-vous que le programme nucléaire actuel soit... ...poursuivi: 35% ...ralenti: 38% ...arrêté: 18% ...sans opinion: 9%»

Sondage de la Sofres du 7 au 13 juin 1980.
Publié par *Le Nouvel Observateur*, 21-27 juin 1980.

Annexe VI.

«Le nucléaire, par exemple, qu'il soit capitaliste ou socialiste, suppose et impose une société centralisée, hiérarchisée et policière.»

Michel Bosquet, *Écologie et Politique*,
revue citée par *Le Nouvel Observateur*, «Faits et chiffres», 1978.

Annexe VII.

«La COGEMA, filiale du CEA chargée du cycle du combustible nucléaire, détient 20% de la capacité d'extraction d'uranium du monde non communiste; cent quinze des deux cent soixante-dix réacteurs en service en Occident font appel à elle sur un point ou l'autre du cycle. La COGEMA a même réussi à pénétrer le marché, pourtant fermé, des producteurs d'électricité américains pour leur fournir de l'uranium enrichi. Enfin les industriels français sont à la pointe mondiale de la surgénération comme de l'enrichissement par laser, une méthode qui deviendra la norme dans les années 90.»

B. de Thomas, Bilan économique et social 1985, P. 146.
Dossiers et Documents du *Monde*, janvier 1986.

Annexe VIII.

«La stratégie électro-nucléaire rencontre donc des limites évidentes: elle a été conçue en période de forte croissance de la demande, pour éviter de devoir importer plus. Elle est très mal adaptée en période de croissance faible, pour éviter d'importer moins. Elle ne réduit la dépendance pétrolière que faiblement, au regard du coût d'investissement qu'elle implique. Pour réduire cette dépendance, réduire la consommation est plus efficace qu'électrifier.»

D. Clerc, Deux choix pétroliers, et après?,
Alternatives économiques, décembre 1984.

Annexe IX.

Puissance nucléaire, 1986				
	Prod. nucl. installée GWe net	% de la prod. nucl. mondiale	Tranches nucléaires	Production TWh bruts
États-Unis	82,3	31,8	97	404
France	39,1	15,1	44	224
URSS	28,6	11,1	51	175
Japon	23,6	9,1	33	152
RFA	16,4	6,3	19	126
Royaume-Uni	11,8	4,6	38	61
Canada	10,1	3,9	17	64
Suède	9,6	3,7	12	59
Espagne	5,6	2,2	8	28
Belgique	5,5	2,1	8	35

E5

L'AGRICULTURE FRANÇAISE

**La modernisation des structures de production.
Les différences régionales dans l'efficacité de l'agriculture.
Le Marché commun et l'agriculture française.**

L'agriculture n'est pas en France, contrairement à la majorité des pays développés, un secteur économique secondaire, négligeable. Grâce à des conditions naturelles favorables, de fortes traditions d'attachement à la terre, et surtout grâce aux progrès exceptionnels accomplis depuis la guerre, l'agriculture française est capable de satisfaire l'essentiel des besoins alimentaires du pays et demeure, avec les excédents répétés, un point fort du commerce extérieur, garant de l'indépendance économique future.

[1] inquiétants, préoccupants

[2] qui se font de siècle en siècle

[3] autosuffisance

[4] matière propre à fertiliser la terre

[5] quintal par hectare (100 kg par 10.000 m²)

[6] réunion des parcelles dispersées

[7] priorité d'acquisition des terres en vente

[8] indemnité perçue durant toute la vie

[9] Fonds d'Orientation et de Régularisation des Marchés Agricoles

[10] Fonds Européen d'Orientation et de Garantie Agricole

● Au début des années 50, l'agriculture française présente des aspects *alarmants*[1]. L'exploitation est petite, extrêmement morcelée, où survivent des traditions culturelles parfois *séculaires*[2] ; peu mécanisée, elle a de faibles rendements ; surchargée de main-d'œuvre, elle s'organise autour d'une polyculture vivrière qui ne dégage que peu d'excédents commercialisables au-delà des petites régions juxtaposées, vivant en quasi-*autarcie*[3].
En l'espace de 35 ans, l'agriculture a totalement changé de visage. Plus de la moitié des exploitations ont disparu, le processus de concentration est très rapide (37 % des exploitations ont moins de 10 ha contre 59 % en 1955). La modernisation, la mécanisation de l'agriculture est spectaculaire : il y avait 30 000 tracteurs en 1950, on en compte aujourd'hui 2 millions (1 tracteur pour 4 hectares cultivés, 8 % du parc total du monde) ; l'utilisation de l'*engrais*[4] a été multipliée par 4, de nouvelles cultures se sont répandues (maïs, colza) et les rendements ont plus que triplé (le blé passe de 16 à 60 *q/ha*[5], le maïs de 21 à 60 q/ha...).

● L'action de modernisation est en partie due à l'intervention de l'État (Plan de 1960).
La SAFER (Société d'Aménagement Foncier et d'Établissement Rural) provoque le *remembrement*[6] pour diminuer le morcellement des exploitations, et intervient dans les transactions (droit de *préemption*[7]) pour créer des exploitations nouvelles économiquement rentables. Le FASASA (Fonds d'Action Sociale pour l'Amélioration des Structures Agricoles) aide les jeunes agriculteurs à s'installer et propose l'IVD (Indemnité *Viagère*[8] de Départ) aux agriculteurs âgés. Une politique suivie favorise les groupements, les innovations, la modernisation de la gestion, etc. Le prix payé pour ce développement est élevé : le soutien financier de l'État (*FORMA*[9]) et du Marché commun (*FEOGA*[10]) est constant : en 1985, il a dépassé 100 milliards de F.

Évolution de la répartition des exploitations selon leur taille (%)			
	1955	1967	1983
0,2 à 5 hectares	37,4	28,9	25,1
5 à 10 ha	21,3	18,2	10,6
10 à 20 ha	22,6	24,5	20,5
20 à 50 ha	15,1	22,0	29,2
50 à 100 ha	2,9	5,0	11,4
plus de 100 ha	0,7	1,4	3,2
nombre, mille exploitations	2 286	1 688	1 130

¹*plantes servant à l'alimentation du bétail*
²*fixée, immobile*
³*acharné, passionné*
⁴*intense*

Les agriculteurs sont fortement endettés (l'endettement de l'agriculture, 180 milliards de F, est supérieur à la valeur ajoutée annuelle de l'agriculture, conséquence logique du fort investissement (on observe souvent la surmécanisation). Les conséquences sociales de l'évolution sont aussi très importantes : en 1954, on comptait un peu plus de 5 millions d'actifs dans l'agriculture (27 % de la population active totale), ils ne sont plus en 1985 qu'un million et demi, constituant 8 % de la population active. Les deux-tiers des agriculteurs ont donc quitté la terre.

● L'espace agricole est loin d'être homogène. De grandes différences de structure, de système de production, de rentabilité de travail existent à travers la France, expliquées par les conditions naturelles divergentes, mais aussi et surtout par la mentalité régionale. L'agriculture la plus efficace est celle du Bassin parisien : sur des exploitations de plusieurs centaines d'hectares, données en fermage, très mécanisées, tournées vers le marché européen, on cultive le blé associé à la betterave à sucre, au maïs, aux plantes *fourragères*¹ et à l'élevage, et on transforme les matières premières agricoles sur place. A l'autre extrême, on trouve la petite exploitation familiale, polyculture, avec élevage laitier, enfermée dans des traditions et *figée*² dans un individualisme *forcené*³. Mises à part les régions tournées vers les cultures spéciales (légumes, fruits, vigne), ce deuxième type d'agriculture est caractéristique de la moitié méridionale de la France. Les revenus agricoles à l'hectare varient de 1 à 3 ou même 1 à 4 entre ces deux types.

● La place de l'agriculture et des industries agro-alimentaires dans l'économie française est importante. Fortement déficitaire dans les années 50, la balance commerciale agro-alimentaire s'est progressivement rétablie dans les années 60, et depuis 1970 ce secteur économique réalise des excédents. La France vend surtout des céréales, des boissons diverses, des produits laitiers et du sucre ; elle importe principalement des fruits, des produits tropicaux, des huiles végétales, des aliments pour animaux (surtout du soja) et de la viande. Ces exportations ont quintuplé entre 1958 et 72 et ont augmenté de 14 fois vers la CEE qui reste le marché privilégié des agriculteurs français.
En 1985, la CEE a absorbé 60 % des produits agricoles exportés de France (89 milliards de francs sur un total de 151 milliards), à des prix sensiblement supérieurs au prix du marché mondial. Globalement le secteur agro-alimentaire fournit le sixième des exportations, constitue un dixième du PIB marchand du pays et réalise 20 à 30 millards de francs d'excédent commercial.

● Malgré ces résultats apparemment brillants, l'agriculture française pose une série de problèmes.
Elle s'est développée dans un cadre européen optimiste, à marché quasi illimité, subventionné, surprotégé. La garantie inconditionnelle des prix favorisait la production et les agriculteurs ont su en profiter par une augmentation de la productivité tout à fait remarquable.

A long terme cette politique agricole européenne, avec une surproduction généralisée, est devenue de plus en plus chère. La grande réforme de la politique communautaire intervenant en 1984 (plafonnement des productions dont elle accepte de financer l'écoulement) signale la fin de l'agriculture facile, celle de la quantité. Les agriculteurs français dont le revenu réel ne cesse de baisser (— 5,8 % entre 1984 et 1985) sont condamnés à réussir ou à disparaître dans cette nouvelle bataille de la productivité où ils sont très mal engagés par rapport à leurs concurrents hollandais ou anglais plus performants.
Au moment où ces difficultés sont perçues de façon *aiguë*⁴, la

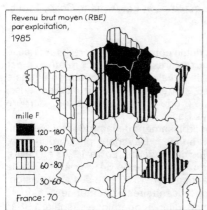

Revenu brut moyen (RBE) par exploitation, 1985

mille F
■ 120 - 180
▥ 80 - 120
▤ 60 - 80
□ 30 - 60

France : 70

¹*au début de*

la rentrée de l'Espagne et du Portugal dans le Marché commun est considérée par beaucoup comme une véritable catastrophe. Ces pays concurrencent directement les productions du sud de la France (vins, légumes, fruits) où se trouvent justement la majorité des exploitations à peine viables et fortement endettées. L'agriculture française est *au seuil*¹ d'une période difficile. Elle peut la surmonter, mais au prix de changements profonds de structure et de mentalité.

DOCUMENTS

Annexe I.

« La France, avec une surface agricole utilisée de 32 200 300 hectares et une superficie boisée de 14 306 700 ha, est le pays le plus doté des États européens. Le territoire agricole non cultivé ne couvre pas 5 % de la superficie totale (2 724 800 ha de terres incultes) et le territoire non agricole en occupe moins de 10 %. La France apparaît comme privilégiée, du point de vue agricole, avec 34,3 % des terres labourables de la Communauté Économique Européenne, 37,1 % de ses prairies et pâturages permanents et 45,7 % de ses forêts. De plus, la variété des milieux naturels rejaillit sur l'activité agricole : sa diversité, évidente dans l'utilisation du sol et dans les productions, est plus grande que dans les autres pays européens. »

P. Pinchemel, *La France,* tome 2, p. 9, Ed. Armand Colin, 1981.

Annexe II.

« Les protections héritées de la politique agricole commune ont certes favorisé le développement de l'agriculture des pays partenaires, mais en part relative, c'est la France qui a le plus progressé : 26,5 % de la valeur de la production agricole des pays de la Communauté en 1970, 28,2 % en 1979. La France est aussi redevenue le second exportateur mondial de produits agro-alimentaires, derrière les États-Unis, mais à égalité avec les Pays-Bas...
Ces résultats ont été obtenus grâce à un accroissement de la productivité sensible surtout au cours des quatre dernières années. Devenant plus productive, l'agriculture française est aussi devenue plus dépendante. Entre 1973 et 1980, la part des biens nécessaires à la production est passée de 34,3 % à 44,3 % de la valeur de la production. Or la France maîtrise mal et fort peu ses approvisionnements en machines, engrais, produits phytosanitaires et semences. »

J. Grall, *Le Monde,* Bilan économique et social 1981.

Annexe III.

Part des États membres (en %) dans la production finale de l'agriculture communautaire, par produit en 1984.

	Europe à 10	All	Fr.	Ital.	P-B	Bel	Lux	G.B.	Irl	Dan	Gr	A.A. 10*
Blé	100	11,5	38,3	19,2	1,5	1,7	0	19,6	0,7	2,9	4,6	124
Maïs	100	2,7	58,1	28,8	0	0	—	0	0	0	10,5	78
Riz	100	0	2,5	91,3	0	0	0	0	0	0	6,2	69
Betteraves sucrières	100	27,1	25,8	14,0	8,3	6,1	—	11,2	2,1	3,6	1,9	141
Tabac	100	2,4	13,2	34,5	—	6,6	—	0,6	0	0	49,4	—
Fruits frais	100	18,4	18,8	38,1	3,2	2,2	0	6,8	0,2	0,6	11,6	84
Légumes frais	100	4,5	22,2	39,1	10,6	4,6	0	10,3	0,6	0,9	7,3	99
Vins et moûts	100	14,7	48,4	34	—	—	0,2	0,2	0	0	2,6	102
Lait	100	23,9	23	13	12,2	2,8	0,2	13,4	4,2	5	2,3	126
Viande bovine	100	21,2	28,8	15	6,6	4,7	0,2	12,7	6,4	2,9	1,3	105
Viande porcine	100	29,4	14,9	12	13,6	6,6	0,1	9,7	1,3	10,8	1,7	102
Volaille	100	6,8	29,8	30,1	7,5	2,3	0	16,7	1,4	1,8	3,6	111
Viande ovine	100	3,2	26,7	10,9	2,1	0,3	—	29,3	4,6	0,1	22,8	75
Pomme de terre	100	11,9	18,5	16,8	16,5	3,2	0,1	23,9	2,2	1,6	5,3	101
Total général	100	17,7	25,2	20,7	8,6	3,3	0,1	12,7	2,5	4,2	5,1	

* Auto-approvisionnement des 10 (en %), campagne agricole 1982-83   Source : *Eurostat*

Annexe IV.

« Toutes les régions ne pèsent pas du même poids dans la production agricole française. Un tiers des départements produisent à eux seuls 50 % de la production totale. Les régions fortement productrices se localisent au Nord et à l'Ouest d'une part : centre et ouest du Bassin parisien, basses plaines de Flandre et hautes plaines de l'Artois, à la Normandie, à la Bretagne, aux marges armoricaines et au nord de l'Aquitaine d'autre part. Viennent ensuite les départements viticoles et fruitiers méditerranéens et aquitains, de même que quelques départements de l'est du Bassin parisien et de l'Aquitaine. Cette concentration géographique remarquable de la production agricole se double d'une division territoriale non moins remarquable entre régions de production animale et régions de production végétale...
Ces différences dans le potentiel et le type de production se sont accentuées depuis 1955. »

P. Pinchemel, *La France,* tome 2, P. 43, Ed. Armand Colin, 1981.

Annexe V.

[1] émigration rurale
[2] extraordinaire

« On a fait acheter des tracteurs aux agriculteurs français, ce qui a eu pour conséquence de les mettre en déficit et par conséquence d'accélérer l'*exode rural*[1]. J'ai trouvé cela monstrueux de mettre pratiquement les petits paysans dans une situation telle qu'ils étaient obligés d'acheter des tracteurs pour alimenter l'exode rural. Ce qui était d'un ''coût social'' élevé et aussi un gaspillage d'investissement absolument *phénoménal*[2], à la fois pour les agriculteurs qui restaient et pour les agriculteurs qui s'en allaient. Or, on a vécu pendant vingt ans sur l'idée que l'exode rural est profitable à l'économie nationale. Cela est sans doute vrai puisque nous avons progressé en termes de comptabilité nationale. Pourtant, le prix en a été payé par les agriculteurs seuls, ceux qui restaient et surtout ceux qui s'en allaient. »

M. Mendras, *Le Monde,* 13 septembre 1977.

Annexe VI.

« Système d'économie dirigée à Dix, à finalité plus sociable qu'économique, visant à assurer aux agriculteurs un revenu équitable, le *P.A.C.*[1] coûte nécessairement cher. Pourquoi coute-t-il aujourd'hui trop cher ? En établissant, il y a vingt ans, un marché agricole commun, protégé contre la concurrence extérieure, au sein duquel, pour les principales denrées, des prix communs seraient garantis quelles que soient les quantités produites, et dont les excédents seraient stockés ou exportés grâce à des subventions, la C.E.E. avait-elle monté un système cohérent ? »

O. Wormser, *L'Express,* 25 novembre-décembre 1983.

Annexe VII.

« Niveau des prix mondiaux dans le domaine agricole par rapport aux prix pratiqués dans la CEE (indice 100), 1978 : riz 77 % ; viande porcine 73 % ; viande bovine 51 % ; blé 46 % ; sucre 39 % ; beurre 26 % ; poudre de lait 20 %. »

Rapport de la CEE, *Le Monde,* 12 février 1980.

Annexe VIII.

« Mécanisée, ''chimifiée'', l'agriculture française a accru sa production en volume de 62 % depuis vingt ans. Mais la baisse de 27 % de ses prix (en francs constants) durant la même période a réduit des deux tiers sa part (4,5 % actuellement) dans la production nationale. A la fin du siècle 500 000 à 600 000 exploitants (contre 2 millions il y a vingt ans) suffiront à la tâche. Mais ils devront être beaucoup plus performants et autonomes qu'aujourd'hui. A la fois *impécunieux*[2] et virant au libéralisme, l'État n'est plus disposé en effet à accroître ses subventions au ''pétrole vert'' tricolore. »

A. Mercier, *L'Expansion,* n° spécial ''Demain la France'', oct.-nov. 1985.

Annexe IX.

Commerce extérieur des produits agro-alimentaires en 1985, milliards de F.

	Exportation	Importation	Bilan
Céréales	34,5	1,7	+ 32,8
Fruits et légumes	7,8	12,4	− 4,6
Produits tropicaux	0,6	15,1	− 14,5
Vins	12,2	1,9	+ 10,3
Autres produits agricoles	14,6	12,9	+ 1,7
Produits de sylviculture	1,9	1,9	0
Poissons, crustacés	2,7	6,5	− 3,8
A. Total agriculture	74,6	52,8	+ 21,8
Viandes et conserves	11,1	17,6	− 6,5
Lait, produits laitiers	15,8	3,7	+ 12,1
Sucre	6,1	1,3	+ 4,8
Boissons, alcools	15,7	8,9	+ 6,8
Corps gras alimentaires	3,8	12,0	− 8,2
Autres produits	24,0	23,6	− 0,4
B. Total industrie alimentaire	76,6	67,3	+ 9,3
Total agro-alimentaire (A + B)	151,2	120,1	+ 31,1

COMMERCE EXTÉRIEUR

**Le déficit du commerce extérieur.
Atouts et faiblesses de la France.
Perspectives d'avenir.**

[1] *a eu un bilan positif*
[2] *aggravée, accélérée*
[3] *favorable, avantageux*
[4] *problème majeur*
[5] *zone géographique où le Franc français sert de monnaie de référence*

La France est, derrière les États-Unis, l'Allemagne et le Japon, le 4e exportateur mondial. L'ouverture de l'économie française sur le marché mondial s'est élargie depuis la dernière guerre : les exportations de biens et de services correspondent au cinquième du Produit National Brut. Jusqu'en 1973, les importations augmentant moins vite, la balance du commerce extérieur *s'est soldée par un excédent*[1]. Depuis la crise énergétique, le déséquilibre s'accentue et le déficit est durable.

● Une balance commerciale déficitaire est considérée par la majorité des spécialistes comme une situation économique grave, surtout en temps de crise. Elle montre la dépendance du pays par rapport à l'étranger, l'incapacité des entreprises nationales à satisfaire la demande intérieure, leur faiblesse à conquérir les marchés étrangers. Un déficit durable a une influence certaine sur l'emploi : si les importations augmentent, c'est souvent parce que les prix pratiqués par l'étranger sont plus bas ; alors, les entreprises nationales, vendant moins, diminuent la production ou ferment, le chômage augmente. Le déséquilibre des échanges extérieurs affaiblit aussi la valeur de la monnaie, ce qui signifie renchérissement des importations et inflation *accrue*[2].

L'ouverture de la CEE, plus tard le renforcement des liens économiques au sein des 9 pays, a été *bénéfique*[3] à la France dans la mesure où un marché important s'est offert aux produits français. Actuellement 52 % de tous les échanges de la France concernent la CEE. Si pour l'agriculture, qui exporte les deux tiers de ses surplus vers le Marché commun à des prix très avantageux, cette orientation est vitale ; par contre l'industrie subit durement les règles de la concurrence et dans beaucoup de domaines (biens d'équipement ménagers, matériel de précision, cuirs et chaussures, etc.) les entreprises françaises sont en difficulté. Face à la CEE, le déficit commercial est constant et tout particulièrement face à l'Allemagne et aux Pays-Bas. Le second «*point noir*[4]» des échanges concerne les États-Unis et le Japon. La pratique du protectionnisme économique est souvent reprochée à ces pays, qui contribuent pour 10 % aux importations françaises mais seulement pour 6 % aux exportations.

Avec les pays socialistes et le Tiers Monde (exclusion faite des pays de l'OPEP), la balance commerciale est régulièrement positive, et en augmentation d'année en année. Cette position avantageuse vient de l'existence de la «*zone franc*[5]», des traditions historiques de relations privilégiées vers l'Afrique et la Méditerranée, des résultats de la politique d'ouverture vers l'Europe de l'Est.

Solde commercial annuel de la France (milliards de F. courants, FOB/FOB)			
1973...	+ 6,6	1980...	− 60,4
1974...	− 16,0	1981...	− 50,6
1975...	+ 5,7	1982...	− 93,3
1976...	− 20,4	1983...	− 48,8
1977...	− 11,1	1984...	− 24,7
1978...	+ 2,5	1985...	− 24,0
1979...	− 10,1	1986...	− 27

Les possibilités sont très grandes, mais compte tenu que la France est très mal installée en Asie ou en Amérique du Sud (10e fournisseur de l'Inde, 12e fournisseur de la Chine), les difficultés futures ne sont pas exclues ; le Tiers Monde, en effet, ne possédant pas de pétrole, est de plus en plus endetté et le volume des échanges avec les pays du Comecon dépend, non des besoins de la consommation mais des décisions politiques.

● De 1974 à 1985, la balance commerciale n'a été excédentaire que deux fois (1975, 1978), le déficit est particulièrement lourd au début des années 1980 (50 à 100 milliards de francs entre 1980 et 1983). Depuis 1983, surtout par l'effet *conjugué*[1] de la baisse du prix des hydrocarbures et du dollar, le bilan s'améliore et l'équilibre est de nouveau rétabli en 1986. En effet, ce bilan est très largement tributaire de l'importation indispensable de l'énergie. Sans la facture énergétique (22 % des importations) l'excédent commercial serait constant.
Les points forts des échanges extérieurs sont l'agro-alimentaire, l'aéronautique, l'automobile, l'armement et certains produits chimiques et métallurgiques. La France est également spécialiste des grands contrats d'équipement (barrages, métros, transport d'énergie, ingénierie nucléaire, etc.).
Les points faibles — en dehors de l'énergie et les matières premières — sont traditionnellement les secteurs du bois et papier, du textile et habillement, l'équipement ménager et le matériel électronique. Dans ces domaines, la crise économique, en augmentant la compétition, a accéléré l'affaiblissement et a facilité l'entrée des produits étrangers sur le marché français.

[1]*simultané*
[2]*paraît*
[3]*bien au courant, très informé, exercé*
[4]*audacieux*
[5]*inadaptée*
[6]*entreprise de production*
[7]*variables*

● La conquête de nouveaux marchés exige en fait une restructuration de l'appareil productif français, devant être mieux adapté à l'évolution dans le monde : spécialisation vers les productions exigeantes en haute technologie et en main-d'œuvre spécialisée, protection de certaines branches industrielles en vue de pouvoir reconquérir le marché intérieur. Le changement progressif des pratiques, des habitudes et des mentalités *s'avère*[2] indispensable : l'homme d'affaires dynamique, *rompu*[3] aux méthodes de gestion les plus modernes, ayant une connaissance pratique de la conjoncture et des tendances à l'échelle mondiale, capable de réaliser des projets *hardis*[4], cet homme d'affaires est encore très rare en France.

● Deux problèmes essentiels découlent de ces constatations : la performance industrielle insuffisante et l'orientation géographique *inadéquate*[5] du commerce extérieur.

70 % des exportations françaises sont le fait d'un millier de *firmes*[6] seulement et encore le cinquième de ces firmes est dominé par les capitaux étrangers. La France ne dispose pas d'une tradition d'ouverture sur l'extérieur aussi ancienne que d'autres pays comme la Grande-Bretagne, l'Allemagne ou les Pays-Bas. Nombreuses cependant sont les petites et moyennes entreprises que leur niveau technique rendrait compétitives sur les marchés étrangers.
Le succès incontestable des années 70 dans l'orientation géographique du commerce extérieur est la pénétration des articles français dans les pays pétroliers ; mais ces succès peuvent être *aléatoires*[7], dépendants de la capacité de paiement de ces pays exclusivement liée aux cours du pétrole. C'est précisément avec l'ensemble des pays développés industriels qui présentent des intérêts plus constants que la France a un bilan d'échange continuellement négatif. Le rétablissement économique tant attendu passe obligatoirement par l'amélioration des performances commerciales des entreprises françaises avec des partenaires européens et outre-atlantiques.

DOCUMENTS

Annexe I.

Bilan du commerce extérieur par secteur d'activité milliards de francs en 1985			
Matériel de transport	+ 46,9	Produits énergétiques	− 180,5
Agro-alimentaire	+ 34,6	Bois, papier	− 17,4
Armement	+ 34,0	Textile, habillement	− 14,7
Produits chimiques	+ 26,7	Métaux non ferreux	− 11,2
Produits sidérurgiques	+ 13,3	Équipement ménager	− 9,6
Matériels électriques	+ 11,0	Matériels électroniques	− 7,8
Articles de l'ind. mécanique	+ 8,6	Cuirs, chaussures	− 3,7
Matériaux divers	+ 6,8	Presse, édition	− 1,4

Annexe II.

Clients de la France en 1985			
	Part dans les exportations, %	Part dans les importations, %	Solde comm. milliards de F.
Allemagne Fédérale	15,0	16,5	− 28,5
Italie	11,0	10,1	− 1,5
États-Unis	8,7	7,6	+ 2,1
Belgique-Luxembourg	8,5	8,5	− 8,4
Royaume-Uni	8,2	8,2	− 7,4
Pays-Bas	4,9	6,1	− 15,9
Suisse	4,2	2,1	+ 16,2
Espagne	3,4	3,8	− 7,2
Algérie	2,5	2,2	+ 1,0
URSS	1,9	2,3	− 5,1

Annexe III.

[1] principes à suivre

« Un sondage... vient de faire le point auprès des dirigeants étrangers, clients habituels de la France. Surprise : 91,4 % d'entre eux se félicitent de la qualité technique de nos produits et 57 % de nos prix. En revanche, 68 % déplorent le non-respect des délais de livraison, 61 % notre méconnaissance de marché et 52 % les négligences dans l'après-vente...
Le *credo*[1] de ceux qui réussissent tient en quatre points. Le succès est fondé sur une innovation ; il correspond à une spécialisation sur un petit segment de marché ; il joue sur l'effet de gamme ; enfin, il témoigne d'une créativité exceptionnelle : la ''French touch'' signifie encore quelque chose aux quatre coins de la planète. »

T. Gandillot et G. Le Gendre, *Le Nouvel Économiste*, oct. 1984.

Annexe IV.

Les produits français les plus connus par les étrangers :

• Aéronautique. Les noms d'**Airbus** (vendu à 52 compagnies d'aviation), d'**Ariane** (concurrent direct des lanceurs de fusée américains), **Concorde** (devenu rentable), **Hermès** (la future navette européenne) sont mondialement connus. **Air France,** 4e compagnie mondiale pour le trafic international, dessert 75 pays.

• Armement. Les **Mirages** de Dassault, le missile **Exocet** de l'Aérospatiale, les radars **Rita** de Thomson-CSF ont des clients dans le monde entier.

• Articles d'écriture. **Bic** est le champion du stylo à pointe dure : la firme vend 12 millions d'articles par jour (30 % du marché mondial, 60 % du marché américain).

• Articles ménagers. Les **Cocotte-minute** de la firme Le Creuset ont conquis toutes les ménagères.

• Boissons. Qu'il s'agisse d'eau minérale (**Evian, Vittel,** et surtout **Perrier**), de vins (avant tout des grands crus de **Bordeaux** et de **Bourgogne**), de **champagne** (63 millions de bouteilles exportées en 1984) ou d'alcools forts (**Cognac** surtout avec 29 millions de bouteilles vendues en 1984), la réputation de la France est ancienne et stable.

• Gastronomie. La renommée mondiale de la gastronomie française n'est plus à faire. Mais cette cuisine s'exporte mal. Le succès des restaurants **Lenôtre** (27 magasins dont 10 au Japon) est un début encourageant.

• Haute couture. Deux fois par an des acheteurs du monde entier accourent à Paris pour voir les collections de **Dior**, de **Cardin**, d'**Yves Saint-Laurent**, de **Chanel** et d'autres maîtres de la mode féminine.

• Nucléaire. Depuis les années 70, **Framatome** exporte des centrales nucléaires fabriquées sous licence américaine mais plus fiables et moins coûteuses que celles réalisées outre-Atlantique. Une autre firme, la **Cogema**, approvisonne 110 réacteurs nucléaires.

• Parfums. **Chanel** a révolutionné le monde entier entre les deux guerres avec ses parfums. Le Chanel n° 5 est le leader mondial et cela depuis sa création, en 1921. Mais derrière Chanel, il y a de nombreux autres créateurs de grands talents et qui sont appréciés à l'étranger.

• Pneumatique. Avec ses pneus radials, **Michelin** a enregistré de très bonnes performances commerciales autant aux États-Unis, au Japon qu'en Europe.

• Produits de luxe. Les montres et bijoux de **Cartier** (5 000 boutiques dans 127 pays), la maroquinerie de **Vuitton** (plus de 60 magasins, 80 % de ses produits exportés), l'orfèvrerie **Christofle** (vendu dans plus de 100 pays), les chemises **Lacoste,** les cristaux de **Baccarat,** les meubles de style (le **Louis XV** par exemple), les multiples articles de **Pierre Cardin** (600 produits vendus dans 95 pays, y compris les pays socialistes) sont les porte-drapeaux du goût et du chic français.

• Sports d'hiver. Les fixations **Salomon,** les skis **Rossignol** sont les leaders mondiaux avec le quart du marché (et 40 % du marché américain).

• Tourisme. Le **Club Méditerranée** a planté des villages-vacances dans toutes les régions de tourisme de rêve et il avoisine le million d'adhérents (60 % d'étrangers).

• Transport ferroviaire. Tout le monde admire le **TGV**, le train le plus rapide du monde. Pour les constructeurs de **métro** le marché existe depuis longtemps, les métros de San Francisco, d'Atlanta, de Mexico, de Caracas, de Rio de Janeiro, de Santiago du Chili, construits par les Français seront certainement suivis d'autres.

• Voitures. Malgré une concurrence très serrée, **Renault, Peugeot** et **Citroën** réussissent bien à l'étranger (la moitié de la production exportée) grâce surtout à leurs petites cylindrées (R5, 205).

S0

2
LA SOCIÉTÉ FRANÇAISE

[1] appartenantes, attachées
[2] dirigeant, commandant
[3] division de la société en fonction du métier des gens
[4] recule
[5] professions indépendantes et d'ordre intellectuel (ex. médecin, avocat)
[6] translation, déplacement orienté
[7] part, rapport
[8] ouvriers ayant un diplôme de formation
[9] personnes qui dirigent les travaux dans un atelier
[10] arranger, modeler
[11] développement, marche

La croissance économique régulière observée en France depuis la dernière guerre a entraîné une transformation de la société. Elle a été atteinte dans sa structure, sa composition, sa nature et la puissance de ses classes sociales. Cette mutation s'accompagne d'un changement dans le style de vie, la consommation et les aspirations. Si globalement la société a évolué, les fruits de la croissance économique sont inégalement répartis, source d'injustices sociales d'autant plus fortement ressenties que les moyens d'information, maintenant largement répandus, permettent les jugements et les comparaisons. Les inégalités de ressources, de consommation, d'information, ajoutées aux inégalités d'autre nature : féminine, régionale, provinciale, sont en partie *inhérentes*[1] au système économique *régissant*[2] le monde occidental, mais aussi à plusieurs facteurs explicatifs spécifiquement français.

1. Développement économique et changement social

● Les exigences de la croissance économique — évolution des techniques, mécanisation rapide, progrès constant de la productivité, apparition de besoins nouveaux suscitant des activités nouvelles — ont provoqué une constante restructuration *socioprofessionnelle*[3]. Tandis que le nombre d'agriculteurs, de commerçants, d'artisans *régresse*[4] fortement, celui des employés, des cadres, des *professions libérales*[5] ne cesse d'augmenter (voir annexe 1). Comme l'effectif de la population active a peu varié en 30 ans, cette tendance de répartition indique des mouvements de *transfert*[6] considérables entre les différentes catégories socioprofessionnelles. L'examen plus approfondi peut montrer une mutation qualitative assez nette, liée à une plus grande qualification : ainsi la *proportion*[7] des *ouvriers qualifiés*[8] et des *contremaîtres*[9] ne cesse d'augmenter dans l'ensemble de la catégorie des ouvriers. Un autre fait marquant de l'évolution est la part croissante des femmes dans la vie active et la féminisation de certains emplois surtout tertiaires.

Ces changements dans la répartition de la population active ne sont pas les seuls, ce qui contribue à *en affiner*[10] les effets. Les départs massifs des agriculteurs, amorcés dès le début des années 50, précèdent le phénomène général d'émigration rurale et de concentration urbaine, caractéristique des années 60. Le *processus*[11] d'urbanisation — connu dans tous les pays développés — est particulièrement rapide en France. Il ne signifie pas seulement un changement d'activité et du lieu de résidence, mais aussi une modification profonde dans le style de vie et les attitudes sociales. Violemment opposés d'abord, intégrés progressivement grâce à la révolution des moyens de transport et d'information, les mondes urbain et rural se transforment par les effets uniformisants de la civilisation de consommation.

La généralisation de l'instruction est un autre facteur non négligeable d'évolution sociale. L'extension de la scolarité obligatoire et la forte natalité de l'après-guerre ne sont pas suffisantes pour expliquer l'augmentation considérable du nombre des jeunes poursuivant des études. En 1980, le nombre de *bacheliers*[1] est cinq fois plus élevé qu'en 1950 et l'effectif étudiant est passé en trente ans de 140 000 à 1 million. L'enseignement, devenant un phénomène de masse, a des effets déterminants sur la structure des emplois et aussi sur la transformation des attitudes et des pratiques professionnelles, et, en tant que tel, est un facteur de changement social important.

Le niveau de vie en constante augmentation (malgré le ralentissement actuel) s'explique par les revenus distribués plus *conséquents*[2], mais aussi par des progrès considérables dans le système de protection et d'aide sociale : quasi-gratuité des soins médicaux et hospitaliers avec la généralisation des avantages de la Sécurité Sociale à toute la population, aide aux familles nombreuses par un système complexe d'allocations, mise en place d'un salaire minimum (SMIG puis SMIC) et d'un minimum de ressources de vieillesse, garanti par l'État. Le niveau de vie a augmenté aussi par le fait que la population bénéficie d'une meilleure infrastructure publique, d'un équipement socioculturel de plus haut niveau. L'amélioration sensible du *bien-être*[3] peut s'observer à travers le niveau de consommation, l'équipement quantitatif et qualitatif des *ménages*[4]. Ainsi les *commodités*[5] de logement ne sont plus les seuls privilèges d'une faible couche de la population, mais accessibles à tous.

2. Les inégalités sociales

● Pourtant, malgré ces performances — somme toute habituelles dans les pays occidentaux — de nombreux problèmes demeurent. Les *bienfaits*[6] de la croissance ont été inégalement distribués. Si l'ensemble de la population s'est enrichi, les écarts de fortune restent encore considérables. Les *rémunérations*[7] des salariés de l'industrie et du commerce (12,5 millions de personnes sur 17 millions au total), bien connues par les statistiques régulièrement publiées, montrent que les bas salaires restent encore nombreux : un tiers des salariés (une femme sur deux et un homme sur quatre) gagne moins de 5 000 F nets par mois en 1983. Entre le groupe des cadres supérieurs gagnant plus de 28 000 F par mois et les ouvriers les plus mal payés, l'écart est de 1 à 15.

Les différences de salaires sont un peu plus réduites dans la fonction publique. Les comparaisons internationales permettent de voir que les différences essentielles par rapport aux autres pays tiennent aux bas salaires plus nombreux et aux rémunérations anormalement élevées (dépassées seulement aux États-Unis) des cadres de direction. Or, à ces hauts revenus s'ajoute encore une série *d'avantages en nature*[8] qui peuvent majorer le revenu réel de près de 50 % : voiture, chauffeur, aide au logement, indemnité de téléphone, indemnité pour les réceptions à domicile, etc.

Les différences, déjà considérables, ne constituent pourtant qu'une partie de la fortune possédée (s'y ajoutent les constructions, les terres, les biens mobiliers, les disponibilités monétaires, les placements et actions). De récentes études du CERC[9] font ressortir que 5 % des ménages les plus riches possèdent autant de *patrimoine*[10] que les 69 % moins riches. Ces 5 % de familles possèdent 25 % des terres agricoles de rapport, 30 % de la valeur des résidences secondaires, 45 % des immeubles de rapport, 68 % des actions mobilières et des parts de sociétés.

Entre les 125 000 ménages privilégiés et les 10 % de Français du bas de l'échelle sociale, l'écart des fortunes moyennes va de 1 à 1 000 !

[1]*personnes qui payent l'impôt*
[2]*dépense*
[3]*ici, diminution*
[4]*famille ayant au moins deux enfants*
[5]*ici, un grand nombre*
[6]*cacher*
[7]*profits tirés de la spéculation*
[8]*taxe à la valeur ajoutée*
[9]*impôts payés à la commune, le département, la région de résidence*
[10]*distinction*

● L'impôt est appelé à diminuer ces écarts. Le système en vigueur comprend l'impôt direct (sur les revenus et bénéfices) et un ensemble d'impôts indirects (sur la consommation). L'impôt sur le revenu en France est faible par rapport à celui que paient les *contribuables*[1] des autres pays industrialisés. Le pourcentage du PIB (produit intérieur brut) représenté par l'impôt sur le revenu est de 5,72 % en 1981 en France, il est de 10,84 % en RFA, de 10,96 % au Royaume-Uni et de 11,76 % aux États-Unis. Un couple marié ayant deux enfants, avec un revenu net de cotisations de Sécurité sociale de 200 000 F acquitte en France, un impôt de 11,97 %, soit 2 à 3 fois moins qu'ailleurs (RFA : 24,40 %, États-Unis : 25,62 %, Royaume-Uni : 30,34 %). Les différences dans l'imposition diminuent quand on atteint les revenus très élevés (voir annexe IV). Quatre grandes règles fiscales expliquent ces différences : la déduction pour *frais*[2] professionnels de 10 %, l'*abattement*[3] de 20 % sur les pensions et salaires (ces deux déductions n'existent qu'en RFA, mais leur portée est très modeste), l'exemption d'impôt pour les économiquement faibles (7 millions de foyers concernés), et enfin l'application générale du quotient familial qui diminue l'impôt en fonction du nombre de personnes vivant au foyer (seuls les États-Unis ont un système d'abattement, 1 000 $ par membre du foyer). Les règles d'imposition en France favorisent indiscutablement les petits contribuables, les catégories défavorisées (personnes âgées, familles monoparentales), mais aussi les *familles nombreuses*[4] (or la fécondité la plus élevée se trouve au niveau des plus pauvres et des plus riches de la société).
L'impôt direct frappe surtout les salariés dont le revenu est bien connu. Pour les autres un *arsenal*[5] de possibilités légales existe pour défendre les bénéfices imposables : exonération, forfait, placement fiscal, investissement en actions, souscription d'emprunts, dons, etc. La possibilité de *dissimuler*[6] revenus ou bénéfices réels (appelée fraude fiscale ou évasion fiscale) est grande. Selon le CERC, la moitié des entreprises de production et des professions libérales font des sous-déclarations, le bénéfice réel étant en moyenne supérieur de 28 % au bénéfice moyen déclaré. On estime (officiellement) la fraude entre 7 et 10 % pour les ouvriers, employés et cadres, face à 45 % dans les professions indépendantes et à 72 % chez les agriculteurs. L'inégalité devant la fraude fiscale augmente les écarts de revenus réels. Les grandes fortunes existent et se reconstituent malgré les essais, timides, de les limiter. La taxation généralisée des *plus-values*[7] immobilières (1977) et des gains nets sur valeurs mobilières côtées (1979), l'impôt sur le capital (1982), l'alourdissement des droits sur les grosses successions (1983) n'ont que très peu d'effet. L'impôt indirect et les différentes taxes existantes vont dans le même sens. La *TVA*[8], impôt sur la consommation, est plus élevée que dans la plupart des pays industrialisés, et tout le monde, pauvres ou riches, doit également la payer. Tous les produits sont taxés (taux normal : 18,6 %, taux majoré, par exemple pour les voitures, 33,3 %), y compris les produits alimentaires (5,5 % à 7 %). Les différentes *taxes locales*[9] sont payées aussi par tout le monde, sans distinction des revenus.

● Dans ces conditions, le niveau de consommation des Français est très différent. Un seul domaine des dépenses où l'égalité existe : l'alimentation. Mais pour cette égalité alimentaire, le salarié agricole consacre 46 % de ses revenus, l'inactif 41 %, l'exploitant agricole 38 %, l'ouvrier 31 %, la profession libérale et l'industriel 28 %, le cadre moyen 26 % et le cadre supérieur 19 %. Il devient évident que la disponibilité de ressources pour les autres types de dépenses n'est plus identique. L'écart moyen de dépenses devient pour le transport et le logement de 1 à 3, pour la santé (malgré la Sécurité Sociale) de 1 à 2, pour la culture et les loisirs de 1 à 6. L'inégalité de ressources devient inégalité sociale, inégalité de chance dans la vie. Toute société sécrète l'injustice. La question est de savoir comment cette *discrimination*[10] sociale est perçue et acceptée, si elle constitue un ensemble de freins au développement économique, si elle exclut la promotion sociale.

3. Évolution des mentalités et comportements

● La mobilité, la *perméabilité*[1] sociale existent en France, les classes sociales *hermétiques*[2] et *antagonistes*[3] sont du domaine du passé. On peut *appréhender*[4] ces mutations par l'examen de la position sociale des personnes par rapport à leur origine sociale. Le tiers seulement des cadres supérieurs et des professions libérales, le sixième des patrons de l'industrie et du commerce actuel provient d'une famille de position sociale analogue. Certes, il y a encore 6 ouvriers sur 10 dont le père était aussi ouvrier, mais les progrès sont continus. Les moyens d'échapper aux conditions de départ existent, l'instruction en est le principal, grâce à la démocratisation de l'enseignement. Dans l'enseignement supérieur, si le tiers des étudiants est issu des 10 % de familles que l'on peut considérer comme privilégiées (cadres supérieurs, professions libérales, gros commerçants et industriels) il reste encore deux tiers. On peut déplorer qu'il n'y ait que 15 % de fils d'ouvriers, mais ils n'étaient que 1 % en 1945, 2,7 % en 1958, 6 % en 1962.

La tendance courante voit l'égalité par l'identité de ressources, de revenus. Pourtant, les *clivages*[5] de la société, les rapports de pouvoirs et de chances dans la vie sont ailleurs. La société française n'est pas l'opposition entre une classe privilégiée par les ressources et une autre démunie et opprimée. Les castes, les strates sociales existent, multiples et *malthusiennes*[6], fondées sur le savoir, la solidarité de position et d'avantages acquis, fruits d'une société française centralisée, hiérarchisée, bureaucratique jusqu'à l'absurde. La révolte de Mai 1968 n'était pas un soulèvement des pauvres contre les riches mais un mouvement très ample de protestation contre cette structure sociale bureaucratique et *élitiste*[7]. S'il y a des changements, l'essentiel de cette structure demeure, car elle se reconstitue vite. Il serait pourtant erroné de dire que la société française est immobile dans sa structure et dans son comportement. La crise économique, très durement ressentie, a révélé *maintes*[8] imperfections et les réactions sont en train de provoquer une série de remises en cause.

L'État-providence, l'État-régulation, l'État-arbitre : les Français ont pris l'habitude de tout attendre de l'État ; mais qu'il soit mené par la droite ou la gauche, il a échoué face à la crise. Alors de plus en plus de gens -de toute opinion politique- pensent que l'initiative individuelle, l'imagination créative, les cellules micro-économiques dont l'entreprise est le *fleuron*[9] pouvaient sans doute mieux faire. Il suffit de rappeler la récente querelle scolaire ou la fascination qu'exerce un industriel de choc comme Bernard Tapie pour voir l'influence de cette tendance. Les radios libres, les chaînes de télévision privées, la libéralisation des prix, les dénationalisations, la décentralisation administrative sont d'autres aspects du retrait de l'État pour réglementer la société. Même situation pour les autres grands corps constitués, traditionnels, de la société française. Les syndicats «révolutionnaires» sont en perte de vitesse, incapables de mobiliser la masse. Il serait faux de croire que cette tendance est définitive. La France oscille entre conservatisme et réformisme : s'il est pour l'entreprise privée, le Français reste fermement attaché à toute forme de protection sociale. S'il décrie les injustices, s'il glorifie de plus en plus le mérite individuel, il s'accroche à ses corporations, à ses petits et grands privilèges collectifs.

Les *tabous*[10] s'effritent, l'ancien code moral devient *désuet*[11], de nouvelles habitudes sociales s'imposent, la mentalité et les attitudes changent. Les Français se marient moins et divorcent plus facilement. L'union libre, la nouvelle sexualité ne sont plus sujets à discussion. La floraison des associations, culturelles, sportives, des services d'assistance (SOS-Amitié, Restaurants du cœur, etc.) contredisent la mentalité individualiste traditionnelle des Français. La prise de conscience de la relativité de la culture française dans le monde fait son chemin. On apprend à vivre autrement.

_____ DOCUMENTS

Annexe I.

Répartition de la population active selon les catégories socioprofessionnelles (%)		1954		1982	
1. Agriculteurs exploitants		20,7		6,2	
2. Salariés agricoles		6,0		1,3	
3. Patrons de l'industrie et du commerce		12,0		7,4	
Industriels			0,5		0,3
Artisans			4,0		2,4
Patrons pêcheurs			0,1		0,1
Gros commerçants			0,9		0,9
Petits commerçants			6,5		3,7
4. Professions libérales, cadres supérieurs		2,9		7,7	
Professions libérales			0,6		0,9
Professeurs, professions littéraires et scientifiques			0,4		2,0
Ingénieurs			0,4		1,5
Cadres administratifs supérieurs			1,5		3,3
5. Cadres moyens		5,8		13,8	
Instituteurs			2,0		3,5
Services médicaux et sociaux					1,8
Techniciens			1,0		3,9
Cadres administratifs moyens			2,8		4,6
6. Employés		10,8		19,9	
Employés de bureau			8,5		15,9
Employés de commerce			2,3		4,0
7. Ouvriers		33,8		35,1	
Contremaîtres			15,9		2,0
Ouvriers qualifiés					14,0
Ouvriers spécialisés			9,5		11,1
Mineurs			1,2		0,2
Marins et pêcheurs			0,3		0,1
Apprentis ouvriers			1,0		0,5
Manœuvres			5,9		7,2
8. Personnels de service		5,3		6,5	
Gens de maison			1,7		0,9
Femmes de ménage			1,2		0,5
Autres personnels de service			2,4		5,1
9. Autres catégories		2,7		2,1	
Artistes			0,2		0,3
Clergé			0,9		0,3
Armée et police			1,6		1,5
Total %		100		100	
Total, population active, mille pour cent		19.184		23.525	

Annexe II.

Salaires nets annuels moyens				
	Cadres supér.	Cadres moyens	Employés	Ouvriers
1950	7886	4025	2814	2369
1984 (francs courants)	206490	104180	66860	65086
1984 (francs de 1950)	21310	10751	6900	6717
Accroissement réel 1950-1984	x 2,7	x 2,7	x 2,5	x 2,8

Annexe III.

Impôt payé en 1983 par un couple marié ayant deux enfants à charge				
Revenu net de cotisations de sécurité sociale,en FF	Taux d'imposition par rapport au revenu net, en %			
	France	Allemagne	États-Unis	Grande Bretagne
50 000	0	7,48	5,96	15,74
75 000	2,68	12,78	12,13	21,38
100 000	5,07	15,82	16,00	24,18
150 000	8,92	19,96	21,35	26,84
200 000	11,97	24,40	25,62	30,34
250 000	15,20	28,35	29,04	33,79
350 000	19,87	34,67	35,12	39,25
500 000	26,10	40,78	41,60	45,38
650 000	35,80	44,72	45,71	48,75
800 000	42,31	47,38	48,39	50,85

Le Monde, Bilan économique et social, 1984.

Annexe IV.

ÉVOLUTION DE LA DURÉE DU TRAVAIL ET DES PRESTATIONS SOCIALES

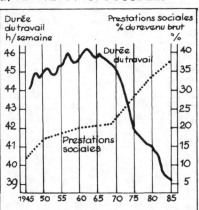

Annexe V.

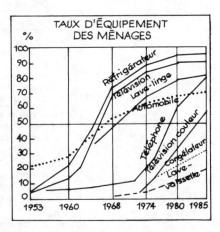

LA POPULATION FRANÇAISE

**Particularité de l'évolution de la population.
Déclin de la natalité et vieillissement.
Fortes divergences régionales dans la répartition,
la mobilité, le comportement démographique.**

Le nombre d'habitants en France est de 55 millions (y compris 4 millions d'étrangers). Elle vient en cinquième position en Europe, après l'URSS, la République Fédérale Allemande, la Grande-Bretagne et l'Italie. Population peu nombreuse, si l'on considère l'étendue du territoire national (550 000 km²): la densité de la population est juste de 100 habitants au km².

¹déplacements
de la population
émigration: départ
immigration: arrivée

²manière d'agir,
de se comporter

³natalité =
$\dfrac{Nbre\ de\ naissances}{population\ totale}$ x 1000

⁴baisse, décroissance

● La France est un des pays les moins peuplés de l'Europe occidentale. Mis à part l'Espagne et les pays scandinaves, la densité est partout plus élevée, quelquefois deux à trois fois plus (Pays-Bas 370, Belgique 320, Allemagne 249, Royaume-Uni 230, etc.). Cette constatation s'explique en grande partie par les particularités de l'évolution démographique du passé: pendant que l'Europe connaît un fort accroissement, la population française stagne pratiquement entre 1850 et 1945, sans connaître pourtant d'intenses *mouvements d'émigration*¹ comme les pays voisins. La cause en est le fort affaiblissement de la natalité qui, dans les années 30 ne peut même plus compenser les décès.

Parmi les facteurs de ce *comportement*², on peut citer les idées avancées par la Révolution française, l'introduction précoce du divorce (1792), les lois successorales (égalisation des parts entre héritiers), la séparation de l'Église et de l'État (1905), les lourdes pertes en hommes de la Première Guerre mondiale.

● Une renaissance démographique exceptionnelle marque la période d'après la deuxième Guerre mondiale. Contrairement aux autres pays de l'Europe occidentale, la France conserve un taux élevé *de natalité*³ pendant les années 1960, ce qui conduit à un rajeunissement de la population. En l'espace de 30 ans, la France augmente sa population de 13 millions, autant que pendant le siècle et demi précédent. La principale raison de ce changement de mentalité des Français est la politique suivie des gouvernements successifs en faveur de la famille et de la natalité: Sécurité sociale, Allocations familiales, aides financières diverses. L'ensemble des mesures pratiquées met la France à l'avant-garde des pays occidentaux.

● A partir de 1965, les naissances diminuent lentement, depuis 1971 cette baisse est plus accentuée. Sommes-nous au début d'un long *déclin*⁴? Les naissances qui étaient de 881 000 en 1971 tombent à 720 000 en 1976, mais depuis elles remontent lentement et semblent se stabiliser autour de 750-800 000. Cette situation, comme ses causes, ne sont pas spécifiques à la France, la plupart des pays développés la con-

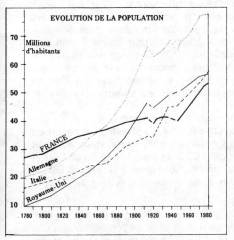

EVOLUTION DE LA POPULATION

Millions d'habitants

FRANCE
Allemagne
Italie
Royaume-Uni

Taux de natalité, pour 1000, 1984			
France	13,8	États-Unis	15,7
Allemagne F.	9,5	Canada	15,0
Royaume-Uni	13,1	Japon	12,7
Italie	10,3	URSS	18,7
Espagne	13,4	Brésil	33,3
Suède	11,3	Inde	35,0

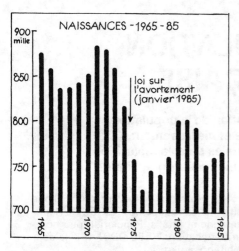

NAISSANCES -1965-85

loi sur l'avortement (janvier 1985)

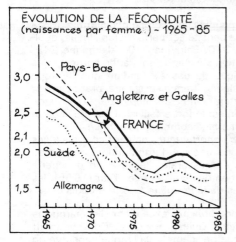

ÉVOLUTION DE LA FÉCONDITÉ
(naissances par femme) - 1965-85

Pays-Bas

Angleterre et Galles

FRANCE

Suède

Allemagne

naissent. L'arrivée à l'âge fécond d'une nouvelle génération, celle de l'après-guerre à mentalité très différente, insensible aux intérêts matériels et aux slogans de la politique officielle pro-nataliste, libre de contraintes et de préjugés, aspirant avant tout à des conditions de vie acceptables et ne trouvant pas dans le présent l'optimisme pour l'avenir, est certainement un des premiers facteurs d'explication. La législation sociale a appuyé ce mouvement de fond. La libéralisation de la contraception, l'acceptation de l'avortement (185 000 en 1984), la reconnaissance des couples libres (les mariages sont passés de 417 000 en 1971 à 285 000 en 1984), l'accélération du processus du divorce (en dix ans la fréquence des désunions a presque doublé, passant de 15,1 % des mariages en 1974 à 29,1 % en 1984), ont un rôle important dans l'affaiblissement de la natalité, mais le phénomène a précédé la législation. Le travail des femmes, devenant un impérieux besoin social (36,1 % de femmes actives en 1970, 45,4 % en 1984) intervient aussi, d'autant plus que la société n'a pas été capable de créer une infrastructure satisfaisante qui aurait permis d'éviter à la femme de choisir entre le travail ou l'enfant (il y a 2 300 000 enfants de moins de 3 ans, mais seulement 370 000 places dans les crèches et maternelles, l'accueil en garderie privée «agréée» concerne 215 000 enfants). Malgré toute cette évolution, la France possède encore un taux de natalité confortable par rapport aux autres pays développés européens, mais la reproduction des générations n'est plus assurée (1,8 enfant par femme en âge de procréer, au lieu de 2,1 qui seraient nécessaires).

● La France est un des pays européens où les oppositions régionales revêtent un caractère fondamental.
— La répartition de la population (voir annexes) indique des zones vides (moins de 20 habitants au km² dans trois départements) et des zones de forte concentration (dans 9 départements la densité est supérieure à 400). La place démesurée de Paris (1 Français sur 6 y vit) par rapport au pays est un autre aspect de ce déséquilibre de l'espace, phénomène que l'on ne trouve que dans quelques petits pays européens (Danemark, Autriche, Hongrie, Grèce).
— Les mouvements de migrations sont restés identiques pendant tout un siècle ; de l'Ouest vers l'Est, de la province vers la capitale. La phase d'urbanisation rapide (1954-75) a encore privilégié l'agglomération parisienne, mais apparaît aussi un Sud-Est fortement attractif. Si depuis 1975 on assiste à la fin de l'urbanisation généralisée et l'on constate un certain équilibre entre l'Ouest et l'Est, la capitale et les régions Rhône-Alpes-Méditerranée continuent à être des foyers d'appel.

— Dans la mentalité démographique de la population des divergences ne cessent de s'accuser. La natalité est presque deux fois plus élevée au nord d'une ligne Bordeaux-Paris-Grenoble, qu'au sud de celle-ci. La même opposition caractérise la structure par âges avec une France «jeune» et une France «vieille». Contrairement aux autres pays européens, ce sont plutôt des régions riches qui ont le plus grand dynamisme démographique.

_____ DOCUMENTS

Annexe I.

« Il est grand temps de tenir compte du coût familial de l'enfant si l'on veut construire une société plus juste et plus solidaire. Ceux qui pensent — ou craignent — que l'on encombre le pays d'enfants trop nombreux créant des charges insupportables pour la collectivité ont une analyse à très courte vue et singulièrement faussée. Ils oublient qu'une politique quantitative et qualitative de la population est nécessaire pour garantir un équilibre permanent entre les actifs et les non-actifs (jeunes en formation et personnes âgées principalement), condition du développement économique et du progrès social. »

Roger Burnel, *Le Monde,* 28 mars 1978.

Annexe II.

« Malgré la rigueur, le gouvernement a enfin fait adopter fin 1984, une loi sur la famille, applicable en 1985, annoncée depuis longtemps (…). Cette loi a un double objectif : simplifier et améliorer les aides aux jeunes familles, et, ce faisant, encourager les naissances (…). La loi regroupe en une ''allocation au jeune enfant'' unique de 712 F par mois — dont la durée de versement cependant varie selon les ressources de la famille — plusieurs prestations versées à l'occasion de la naissance ou pendant les premières années d'un enfant, mais de montant inégal et selon des critères différents. Versée pour chaque enfant, cette allocation répond à un principe cher à la gauche : celui d'un ''droit de l'enfant, quel que soit son rang dans la famille, les revenus ou l'état matrimonial de ses parents''. »

Le Monde, Bilan économique et social 1984, janvier 1985.

Annexe III.

« Pour atteindre ce seul objectif d'un équilibre entre décès et naissances, l'aide matérielle est-elle le moyen approprié ? Faut-il admettre que l'État doive régler par un chèque un problème qui incombe à la civilisation ? Cette aumône que l'on verse aux familles pour les encourager à procréer a quelque chose d'absurde : le seul moyen dont la société dispose pour favoriser les naissances, c'est d'assurer une bonne formation à ses enfants, de réserver des chances égales à tous. »

J. Delors, P. Alexandre, *En sortir ou pas,* Ed. Grasset, 1985.

Annexe IV

[1] diminution

« En aucune façon, on ne peut être autorisé à interpréter le *fléchissement* [1] récent de la natalité comme un refus de l'enfant. D'aucuns l'ont fait et le font par réaction passionnelle sans doute, mais l'observation des faits dément formellement ce type d'interprétation. En effet, jamais la proportion des couples sans enfant n'a été aussi faible. On estime à 7 % la proportion des couples physiologiquement stériles. Or il n'y a aujourd'hui pas même 10 % des couples sans enfant. Aucune génération n'avait manifesté si peu de refus d'enfant. »

E. Sullerot, *La Situation démographique de la France,*
Rapport au Conseil économique et social, 1980.

Annexe V.

« Relativement peu de décès, relativement peu de naissances, la population de la France ne peut que vieillir : les proportions de jeunes de 0 à 14 ans (21,3 %) ou de 0 à 19 ans (29,1 %) tombent à des niveaux jamais observés. Le nombre de jeunes gens ayant eu 20 ans en 1984 étant de 881 000, il aurait fallu un nombre égal de naissances pour que simplement le nombre de jeunes de 0 à 19 ans reste constant. Encore cela n'aurait pas suffi à en maintenir la proportion, dans une population qui croît encore légèrement. »

M-L. Lévy, *Population et Sociétés,* n° 189, mars 1985.

Annexe VI.

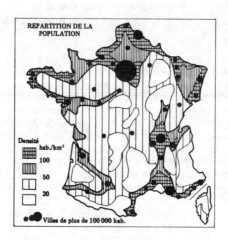

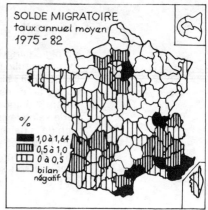

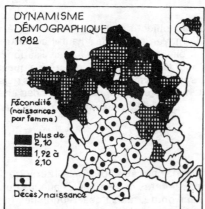

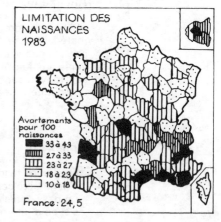

LA CONDITION FÉMININE

Évolution de la législation en faveur des femmes.
L'activité féminine et ses problèmes.
La participation des femmes à la vie sociale.
La vie de la femme au quotidien.

[1] nécessaire

La place de la femme dans la société, pendant longtemps, a été limitée à l'accomplissement des tâches familiales et ménagères ou à l'activité mal rémunérée. Désignée «mineure et incapable» par le Code Napoléon, elle était soumise à l'autorité de son mari.

L'évolution de la société, l'augmentation du niveau de vie et la forte scolarisation ont progressivement amené des changements radicaux dans les conditions d'existence de la femme, sensibles surtout depuis une dizaine d'années. La femme acquiert l'égalité dans le domaine juridique, la reconnaissance de ses droits au travail, le droit à la libre disposition de son corps et à la libre maternité. Malgré tous ces acquis, beaucoup de domaines restent encore à conquérir.

● Un certain nombre de réformes de la condition juridique de la femme ont favorisé cette libéralisation.

La loi du 13 juillet 1965 a établi une très large égalité juridique entre l'homme et la femme. Chaque époux a le droit d'administrer lui-même, sans le concours de l'autre, son patrimoine propre. A la puissance paternelle, par laquelle pouvait se manifester la domination sans partage du mari sur les enfants, la loi du 4 juin 1970 a substitué l'autorité parentale, complétée par la loi du 1er mars 1985 qui accorde à l'homme et à la femme les mêmes pouvoirs concernant la gestion des biens communs, et leur permet de transmettre leurs deux noms aux enfants.

La loi du 11 juillet 1975 portant réforme du divorce supprime la prééminence du mari dans le choix de la résidence familiale et introduit la séparation par consentement mutuel que la France avait connue quelques années, entre 1792 et 1804.

Les droits à l'épanouissement sexuel et au libre choix de la maternité sont acquis par l'autorisation de la vente des contraceptifs, remboursés par la Sécurité Sociale (loi du 4 décembre 1974) et par l'adoption définitive en 1980 de la loi du 17 janvier 1975 permettant l'interruption volontaire de la grossesse. L'avortement doit être pratiqué avant la fin de la dixième semaine par un médecin consentant (on accorde aux médecins la liberté de conscience), dans un établissement hospitalier. Si un certain délai de réflexion est exigé, par contre l'autorisation du mari n'est pas *requise* [1] pour la pratique de l'avortement. Depuis 1983 les frais d'avortement sont pris en charge par la Sécurité Sociale (loi du 31 décembre 1982). En même temps on reconnaît la concubine comme ayant droit à la Sécurité Sociale au même titre que la femme mariée; les droits des enfants nés hors-mariage sont déjà, depuis la loi du 3 janvier 1972, identiques à ceux nés dans le mariage. Père ou mère peuvent désormais prendre un congé parental allant jusqu'à deux ans et bénéficier pendant ce temps d'une allocation de 1 000F par mois (portée à 1 500F en janvier 1986) à partir du troisième enfant.

Rôle des femmes dans la population active % du total des actifs	1954	1982
— Agriculteurs et salariés agric. . .	35,7	33,8
— Professions libérales,		
cadres supérieurs	13,8	26,5
Professions libérales	15,6	25,4
Professeurs	39,9	48,3
Ingénieurs	2,1	6,7
Cadres administratifs supérieurs		
	8,6	22,2
— Cadres moyens	36,7	48,8
Instituteurs	68,3	63,2
Services médicaux-sociaux . . .		79,8
Techniciens	7,1	15,9
Cadres administratifs moyens .	24,6	53,4
— Employés	52,8	65,5
— Ouvriers	22,7	24,0
Contremaîtres, ouvriers qualifiés		
. . . .	20,0	13,0
Manœuvres	21,6	45,9
— Personnel de service	80,7	79,0
Total (% de la population active totale)	34,8	40,7

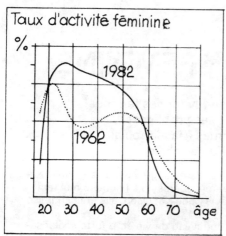

Taux d'activité féminine

%

1982

1962

20 30 40 50 60 70 âge

Source: INSEE

Rôle des femmes dans la vie politique en 1983		
	Parlement national %	Parlement européen %
Danemark	23,5	25
Pays-Bas	20,8	20
Luxembourg	10,1	16,7
Allemagne Fédérale	9,9	14,8
Irlande	8,8	6,7
Belgique	8,6	25
Italie	6,5	12,3
Royaume-Uni	5,3	13,6
France	4,8	22,2
Grèce	4,3	8,3

[1] Mouvement de Libération de la Femme
[2] diversion
[3] tromperie
[4] dans

● La femme a acquis l'égalité du droit au travail et elle peut occuper n'importe quel poste, recevoir n'importe quelle distinction dans la société. Les derniers bastions «antiféministes» sont tombés: en 1972, la première femme entre à l'École Polytechnique et en 1978 à St-Cyr, et enfin, l'Académie Française ouvre aussi sa porte à une femme (Marguerite Yourcenar, en 1980). Malgré ces brillantes conquêtes, dans la vie quotidienne les discriminations sont encore trop fréquentes et il faut recourir à la justice pour faire respecter la loi. Si la femme a un rôle de plus en plus grand dans la vie économique, elle est souvent cantonnée dans les métiers dits féminins (employée de bureau ou de commerce, employée de maison, infirmière, ouvrière de textile, enseignante, etc), mal payée (les salaires de l'industrie et du commerce sont 25 % inférieurs à ceux des hommes) et la plus touchée par le chômage (la moitié des demandeurs d'emploi). On explique ces écarts par la faible qualification, par le taux d'absentéisme élevé, par un certain manque d'ambition. Mais en fait, derrière ces excuses se cachent préjugés et habitudes. Si la loi du 22 décembre 1972 oblige tout employeur à assurer à travail égal une même rémunération quel que soit le sexe et si l'égalité en matière d'embauche et de licenciement existe (loi du 11 juillet 1975), gouvernement et mouvements féministes luttent sans cesse contre les résistances vivaces qui prennent de multiples facettes.

● La participation de la femme française à la vie politique est encore trop timide eu égard à la réalité dans les autres pays. Depuis qu'elles ont obtenu le droit de vote, en 1945, les Françaises n'ont vraiment réussi leur percée vers le pouvoir qu'au sein des conseils municipaux (14 % des élus) et de l'Assemblée Européenne (17 femmes sur 81 élus). Malgré une augmentation sensible dans les années 1970-80, elles ne constituent que 12 à 16 % des candidats aux élections législatives ou départementales et il n'y a que 5 % d'élues à l'Assemblée Nationale ou aux conseils généraux. Ces constats sont d'autant plus surprenants que 52 % du corps électoral est féminin. La femme française semble être peu attirée par la responsabilité politique et qui plus est, en tant qu'électrice elle préfère confier la conduite des affaires aux hommes. Elle montre même une grande méfiance vis-à-vis des mouvements féminins (MLF[1], Choisir, Ligue du droit des femmes,...) qui n'ont ainsi jamais eu une importance comparable à celle des pays étrangers.

● Les lois sont insuffisantes pour changer habitudes et mentalités et le rôle de la femme dans le foyer le confirme: les multiples tâches domestiques ainsi que l'éducation des enfants continuent à être l'affaire des mères de famille. Dans ces conditions, la recherche d'une activité rémunérée est souvent l'exutoire[2] pour échapper à cet univers domestique, le début de l'indépendance, l'intégration à la vie sociale, bref, le sentiment «d'utilité». Si le travail à l'extérieur de la maison permet à beaucoup l'épanouissement personnel, l'indépendance en fait reste un leurre[3], car après le temps de travail professionnel, il reste toujours le ménage, la cuisine et l'éducation des enfants à faire.
Pourtant le bilan n'est pas négatif, tant sur le plan de la transformation irréversible des relations entre l'homme et la femme au sein[4] du couple et de la famille, que sur celui des droits acquis, même si la réalité ne correspond pas toujours aux dispositions légales. La nouvelle génération de jeunes aborde très différemment la vie et c'est là que se trouve l'espoir d'une société différente.

DOCUMENTS

Annexe I.

«Plus personne ne conteste, en effet, l'aspiration des femmes à avoir un emploi... Seulement voilà : près de 55 % des chômeurs sont des femmes et près de 64 % des jeunes chômeurs de moins de vingt-cinq ans sont aussi des femmes. Aujourd'hui en France, huit millions deux cent mille femmes ont une activité professionnelle, soit 39,4 % de la population active. En Belgique, par exemple, ce taux dépasse 50 %.»

M. Castaing, *Le Monde*, 11 mars 1980.

Annexe II.

«Les obstacles à la *promotion*¹ des femmes sont cependant de plusieurs ordres, psychologiques ou techniques. Les obstacles de nature psychologique semblent prépondérants : non-motivation de la femme elle-même pour accéder à des postes exigeant un engagement personnel parfois important, interrogation de certains responsables sur l'opportunité de *promouvoir*² un encadrement féminin, affectation à des postes sans avenir, vive concurrence en raison des possibilités réduites de promotion interne ; dans certains cas, on a évoqué les réactions d'une clientèle traditionnelle peu habituée à traiter d'affaires avec une femme. Les obstacles techniques le plus souvent cités ont été : première formation souvent insuffisante, difficulté de suivre régulièrement des cours de promotion sociale parallèlement à la vie familiale, difficulté plus grande de mobilité professionnelle ou de mutations internes.»

Rapport de la Commission «Femmes et Entreprises»
du Centre National du Patronat Français (CNPF).
Économie et Géographie, n° 163, mars 1979.

Annexe III.

«Une enquête à échelon communautaire l'a montré : 8 % d'Européennes actives (13 % de Françaises !) se sont vu refuser un emploi parce que l'offre était réservée à un homme, 12 % parce qu'elles étaient enceintes et 16 % ont eu droit à la question préalable : ''Avez-vous l'intention d'avoir des enfants ?''»

Le Nouvel Observateur, 6-12 mars 1982,
(Dossier : La France misogyne)

Annexe IV.

«Dès qu'une femme franchit la frontière du territoire masculin la nature du combat professionnel change. Les *vertus*³ que l'on exige alors d'une femme, on se demande combien d'hommes seraient capables de les montrer.»

Françoise Giroud, *Si je mens...* (p. 140), Éditions Stock, 1973.

Annexe V.

• A diplôme, ancienneté et poste égaux, vous gagnez 30 % de moins qu'un collègue masculin :
— Qu'est-ce que vous voulez qu'on y fasse ? .... 21 %
— Vous allez réclamer à la direction .... 6 %
— Vous en parlez à votre syndicat .... 73 %

¹ symétrie
destinée, donnée

• Vous avez un diplôme et un bébé. Il vous suggère d'arrêter de travailler pour l'élever :
— Vous trouvez que c'est dans l'ordre des choses .... 81 %
— Vous proposez de choisir pour élever l'enfant celui des deux qui a le plus petit salaire .... 1 %
— Vous continuez de travailler sans même vouloir en discuter .... 18 %

• On vous demande de vous inscrire sur une liste électorale, votre conjoint s'oppose totalement à ce projet :
— Vous passez outre et maintenez votre candidature .... 17 %
— Vous obéissez, la mort dans l'âme et la rage au cœur .... 15 %
— Vous vous trouvez mille bonnes excuses pour refuser la proposition sans vous fâcher avec personne .... 68 %

Sondage Guy Pierre Benett auprès d'un échantillon de 511 femmes représentant la population féminine de 18 à 25 ans, paru dans *Cosmopolitan,* mai 1983.

Annexe VI.

• L'évolution des idées sur le rôle de la femme dans la société et son émancipation depuis une quinzaine d'années ont-elles modifié en bien, en mal, ou pas modifié...

	Modifié		Pas modifié
	en bien	en mal	
— l'harmonie de votre couple	30 %	4 %	51 %
— vos rapports de père avec vos enfants	22 %	4 %	47 %
— vos rapports avec les femmes au travail	24 %	5 %	51 %
— vos rapports sexuels avec les femmes	19 %	3 %	70 %
— vos rapports d'amitié avec les femmes	35 %	3 %	60 %

• Chez vous, vous arrive-t-il souvent, parfois ou jamais de faire...

	souvent	parfois	jamais
— la vaisselle	34 %	42 %	23 %
— le ménage	20 %	47 %	33 %
— la lessive	9 %	14 %	76 %
— la toilette des enfants	10 %	24 %	39 %
— les courses	53 %	37 %	10 %
— le repas	22 %	41 %	37 %

Sondage réalisé par Gallup - Faits et Opinions *Express,* du 14 au 16 février 1984, auprès d'un échantillon national de 514 hommes représentatifs de la population masculine, âgés de 18 ans et plus. Publié dans *l'Express* mars 1987.

S3

SYNDICALISME, SYNDICATS

**Le droit syndical.
Les principaux syndicats et leur stratégie de lutte.
Crise économique et crise du syndicalisme.**

[1] *faire partie de*
[2] *accords, contrats*
[3] *désaccords, oppositions*

● Un syndicat est une association de personnes exerçant la même profession ou des métiers différents dans une même branche d'activité, et qui a pour objet la défense des intérêts économiques et professionnels de l'ensemble de ses membres.

● La Constitution française garantit la liberté syndicale: «tout homme peut défendre ses droits et ses intérêts par l'action syndicale et *adhérer*[1] au syndicat de son choix». Cette possibilité est étendue aux fonctionnaires, étrangers, mineurs (dès 16 ans), retraités. Par contre, nul n'est tenu d'adhérer à un syndicat. Un employeur ne peut prendre en considération l'appartenance à un syndicat pour arrêter ses décisions concernant l'embauche, la répartition du travail, l'avancement, les rémunérations de ses employés.

L'exercice du droit syndical est reconnu dans toutes les entreprises employant plus de 50 salariés, où des sections syndicales peuvent être constituées, disposant d'un local, pouvant tenir des réunions dans l'enceinte de l'entreprise et distribuer ou afficher des publications ou tracts de caractère syndical.

Les organisations syndicales reconnues comme représentatives ont un rôle très important: elles sont seules habilitées à signer les *conventions*[2] de caractère national ou interprofessionnel, elles sont appelées à donner leur avis lors de l'élaboration du Plan, et sont représentées au Conseil économique et social, à la commission supérieure des conventions collectives, aux conseils de prud'hommes. Sur le plan local, les représentants des syndicats élus comme délégués syndicaux, délégués du personnel ou membres du comité d'entreprise, contrôlent la gestion de l'entreprise, discutent et signent des accords avec le chef d'entreprise.

● Le syndicalisme en France touche à peu près un actif sur cinq ce qui est un taux très faible vu la situation des autres pays développés, mais ce taux ne présume en rien de la force de l'action syndicale, comme l'attestent d'ailleurs le nombre de jours de grève et l'importance des *conflits*[3].

Trois grands syndicats existent en France, présents dans toutes les professions et à travers tout le pays.

La **CGT**, Confédération Générale du Travail, est le principal syndicat, le plus ancien aussi (1895). Elle annonce 1,9 million

Taux de syndicalisation, 1984, %	
Finlande, Suède	80-90
Belgique, Danemark	70-80
Autriche, Luxembourg, Norvège	60-70
Australie, Irlande, Italie, Royaume-Uni	50-60
R.F.A., Nouvelle-Zélande	40-50
Canada, Grèce, Japon, Pays-Bas, Suisse . .	30-40
Espagne, États-Unis, France	20-30
Portugal	10-20

Grèves. Nombre de journées de travail perdues pour 1000 salariés		
	Moyenne 1970-75	1982
Italie	1399	1915
Royaume-Uni	655	454 (b)
États-Unis	483	673 (a)
Belgique	267	143 (b)
France	208	261
Japon	147	24
Suède	53	1
R.F.A.	48	1
Pays-Bas	47	68
(a) = 1981 (b) = 1980		

Répartition des votes selon les syndicats				
	1962	1976	1982	1983
CGT	44,3	39,8	24,4	28,0
CFDT	21,0	19,6	19,7	18,2
FO	14,7	9,2	8,7	25,2
CFTC	2,1	3,0	2,6	12,2
CGC	4,6	5,6	5,9	16,0
Divers	13,3	3,1	3,5	0,4
Non synd.		19,7	35,2	

1962 et 1983 : Élections à la Sécurité Sociale
1976 et 1982 : Élections aux Comités d'entreprise

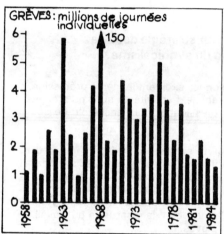

GRÈVES : millions de journées individuelles

Source : Ministère du Travail

[1] création
[2] propage, répète
[3] séparation
[4] ce qui fait naître une idée, une conception

d'adhérents, ce qui est loin des 5 millions des années d'après-guerre ; malgré une perte d'influence, elle possède 25 à 30 % des sièges dans les différentes instances de représentation des salariés. Elle est dirigée par un bureau confédéral de 16 membres, avec Henri Krasucki comme secrétaire général (qui a succédé en 1982 à Georges Séguy). La CGT est proche du Parti Communiste, huit des seize membres de sa direction sont communistes ; deux d'entre eux (Krasucki et Viannet) siègent au bureau politique du Comité central du PCF. L'organisation est très hiérarchisée, la discipline est sa grande force. Le syndicat reste fidèle au principe de la ''lutte des classes'' et voulant être ''au plus près des travailleurs'', il s'affirme comme le représentant des masses exploitées par le capitalisme. Son rôle est déterminant dans la métallurgie, l'EDF, la SNCF, l'imprimerie-presse (monopole).

La **CFDT**, Confédération Française Démocratique du Travail, créée en 1964 (issue de la CFTC), a 1 million d'adhérents et possède 20 % des sièges dans les comités d'entreprise. Bien qu'assez proche de certaines optiques du Parti Socialiste, elle ne peut être considérée comme son émanation[1]. Au sein de la CFDT, la divergence de vue est admise, la spontanéité d'action, le renouvellement des idées sont caractéristiques. Elle défend l'expérience autogestionnaire (affaire LIP) et donne écho[2] parfois au courant gauchiste. Son secrétaire général est Edmond Maire (depuis 1963).

La **CGT-FO**, Force Ouvrière, fondée en 1947 après la scission[3] avec la CGT, et que dirige André Bergeron depuis 1963, compte près d'un million de membres et 10 % des sièges dans les comités d'entreprise. Résolument anticommuniste, elle recherche le dialogue avec le patronat et le gouvernement ; elle est très attachée à la politique contractuelle. Son audience est élevée dans la fonction publique et dans quelques branches industrielles dynamiques.

● La CGT et la CFDT sont à la pointe de la lutte syndicale, l'unité d'action entre ces deux organisations a souvent été le ferment[4] de grands mouvements de masse dans le passé et la garantie de succès des revendications. Proches de points de vue, car tous les deux condamnent le système capitaliste et refusent la coopération avec le patronat, ces syndicats ont de grandes difficultés à s'entendre depuis 1978, victimes de la mésentente politique au sein de la gauche française. Si les objectifs de lutte sont identiques (garantie d'emploi et de pouvoir d'achat, réduction du temps de travail, renforcement du rôle des syndicats dans le contrôle de la gestion), le choix des moyens d'action diffère, de même que le rôle donné aux sections locales dans les décisions d'action. Les trois autres syndicats, que l'on désigne souvent comme ''réformistes'' sont plus enclins à discuter avec le patronat et recherchent la signature de contrats d'engagement réciproque, plutôt que l'épreuve de force.

Un peu partout dans le monde (sauf dans les pays scandinaves) on observe un recul du syndicalisme comme en France. Ce phénomène est sensible depuis 1975 et s'accélère dans les années 1980 : baisse du nombre des adhérents, difficultés pour mobiliser la base et faire accepter la discipline d'action. La crise économique, la crainte pour l'emploi expliquent en grande partie cette tendance. La mentalité sociale qui change, la nature du travail qui évolue rapidement, l'écroulement des grosses entreprises (et la force syndicale qu'elles contenaient) et la multiplication des PME (petites et moyennes entreprises où le pouvoir syndical est faible), obligent à la révision rapide des stratégies d'action. La mutation est difficile, problématique, surtout pour les deux grands syndicats liés aux principes de la lutte des classes.

DOCUMENTS

Annexe I.

[1] tire orgueil
[2] la motivation était de faible ampleur
[3] ouverture, choix d'intervention
[4] infecté
[5] clair, perspicace
[6] compromis, le fait d'abandonner à son adversaire un point de discussion

« A propos des revendications, la CFDT, qui *se flatte*[1] de vouloir du ''qualitatif'', reproche à la CGT de s'en tenir au ''quantitatif''. Les divergences pèsent aussi sur les modalités de l'action : aux mouvements nés à la base, parfois en ordre dispersé, peu contrôlables, la CGT préfère généralement les opérations qui engagent toute une profession et la démonstration de masse, la journée nationale de grève généralisée avec défilé dans les rues. »

Le Monde, Dossier et documents : la CGT, décembre 1979.

Annexe II.

« La journée nationale interprofessionnelle d'action lancée par la CGT le 24 octobre (1985) tourna également à l'échec, malgré une manifestation rassemblant plus de 25 000 personnes à Paris. Dans le secteur public, le mouvement fut moins suivi que prévu, et dans le secteur privé il n'y eut presque pas d'arrêt de travail. *La ''conflictualité'' est restée dans de basses eaux*[2], ce qui devait amener M. Edmond Maire à déclarer, le 28 octobre, non sans quelque provocation, que ''la vieille mythologie selon laquelle l'action syndicale c'est la grève, cette mythologie a vécu : il faut désormais penser le syndicalisme avec les moyens d'action d'aujourd'hui''. »

Le Monde, Bilan économique et social 1985, janvier 1986.

Annexe III.

« Derrière ces actions de ''reconquête du marché intérieur'' se profilent les fameux ''nouveaux critères de gestion'' défendus par la CGT et le PC (...). ''La rentabilité d'une entreprise, surtout si elle est publique, ne peut être que globale. Elle doit prendre en compte l'économique et le social, son intérêt propre et celui du pays.'' La CGT pousse à l'extrême ce principe : toute production installée en France peut être considérée comme rentable puisque sa suppression risque d'aggraver le déséquilibre du commerce extérieur et d'augmenter le nombre de chômeurs. Pas question donc de soutenir une politique industrielle qui sélectionne des *créneaux*[3]... ''Pas question de sacrifier le pouvoir d'achat et l'emploi au nom de la concurrence étrangère. S'il le faut, nous demanderons l'installation de barrières douanières''. »

L'Expansion, février-mars 1983.

Annexe IV.

« Le dialogue social est *contaminé*[4] par ce mal français : la querelle théorique, idéologique et parfois théologique. Rarement les partenaires réussissent à s'en tenir aux problèmes dont ils discutent sans s'égarer sur les rives sulfureuses de la lutte des classes (...). Ils ne s'engagent pas de façon *lucide*[5] dans la voie de l'accord et par conséquent du progrès social. Ils avancent à coups de *concessions*[6] arrachées, de blessures et de petites victoires. A regret... Ils ne peuvent créer, dans l'enthousiasme, le changement de climat qui permettrait de gagner du temps : quand des évolutions apparaissent inévitables dans une société, mieux vaut les accélérer pour en recueillir tout le profit économique et social. »

P. Alexandre et J. Delors : *En sortir ou pas*, Ed. Grasset, 1985, p. 132.

Annexe V.

« D'un côté, Heinz-Oscar Vetter, cinquante-sept ans, complet bleu marine, chemise blanche et cravate ; de l'autre, Edmond Maire, quarante-quatre ans, en bras de chemise et gilet de laine. H.-O. Vetter préside le Deutsche Gewerkschaftsbund, la plus grande centrale ouvrière d'Europe continentale, au sommet d'un immeuble imposant de Düsseldorf. Alors qu'on ne semble croiser ici que des employés et des fonctionnaires, square Montholon à Paris, le secrétaire général de la CFDT vit dans une ambiance de militantisme et de politique à la fois plus désordonnée et plus passionnée. H.-O. Vetter est un notable qui siège dans sept conseils d'administration des plus grandes firmes d'Allemagne Fédérale et contrôle à travers le DGB des disponibilités financières estimées à quelque 6 milliards de deutschmarks... Edmond Maire voit la CFDT *tirer le diable par la queue*[1], prend ses distances à l'égard de tout ce qui peut être participation et cogestion, et s'en tient à un rôle critique et de revendication. »

Le Monde, L'année économique et sociale, 1975.

Annexe VI.

« — Les syndicats français sont-ils à la hauteur de cette formidable mutation que traverse le monde du travail ?

— Vous savez, je suis devenu très indulgent, parce que nous sommes pris dans des événements qui ne sont pas aisément compréhensibles. Et je trouve qu'il y a eu chez les syndicats, beaucoup de recherches intéressantes, et, dans la plupart des centrales, beaucoup de gens qui n'ont pas fui l'interrogation sur ce que pouvait devenir le rôle d'un syndicat dans un monde économique extrêmement mouvant, où les enjeux ne sont plus seulement des enjeux de pouvoir d'achat. La gauche a introduit dans la loi beaucoup de dispositions intéressantes permettant aux travailleurs d'intervenir dans la vie de l'entreprise, sur les plans de formation continue, le choix de nouvelles technologies, etc. Les lois Auroux ont prévu une obligation annuelle de négocier. Le risque est évidemment que, l'intervention des syndicats exigeant de plus en plus des experts compétents, lesdits syndicats se trouvent quelque peu coupés de leur base. Risque grave, car la gestion de mutations aussi complexes implique des syndicats responsables ! »

J.-P. Chevènement : *Le Pari sur l'intelligence, Entretiens avec Hervé Hamon et Patrick Rotman,* Ed. Flammarion, 1985, P. 237.

Annexe VII.

« Tous ensemble ou pas du tout, c'est l'alternative. La guerre sociale n'a plus d'avenir. Les Français le savent. Ils doivent vivre leurs conflits en partenaires et non en adversaires. Mais tous les syndicats du CNPF à la FNSEA, en passant par les confédérations ''ouvrières'', entretiennent les affrontements stériles pour *conforter*[2] le pouvoir. C'est la syndicratie. Elle impose l'ordre bureaucratique. Elle protège les forts au détriment des faibles, les droits acquis contre les solutions nouvelles. Le passé contre le futur. »

F. de Closets : *Tous ensemble,* Ed. Seuil, 1985.

L'ENSEIGNEMENT

**La structure de l'enseignement.
Les objectifs du système éducatif.
Le système d'enseignement est-il efficace?**

[1] remet
[2] voie, hiérarchie

L'enseignement est une tâche noble car elle permet d'accéder à l'enrichissement culturel; mais c'est aussi un investissement économique indispensable car la bonne formation de la population active future en dépend; enfin, l'enseignement est un instrument de l'égalisation des chances dans la vie, de justice sociale.

● Les grands principes du système en France ont été établis il y a 100 ans, dans la décennie 1880-90. L'enseignement est gratuit, neutre en matière de religion et obligatoire de 6 à 16 ans. La liberté de l'enseignement permet la coexistence d'un système d'établissements publics (quatre cinquièmes des élèves) et privés, mais l'État impose les programmes, organise les concours et examens, délivre[1] seul les diplômes jusqu'au baccalauréat. Depuis la loi Debré de 1959, l'enseignement privé est aidé par l'État («contrat d'association»): il rémunère les professeurs et participe aux dépenses de fonctionnement (neuf dixièmes des établissements privés, signataires du contrat, en bénéficient).

● De façon traditionnelle, on distingue l'enseignement préscolaire (avant 6 ans), l'enseignement primaire (6 à 11 ans), l'enseignement secondaire (11 à 18 ans) sanctionné par le baccalauréat, et enfin l'enseignement supérieur. L'organisation, le contenu, la finalité des cycles d'études sont définis par une succession de réformes depuis trente ans (chaque ministre de l'Éducation nationale a son propre plan de réforme), qui visent la démocratisation de l'enseignement et son adaptation aux exigences de la société en pleine évolution.
Les principales réformes des dernières années sont les suivantes: expansion du réseau d'écoles maternelles pour que tous les enfants de 4 et de 5 ans puissent en bénéficier; abandon du redoublement et de l'examen de passage dans les écoles élémentaires et collèges, institution d'un enseignement adapté au niveau de chaque élève (classes de soutien); organisation d'un tronc commun de formation, sans spécialisation et sans filière[2] depuis l'école primaire jusqu'à la sortie du collège; gratuité de l'enseignement par le prêt des manuels scolaires et la prise en charge progressive des frais de transport par l'État; participation des élèves et des représentants de parents d'élèves au fonctionnement de la classe et de l'établissement.
Introduction de nouvelles matières d'enseignement général, comme l'informatique, la physique ou encore comme l'instruction civique et l'éducation sexuelle.

● Dans l'enseignement primaire, l'horaire hebdomadaire est de 27 heures, les matières fondamentales (français 9 h, mathématiques 6 h) sont groupées et enseignées le matin. Les activités d'éveil, qui comprennent aussi des travaux manuels (total 7 h) sont programmées l'après-midi, de même que l'éducation physique et sportive.

Effectifs des élèves, 1983-84, en milliers	public	privé
Préélémentaire	2139	321
Élémentaire	3626	631
Collèges	2626	645
Lycées, cycle court	631	179
Lycées, cycle long	880	261
Enseignement spécialisé	205	7
Enseignement supérieur	914	34

L'enseignement dans le monde			
A = Dépenses publiques consacrées à l'enseignement, % du PNB			
B = Taux de scolarisation dans l'enseignement supérieur pour 1 000 habitants			
	A 1981	B 1970	B 1981
États-Unis		41,4	55,0
Canada	7,7	29,9	37,3
Pays-Bas	8,4	17,7	26,3
Suède	9,5	17,6	24,9
Japon	5,2	17,4	20,7
France	5,8	17,4	20,6
Allemagne Fédérale ..	4,7	8,3	20,6
Italie	5,1	12,8	20,2

Source: UNESCO

[1] critiquées
[2] continue
[3] donnés, délivrés
[4] diminution, appauvrissement

Cette organisation hebdomadaire en trois grandes catégories d'activités constitue «le tiers temps pédagogique». Les élèves ont congé mercredi toute la journée et samedi après-midi (voir le schéma de la scolarité en document annexe).

Dans les collèges, l'enseignement uniforme (avec 24 h hebdomadaires 8 matières dont une de langue) continue en 6e et 5e, auquel s'ajoutent, en classe de 4e et de 3e, trois heures supplémentaires prises dans un éventail de matières à option et de matières facultatives (latin, grec, 2e langue vivante, 1re langue renforcée). Les élèves ne pouvant suivre le rythme d'études peuvent entrer à 14 ans dans un collège d'enseignement technique ou dans une classe préprofessionnelle. A la fin de l'année de 3e (pour la scolarité normale), un avis d'orientation est communiqué aux parents (poursuite des études dans un lycée d'enseignement général, dans un lycée d'enseignement professionnel ou abandon des études). L'avis de l'établissement peut être contredit par les parents.

Les lycées d'enseignement général préparent au baccalauréat ou au brevet de technicien en 3 ans, les lycées d'enseignement professionnel au BEP ou CAP (niveau ouvrier ou employé qualifié) en 2 ans.

Le système instaure une série de filières conduisant à divers types de baccalauréats: A (philosophie, lettres), B (sciences économiques et sociales), C (mathématiques et sciences physiques), D (mathématiques et sciences de la nature), D' (sciences agronomiques et techniques), E (sciences et techniques), F, G et H (technique).

● Le système d'enseignement en France est-il efficace? Si le niveau de baccalauréat est élevé, ce diplôme ne peut être valorisé que par la poursuite des études. L'enseignement reste trop théorique, l'enseignement technique, trop longtemps méprisé, est insuffisamment développé. Les conditions d'études sont *décriées*[1] par le corps enseignant: surcharge des classes, insuffisance des moyens en personnel et en matériel, hétérogénéité des classes de collèges (plus de sélection de niveau), changements trop fréquents de programme et de méthodes d'enseignement, dégradation du rôle et de l'image de l'enseignant dans la société. Malgré des réformes successives, la sélection *persiste*[2] ou se reconstitue. S'il y a aujourd'hui dix fois plus de bacheliers qu'en 1950, si leur part dans une génération est passée de 4,4 % en 1946 à 27,9 % en 1984, les groupes sociaux ne participent pas également à cette évolution satisfaisante: 56,8 % des diplômes sont *décernés*[3] à des enfants issus des catégories favorisées (cadres supérieurs, professions libérales), ces mêmes catégories ne représentent que 7,7 % de la population active. La sélection commence dès le collège et prend des formes indirectes le plus souvent: encadrement familial, choix des langues réputées difficiles pour être dans les meilleures classes, paiement de cours particuliers, redoublement dans un établissement privé payant le cas échéant, etc. La dégradation des conditions de travail, l'*altération*[4] du prestige de l'enseignement public a grandement avantagé l'enseignement privé confessionnel ou laïc. La tentative du gouvernement socialiste pour uniformiser l'enseignement, au bénéfice de l'enseignement public, a échoué en 1984. S'il existe un consensus national pour que seul l'État puisse définir les programmes et délivrer les diplômes, les Français tiennent à la liberté de choix des formes d'enseignement.

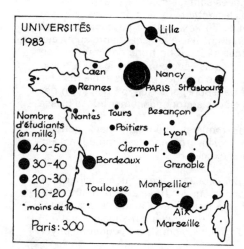

UNIVERSITÉS 1983

Lille
Caen
Nancy
Rennes
PARIS
Strasbourg
Nantes
Tours
Besançon
Poitiers
Lyon
Clermont
Bordeaux
Grenoble
Toulouse
Montpellier
Aix
Marseille

Nombre d'étudiants (en mille)
● 40-50
● 30-40
● 20-30
• 10-20
· moins de 10

Paris: 300

DOCUMENTS

Annexe I.

LE SYSTÈME D'ENSEIGNEMENT

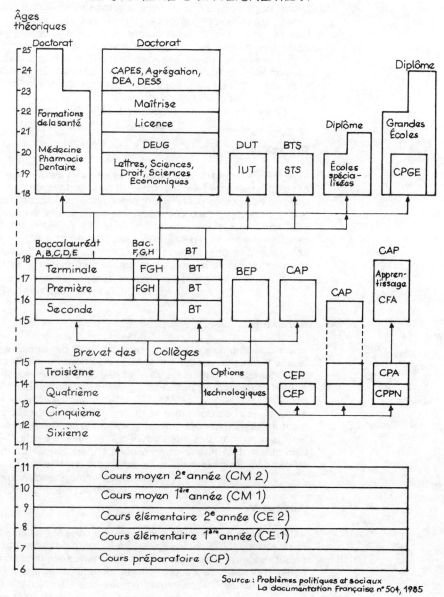

Source : Problèmes politiques et sociaux
La documentation Française n° 504, 1985

Annexe II.

« Le système éducatif est actuellement au centre de controverses passionnées dans la plupart des pays industriels. Quatre rapports américains accusent en 1983 l'enseignement élémentaire et secondaire de faillite : *A nation a risk,* le plus connu, dit aussi rapport Gardner, *Action for excellence, Making the grade* et *Educating Americans for the 21st century.* En Angleterre, des propos alarmistes sur le niveau des élèves à la sortie de l'enseignement secondaire ont également été tenus ces toutes dernières années à la suite d'enquêtes lourdes. Plus loin de nous, les Japonais, dont le système scolaire est souvent présenté comme un modèle à l'étranger en raison notamment du très fort taux de scolarisation des jeunes de 18 ans, connaissent un profond malaise et discutent avec passion les projets de réforme du gouvernement. En France, le nombre de publications sur ce sujet, et, peut-être surtout, le succès qu'elles rencontrent, témoignent assez de la vitalité du débat. »

Le débat sur l'école : Éléments de réflexion, Problèmes politiques et sociaux,
La Documentation française, n° 504, janvier 1985.

Annexe III.

« L'enseignement français se caractérise par la valorisation presque exclusive du développement verbo-conceptuel. Il se distingue de ses homologues britanniques ou américains par le peu d'importance qu'il accorde au corps et aux beaux-arts. En contrepartie de ce mépris du corps et des arts, le système français est plus ambitieux et plus exigeant dans ses objectifs intellectuels. Sans doute demande-t-il trop, à des élèves trop jeunes, et il n'est pas sûr qu'au bout du compte ses résultats soient très supérieurs à ceux d'autres systèmes. Impossible, en tout cas, d'hésiter sur la nature du projet : l'ambition est intellectuelle. »

A. Prost : *Histoire générale de l'enseignement et de l'éducation en France,*
vol. IV, Ed. Nouvelle Librairie de France, 1983, (p. 47).

Annexe IV.

[1] *attentive*
[2] *riches*
[3] *construits sans osucis d'insertion*
[4] *directement*
[5] *ici, médiocres, sans prétention et sans force*

« Quoi de semblable entre ces établissements parisiens s'appuyant sur d'orgueilleuses traditions, pratiquant sans fausse honte une sélection féroce, destinant leurs élèves aux cursus les plus glorieux, sous la pression *vigilante*[1] de parents *nantis*[2] et exigeants ; ces autres *greffés à la diable*[3] dans les banlieues de grandes villes, subissant *de plein fouet*[4] la violence et la nervosité de l'environnement, où le choc des cultures et des affrontements sociaux s'exprime brutalement au sein même des classes ; ces autres encore *frileusement blottis*[5] dans les bourgs ruraux ou des cités ouvrières menacées par le chômage, essayant tant bien que mal de retenir une vie qui s'en va, coupés du monde, accueillant des élèves déjà résignés au pauvre destin qui les attend. »

F. Gaussen, L'école publique aujourd'hui, in *Le Monde,*
Dossiers et documents, n° 126, octobre 1985

Annexe V.

« Vers l'école convergent des crises qui naissent ailleurs : crise de la jeunesse, crise économique, crise sociale. On la charge de résoudre des questions que la société exporte dans ses murs : éclatement de la famille, mutations technologiques, chômage. Or l'école, c'était justement un lieu à l'écart du monde, une sorte de monastère qui ne devrait pas être affecté par l'injustice, l'insécurité. »

Interview de H. Hamon et P. Rotman à propos de leur livre
« Tant qu'il y aura des profs », *l'Express*, septembre 1984.

LES ÉTRANGERS VIVANT EN FRANCE

**La composition de la population étrangère,
sa répartition géographique et socioprofessionnelle.
Les problèmes posés par le nombre important des étrangers
dans une France en crise économique.
Quelle politique choisir ?**

[1] *choisi*
[2] *se complaisaient*

De tout temps la France a été un pays d'accueil: pays d'accueil pour ceux qui désiraient y vivre ou travailler, terre d'asile pour ceux qui fuyaient un régime politique quel qu'il soit. De ce fait, la population française a toujours compté un nombre d'étrangers élevé: plus de 1 million en 1900, 2 700 000 en 1930, 4 500 000 actuellement; ce qui correspond à 8 % de la population totale. Si l'on y ajoute les quelque 1 500 000 naturalisés et les ressortissants de l'ancien empire colonial français ayant *opté*[1] pour la nationalité française, on doit approcher les 15 % de population totale.

● Ce chiffre élevé indique une tradition d'hospitalité vis-à-vis des étrangers, pas seulement officielle et formelle, mais populaire. L'histoire contemporaine est un enchaînement d'exemples: accueil de près de un million d'Espagnols victimes de la guerre civile (1938), accueil des réfugiés hongrois (1956), tchèques (1969), chiliens (1973), chypriotes (1974), bienveillance à l'égard des Algériens à peine la guerre d'Algérie terminée, et la dernière preuve, la formidable solidarité nationale en faveur des Cambodgiens (1979) que pourtant peu de pays *s'empressaient*[2] d'accepter.

● Après la guerre, la majeure partie des étrangers constitue une population mouvante, venant en France pour travailler pendant trois, quatre ans puis retournant dans le pays d'origine, remplacée par d'autres qui arrivent. Ce phénomène n'est plus dominant: actuellement les deux tiers des étrangers sont en France depuis plus de 10 ans, et ils sont installés avec leurs familles.

Les accords d'Évian prévoyaient l'arrivée de 35 000 Algériens par an, chiffre réduit à 25 000 en 1972 et 73. En 1973, le gouvernement algérien a décidé d'interrompre l'émigration vers la France. Actuellement les Algériens (plus de 800 000 personnes) avec les Marocains et Tunisiens, au total les Nord-Africains, constituent le tiers de la population étrangère. Plus de 2 millions de personnes, 54 % des étrangers sont originaires de l'Europe méditerranéenne. Espagnols et Italiens, dominants dans les années 50, sont en diminution régulière, car l'immigration a cessé avec le développement rapide de ces pays. L'immigration portugaise démarre dans les années 1960 et ne cesse de

Étrangers en France au 1.1.1983 nombre en millier		
C.E.E. (à 12)	1.893	
dont Portugais		867
Italiens		493
Espagnols		395
Afrique du Nord	1.459	
dont Algériens		805
Marocains		441
Tunisiens		213
Afrique noire	133	
Autres	832	
dont Turcs		135
Yougoslaves		68
Réfugiés et apatrides	142	
Total	4.459	

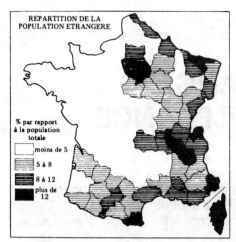

REPARTITION DE LA POPULATION ETRANGERE

% par rapport à la population totale

- moins de 5
- 5 à 8
- 8 à 12
- plus de 12

[1]personnel de nettoiement
[2]économie
[3]paient leur quote-part, participent financièrement
[4]élémentaires, aléatoires
[5]encouragement
[6]rejeter, refuser

s'amplifier, comptant actuellement près de 900 000 éléments. Contrairement à ce qui se passe en Allemagne ou en Suisse les autres Méditerranéens, (Yougoslaves, Grecs, Turcs) sont peu nombreux : la crise économique a arrêté le mouvement d'immigration. 35 % d'entre eux sont actifs (1 187 000 hommes, 369 000 femmes). Ils travaillent essentiellement dans l'industrie du bâtiment et travaux publics (un tiers) et dans le secteur de services d'hygiène et domestiques (un autre tiers). Ils forment plus de 10 % de la population totale dans les régions urbaines et industrielles (Région parisienne 16,2 % ; Rhône-Alpes 12,8 % ; Provence-Côte d'Azur 11 %).

● La présence de cette main-d'œuvre étrangère est vitale pour l'économie française. Elle accepte les emplois dont les Français ne veulent plus (éboueurs[1], manœuvres, maçons, ouvriers professionnels à la chaîne, mineurs, terrassiers, femmes de ménage) ; elle est bon marché et très mobile. Une autre série d'avantages est liée à l'économie réalisée en ce qui concerne les dépenses sociales : ils arrivent déjà à l'âge adulte (pas de dépense d'investissement pour la formation de base), ils viennent souvent seuls (d'où une épargne[2] de frais sociaux), cotisent[3] à l'assurance et à la retraite, mais n'en bénéficient que peu (étant jeunes ils sont moins malades et ils repartent avant l'âge de la retraite). Les désavantages pour la France viennent du fait qu'ils envoient une partie de leurs salaires (un tiers) dans le pays d'origine (perte pour la consommation), qu'ils sont souvent illettrés et sans aucune formation professionnelle (nécessité d'organisation de stages d'alphabétisation et de formation professionnelle), enfin la plupart d'entre eux posent un problème social d'adaptation.

● Cette main-d'œuvre étrangère est souvent exploitée. Malgré toutes les lois d'égalité votées, nombre d'entrepreneurs font travailler sans contrat les immigrés pour des salaires inférieurs au SMIG, les conventions collectives ne sont pas appliquées, la durée du travail est plus longue (souvent 60 heures par semaine) et les avantages sociaux les plus élémentaires leur sont refusés. Leurs conditions de vie sont précaires[4] surtout pour ceux qui sont entrés illégalement : ils s'entassent dans des logements surpeuplés, dans des bidonvilles, isolés du reste de la population, éternels marginaux. Par réflexe d'autodéfense, ils se regroupent, mais alors, par leur nombre élevé, ils peuvent susciter une réaction de xénophobie pouvant aboutir à des incidents graves.

Marquées par la crise économique qui dure, les années 1980 ont placé la question de la population étrangère au premier plan des préoccupations de la société. Insensiblement attirée par les idées de l'extrême-droite, une partie de l'opinion publique se retourne contre les étrangers en qui elle croit trouver les sources de ses inquiétudes : les immigrants seraient en majeure partie responsables de la délinquance, de l'insécurité ; sans eux les rues et les cités seraient moins bruyantes, moins sales, il n'y aurait pas de chômage, pas de déficit de la Sécurité sociale ; la fécondité de leurs familles est une menace pour l'identité française ; la religion dont certains se réclament (l'islam) met en danger le système de valeurs de la civilisation chrétienne. Aucun de ces postulats ne tient devant l'examen sérieux de la conjoncture, mais les idées reçues ont la vie dure.

Personne ne nie qu'il y a un problème avec l'immigration et que les solutions sont difficiles à trouver. L'incitation[5] au retour volontaire avec aide financière, la surveillance plus sévère des frontières pour refouler[6] les clandestins n'ont pas donné des résultats tangibles. La droite politique propose la révision du Code de la nationalité française et veut introduire un traitement spécifique des ''étrangers de souche non européenne''. Dans ce climat d'hostilité, d'insécurité, les étrangers de la deuxième génération souffrent le plus, surtout les enfants d'immigrés nord-africains. Or, si la société française a été capable par le passé de surmonter de telles crises (antisémitisme de la fin du 19e siècle par exemple), peut-on espérer autant de libéralisme pour la fin du 20e siècle?

DOCUMENTS

Annexe I.

[1] secrète, peu posée

«S'il y a aujourd'hui un problème de l'immigration, c'est parce que le modèle assimilateur ne fonctionne plus et qu'une partie des immigrés présents veulent rester en France sans faire l'effort de s'adapter aux mœurs, aux coutumes et aux traditions des Français. Bref, vivre chez les autres comme chez soi.»

J.-Y. Le Gallou, cité par *L'Événement du jeudi,* nov. 1985.
(Dossier: «Dans 30 ans Le Pen sera-t-il nègre?»)

Annexe II.

«Lionel Stoléru, ancien secrétaire d'État aux travailleurs immigrés, ne supporte pas l'énumération de ces théories simplistes: ''Ils leur proposent l'équivalent de la valise ou du cercueil: abandonnez votre culture, devenez français ou partez. Le droit à la différence, que je sache, est une valeur moderne. Peu importe, le but est ailleurs: leur rendre la vie impossible''. Harlem Désir approuve Stoléru le giscardien: ''Ce sont les mêmes qui exigent l'assimilation et qui, juste après, l'estiment impossible''.»

L'Événement du jeudi, n° 54, novembre 1985.

Annexe III.

«Trois solutions se présentent. La première — déjà mise en œuvre — est de bloquer l'immigration clandestine, car la France ne peut accueillir aujourd'hui davantage d'immigrés. La deuxième solution est d'organiser, pour ceux qui le souhaitent, un retour au pays dans les meilleures conditions matérielles et psychologiques possibles, étant entendu que seule une minorité en profitera. La troisième solution est la plus ambitieuse: apprendre à vivre ensemble, ce qui suppose des efforts de la part des Français comme des immigrés. Y a-t-il une autre voie? S'ouvrir à d'autres cultures conduit-il nécessairement au ''melting pot'' et à une perte d'identité nationale? La question est encore *occultée*[1]. S'il y a pourtant un ''débat de société'' urgent, c'est bien celui-là.»

R. Solé, *Le Monde,* octobre 1984.
(Dossiers et documents: ''Les immigrés en France'')

Annexe IV.

Question : Quelles sont selon vous, les deux solutions les meilleures pour améliorer l'entente entre Français et immigrés ?
— il revient aux immigrés de faire un effort pour vivre comme les Français   51 %
— il faut que les immigrés soient répartis entre différents logements, différents quartiers et différentes communes . . . . 27 %
— il faut organiser des discussions entre Français et immigrés dans les quartiers où ils vivent ensemble . . . . 42 %
— les immigrés doivent être regroupés et vivre surtout entre eux . . . . . . 12 %

> Sondage réalisé par la SOFRES-MRAP, du 24 janvier au 4 février 1984, à partir d'un échantillon de mille personnes âgées de quinze ans et plus.

Annexe V.

[1] Office National d'Immigration
[2] oublier
[3] repète avec insistance

« Pour constituer l'aide au retour, l'État verse une somme de 20 000 francs et y ajoute une prime de déménagement qui peut aller de 2 500 à 10 000 francs selon la composition de la famille. L'UNEDIC, le régime d'assurance-chômage, verse en une seule fois l'intégralité des indemnités auxquelles le salarié aurait droit s'il demeurait en France et ne retrouvait pas d'emploi (...) L'entreprise signe une convention avec l'ONI[1] et s'engage à payer une somme de 15 000 francs à laquelle il convient d'ajouter le montant des indemnités de licenciement... Selon le cas, le travailleur immigré peut percevoir de 100 000 à 150 000 francs. »

> Bilan économique et social 1985, *Le Monde,* janvier 1986.

Annexe VI.

« ''Ce n'est pas à nous de ressembler aux Français ; c'est à eux d'admettre qu'on égorge un mouton ou qu'on va à la mosquée'', déclare Fatima, élève de terminale au lycée Voltaire. Un propos innocent, mais aussi une immense question. ''Polonais ou Italiens prenaient la culture française pour modèle et acceptaient de *taire*[2] leurs différences : l'assimilation était leur seul but. Désormais, les Maghrébins, pratiquant une autre religion, refusent de faire du French way of life la seule manière de vivre en France'', note le sociologue Paul Yonnet. D'où le rejet d'une partie de la population qui n'admet pas ce ''bouleversement culturel'' et ne fait plus de distinction entre Maghrébins et Français d'origine maghrébine. »

> *Le Point,* n° 654, avril 1985.

Annexe VII.

« La deuxième génération, c'est celle de la parole. Ils n'attendent pas qu'on la leur donne. Ils la prennent. ''Nos parents se sont fait avoir sur toute la ligne et nous, on n'est pas prêts à supporter ça. Nous ne sommes pas des ''immigrés'', même si le sang de l'immigration coule dans nos veines. Mais comme on *serine*[5] qu'on est étrangers, on se surnomme les Beurs'', explique Nacer, étudiant en médecine. Dans le langage de la zone, Beur signifie Arabe. Mais c'est aussi la contraction de Berbères d'Europe. Et par extension, tous les enfants d'immigrés : plusieurs centaines de milliers entre quatorze et vingt-cinq ans. »

> A. Bouissou, *Le Monde,* 3 juillet 1983.

ATTITUDES ET MENTALITÉS

**L'esprit cartésien et le désordre quotidien.
La conception et la pratique de la liberté.
Conservatisme et contestation.
Nationalisme sans patriotisme.**

¹mélange
²méthodique et rationnelle
³constance, persistance
⁴obstination, fermeté
⁵dispersion
⁶occasionne, crée
⁷fort attachement
à l'espace de vie
(clocher = église = commune)

Malgré le risque de subjectivité, on ne saurait nier que l'organisation d'un territoire, les rapports de société, la vie quotidienne sont indissociables de la psychologie des habitants, de leurs traditions, de leurs attitudes collectives. La définition des caractères est particulièrement malaisée en France, tant l'hétérogénéité du peuplement (nordique, alpin, méditerranéen), la juxtaposition et le *brassage*¹ de population créent des tempéraments très différents. Pourtant, certains traits demeurent.

● De tout temps on a remarqué la discipline d'esprit du Français : son goût pour la pensée, la théorie, la logique rigoureuse, *cartésienne*². Il est capable d'expression claire et de démonstration séduisante, auxquelles il joint foi et enthousiasme. Si l'esprit d'abstraction permet des synthèses brillantes, la confrontation des idées avec des données réelles, la vérification de détail est souvent oubliée. « L'action intéresse moins le Français que les moments qui la précèdent et qui la suivent, plus riches de possibilités intellectuelles » (Pinchemel). Homme de pensée plus qu'homme d'action, il lui manque la *persévérance*³, la *tenacité*⁴. La France est le pays des réalisations brillantes, d'expériences originales, souvent uniques dans le monde, mais qui restent à l'état de prototypes. Elle suscite à l'étranger l'admiration plus que la confiance.

● Aucun autre pays n'a autant lutté, sacrifié pour la liberté que la France. Chaque Français y attache une très grande importance. Un véritable arsenal de règlements existe pour protéger le droit individuel et collectif. Mais chaque Français pense que la loi et le droit sont pour lui tout seul et si ce n'est vraiment pas le cas, alors selon son tempérament il se révolte, il se met en marge de la société, ou bien il cherche le moyen de contourner la loi en sa faveur. Cette liberté « absolue » fort bien protégée par la loi devient obstacle à toute évolution, tout changement car la remise en ordre des structures n'est pas examinée en fonction des réalités, mais par rapport aux grands principes politiques (la liberté) et juridiques (le droit de propriété).

● La mise en valeur des paysages, l'ordonnance des cités pavillonnaires, l'*émiettement*⁵ des entreprises industrielles et agricoles mais aussi et surtout les attitudes humaines dénotent une forte tendance à l'individualisme. Individualisme qui *engendre*⁶ parfois des comportements collectifs d'autodéfense : *patriotisme de clocher*⁷, solidarité d'intérêt des groupes socio-professionnels, régionalisme.

[1] extravagance, plaisanterie
[2] expérience, habitude
[3] blessés
[4] défauts, faiblesses
[5] irrité, ennuyé
[6] anciennes
[7] parties d'un mécanisme
[8] ici, enveloppante
[9] minutieuse
[10] grand désordre
[11] s'arrange, se tire d'affaire avec habileté
[12] difficulté imprévisible
[13] frustre, prive, vole
[14] bien manger, bien boire

● Dire du pays qu'il est peuplé de conservateurs relève de la *boutade*[1]. Pourtant ce conservatisme est indéniable; *routine*[2] et traditions marquent profondément les campagnes françaises et le Code Napoléon domine toujours une grande partie du domaine juridique; ainsi le Français s'attache plus à la défense des droits ou situations acquises qu'à l'amélioration de son statut par des entreprises hardies. Il cherche à se garantir contre toute mutation éventuelle, de peur que ses intérêts soient quelque peu *égratignés*[3]. Le fonctionnaire immuable qui attend tranquillement sa retraite est l'exemple type de cet état d'esprit. Il en résulte une force massive d'inertie et d'immobilisme (y compris d'ailleurs l'immobilisme géographique).

● Le nationalisme des Français est universellement souligné. Ce nationalisme, qui incitait à tant d'actes patriotiques dans le passé, semble dépassé, malgré la période récente dominée par la personnalité du général de Gaulle. Les réflexes nationalistes demeurent pourtant: on reste en France encore persuadé que la langue française est toujours universelle, que la civilisation française est la plus brillante et la plus admirée. Un certain désintéressement, un manque d'ouverture vers le monde extérieur sont inévitables. Que le Français ignore la géographie, qu'il prononce les noms étrangers à sa façon ne gêne personne. L'ignorance générale n'est pas une ignorance. Ce nationalisme n'a pas que des *travers*[4] même si l'étranger peut être *agacé*[5]. L'attachement au sol natal (le Français émigre peu), la reconnaissance des valeurs *ancestrales*[6] sont garants de force et de permanence, seulement l'évolution du monde est rapide, les structures sont remises en cause continuellement, et la France a de plus en plus de difficultés pour s'adapter.

● Il existe un thème qui nourrit toujours les conversations des Français, intarissables sur ce sujet: le Gouvernement. L'étranger peut penser que les Français sont très politisés. Il n'en est rien. Depuis longtemps la France vit sous un pouvoir hypercentralisé, dont les *rouages*[7] sont constitués par une bureaucratie *tentaculaire*[8] et souvent *tatillonne*[9]. Le Français confond Gouvernement et État. Cet État est abstrait, source pour les Français de tous les maux, mais c'est aussi l'État-providence qui doit résoudre tous les problèmes. Cette vision de l'État explique tant d'immobilisme, de passivité mais aussi tant de grèves et de manifestations.

● L'individualisme, la conception de la liberté individuelle «totale», sont soulignés par une multitude d'aspects du comportement au quotidien. Les Français acceptent difficilement l'ordre imposé, la discipline collective, les règlements d'usagers. Au volant de sa voiture, il est un danger public, mais seulement pour les étrangers qui, eux, respectent scrupuleusement le code de la route. Faire la queue est peut-être le plus grand supplice qu'on ait pu inventer, et le Français essaye de s'en soustraire par tous les moyens: alors c'est souvent la *pagaille*[10] où le plus malin aura le dessus. Le Français ne triche pas avec les lois, les règles collectives, il *se débrouille*[11], son esprit inventif lui permet de trouver des solutions à toute *embûche*[12] de la vie quotidienne, même si la solution individuelle gêne ou *spolie*[13] l'intérêt collectif. Il trouvera toujours des explications à son comportement: s'il jette n'importe où des papiers ou détritus de toutes sortes, c'est qu'il n'y a pas assez de poubelles publiques (il en faudrait à chaque pas), s'il ne respecte pas l'heure des rendez-vous, c'est qu'il a peur d'arriver trop tôt...

● S'il paraît un peu désordonné, il sait très bien profiter du moment qui passe. Le Français est un bon vivant, aimant fêtes, spectacles, et *bonne chère*[14]; il est décontracté, gai, amusant, enthousiaste et entraînant, débordant de vitalité et d'idées.

1 durable
2 ici, font tout ce qui
    est possible
3 s'occupe de

L'argent l'intéresse moins que la façon de vivre; il préfère souvent la qualité de la vie qu'il a su ménager aux possibilités de revenus plus élevés mais dans des conditions de vie plus contraignantes. Une fois qu'il a organisé son territoire de vie, son réseau d'amitié et ses habitudes quotidiennes, il change difficilement ou alors contraint et forcé par les circonstances, et contre quoi il garde une amertume *tenace*[1] dans sa mémoire.

DOCUMENTS

Annexe I.

«La politique coupe la France en deux. L'analyse des rapports entre parents et enfants, entre hommes et femmes, produit une pulvérisation absolue de l'ensemble national. La France ne contient pas un peuple mais cent, qui diffèrent par la conception de la vie et de la mort, par le système de parenté, par l'attitude face au travail ou à la violence. Du point de vue de l'anthropologie, la France ne devrait pas exister (...) Il n'est pas impossible, mais il n'est pas facile, de vaincre l'anthropologie. Pour y parvenir, la France a dû lutter contre les tendances centrifuges. Elle a dû fabriquer un État particulièrement centralisé. Elle a développé une passion de sa langue, instrument d'unité et de communion nationale.»

H. Le Bras, E. Todd: *L'Invention de la France,*
Collection Pluriel, Ed. Le Livre de poche, 1981, (p. 76)

Annexe II.

«Aux yeux de ses habitants, dont ils sont les enfants, la France est une personne, un bien, un sol, une idée que l'on admire, possède et défend; mais elle n'apparaît pas comme un espace, une organisation territoriale. La France est un concept plus ou moins anthropomorphisé, beaucoup plus qu'une nation spécialement et géographiquement définie. Et la France fait figure aux yeux des Français d'une personne riche, bénie des dieux, d'une entité qui ne peut pas mourir, qui sortira toujours victorieuse des difficultés. Toute cette conception personnaliste est loin de favoriser une attitude de curiosité à l'égard des problèmes proprement territoriaux, c'est-à-dire, au sens strict, géographique.»

Philippe Pinchemel, *La France* (tome I, p. 200), Éd. Armand Colin, 1980.

Annexe III.

«Les Français sont atteints d'un mal profond. Ils ne veulent pas comprendre que l'époque exige d'eux un effort gigantesque d'adaptation. Ils *s'arc-boutent*[2] tant qu'ils peuvent, pour faire obstacle aux changements qu'elle entraîne. Regardez le passé: se sont-ils jamais montrés capables de s'organiser spontanément, d'investir, de produire, d'exporter par eux-mêmes? Non. Ils attendent passivement que la puissance publique fasse tout à leur place, il faut que ce soit elle qui veille à tout, qui *vaque*[3] à tout, et spécialement aux transformations nécessaires; ensuite ils les refusent, parce que c'est elle qui les apporte.»

Général de Gaulle, propos rapportés par Alain Peyrefitte,
Le Mal français (p. 61), Éd. Plon, 1977.

Annexe IV.

«Bien qu'il ait pris la Bastille, il y a près de deux siècles, le Français n'est pas encore parvenu à se représenter qu'il n'est plus un sujet, mais un citoyen; d'où cette attitude de sujet mécontent, cette tendance à confondre l'État et le gouvernement, voire la nation, sous le vocable ''Ils'' ou ''On''.»

Alfred Sauvy, *Le coq, l'autruche et le bouc... émissaire* (p. 17), Éd. Grasset,

Annexe V.

[1] *fait preuve de mauvaise volonté*
[2] *réfractaires, entêtés*
[3] *menace, provocation*
[4] *victimes désignées*
[5] *journal satirique*
[6] *il fasse semblant*

«En tout pays, chacun *renâcle*[1] devant certaines contraintes du progrès. Mais dans les pays polycentriques, ce refus est surmonté: les *récalcitrants*[2] ne peuvent s'en prendre à personne d'une évolution qui est celle de l'époque; elle les déborde de toutes parts; elle est un *défi*[3] qu'ils relèvent. Cette démarche pragmatique répugne à la mentalité monocentrique: puisque l'État peut tout, il doit arrêter le soleil ou faire tourner la terre plus vite. Qu'il ordonne le changement, tout de suite, et pour tous... Les Français sont aussi attachés au statut quo, qu'ils en sont mécontents. Ce sont des conservateurs contestataires.»

Alain Peyrefitte. *Le Mal français* (p. 379).

Annexe VI.

«Pour le Français il est ''évident'' que le gouvernement vole, triche, et ment, qu'il a des favoris pour qui la loi n'existe pas et des *têtes de turc*[4] pour qui la loi aura toutes les rigueurs concevables. La justice, croit-il (...) de même que les mass media — surtout la radio et la télévision — sont largement contrôlés par le gouvernement, à l'exception du *Canard enchaîné*[5] et des journaux d'opposition, et encore... Contre ce gouvernement, à qui il refuse la légitimité culturelle, le citoyen défend son bon droit c'est-à-dire le patrimoine de sa famille, par tous les moyens disponibles. A ce qu'il imagine être la triche du gouvernement, il répond par la ruse et la triche.»

Jesse R. Pitts: *Les Français et l'autorité: la vision d'un Américain,* in J-D. Raynaud et Y. Grafmeyer (directeur): *Français, qui êtes-vous?,* *La Documentation Française,* série Notes et études documentaires, N° 4627-4628, 1981 (p. 292).

Annexe VII.

«Chez les Américains, lorsque quelqu'un a fini de parler, il se tourne vers son interlocuteur, le regarde dans les yeux, lève les sourcils et cesse d'émettre des sons. L'autre commence à parler, au deuxième temps de la mesure. Mais, chez les Français, il n'est pas rare que le second orateur n'attende pas que le premier ait terminé de s'exprimer et se mette à parler sur le dernier temps, ou même l'avant-dernier, si ce n'est l'avant avant-dernier temps du discours du premier orateur.
Une autre habitude des Français dans leurs conversations et leur rythme surprend les Américains: c'est celle qui consiste à faire éclater une conversation générale en conversations particulières (...) Nous sommes gênés lorsque, dans un groupe, le Français se tenant à côté de nous, parle à son voisin en même temps, soit qu'il *feigne*[6] d'ignorer la personne qui a la parole, soit même qu'il porte des jugements sur ce qu'elle est en train de dire. Cela ne semble pas impoli aux Français. Ils semblent avoir la capacité de suivre plus d'une conversation à la fois.»

L. Wylie: Joindre le geste à la parole, in *Français, qui êtes-vous?* op. cité, (p. 324).

P0

3
LA VIE POLITIQUE
EN FRANCE

[1] désignation des représentants par l'ensemble des citoyens
[2] dirige, gère
[3] décrète, rend officiel
[4] discutés, décidés
[5] réduites

Le système politique que connaît la France actuellement a été établi par la Constitution du 4 octobre 1958. Approuvée par référendum, elle fut révisée en 1962 afin que le Président de la République soit élu au *suffrage universel*[1]. Cette modification renforce le caractère de régime présidentiel qui *régit*[2] désormais la France.

1. La Constitution de la Ve République

La Constitution définit les différents pouvoirs et compétences (voir annexes).

● Le président de la République, élu pour 7 ans par l'ensemble des citoyens, est le chef de l'exécutif. Son pouvoir est très étendu : il nomme le Premier ministre, ainsi que les grands fonctionnaires civils et militaires de l'État, il choisit le tiers des membres du Conseil constitutionnel et les 9 membres du Conseil supérieur de la magistrature. Il préside le Conseil de la Défense nationale et le Conseil supérieur de la magistrature, autrement dit, il est le chef politique, militaire et judiciaire du pays. Il dirige la diplomatie, mène les négociations, signe les traités. Il *promulgue*[3] les textes de lois, d'ordonnances et de décrets *délibérés*[4] en Conseil des Ministres. Il arbitre les conflits : peut demander au Parlement le réexamen d'un texte rejeté, peut faire appel au Conseil constitutionnel pour refuser éventuellement un texte de loi proposé par le Parlement, peut dissoudre ce dernier, ou dans des affaires concernant l'organisation des pouvoirs et la politique étrangère ; il peut directement s'adresser au peuple par voie de référendum. Il possède en plus les pouvoirs spéciaux en cas de situation grave menaçant l'existence des institutions (article 16).

● Le Gouvernement est composé du Premier ministre, désigné par le président, et des ministres et secrétaires d'État, nommés par le président sur proposition du Premier ministre. Ils peuvent être des parlementaires ou non ; s'ils le sont, en accédant au Gouvernement ils perdent leurs sièges. Leur nombre varie : de 15 à 25 ministres et 10 à 26 secrétaires d'État dans la dernière décennie. Le gouvernement Chirac en 1986 comprend 14 ministres, 10 ministres délégués et 16 secrétaires d'État.
Le Premier ministre dirige l'action du Gouvernement, il assure l'exécution des lois. Il est consulté par le président en cas de dissolution du Parlement ou d'utilisation de «l'article 16». Il est, avec le Gouvernement, responsable devant le Parlement. Les décisions gouvernementales sont prises au cours du Conseil des ministres, réuni en principe tous les mercredis et présidé par le président de la République. Les textes de lois ou les décrets sont préparés par les Comités interministériels en réunions *restreintes*[5] comprenant autour du Premier ministre, les ministres et les secrétaires d'État intéressés par une question.

¹période d'exercice des élus
²réunion, assise
³confirme
⁴soumis
⁵fondements, influences
⁶venant

● Le Parlement comprend l'Assemblée nationale et le Sénat.

— L'Assemblée nationale est la réunion de 577 députés en 1986 (auparavant 491 députés) élus au suffrage universel pour 5 ans, la durée d'une *législature*[1]. Elle se réunit deux fois par an en *session*[2] ordinaire (le 2 avril et le 2 octobre pour 90 jours au maximum), mais elle peut être convoquée en session extraordinaire par le Premier ministre ou la majorité de l'Assemblée. Elle se prononce sur les projets ou propositions de lois émanant du gouvernement ou de l'Assemblée, après examen des textes en commission. Elle peut proposer des modifications aux textes («amendements»), ou exiger une explication du gouvernement. L'Assemblée a la possibilité de renverser le gouvernement: si elle désapprouve la déclaration de politique générale du Premier ministre ou si une «motion de censure» déposée recueille la majorité des voix. En 27 ans (1958-85) 40 motions de censure ont été déposées, seule celle du 4.10.1962 motivée par le projet concernant l'élection du président de la République au suffrage universel avait permis à l'opposition de renverser le gouvernement (Pompidou). L'Assemblée nationale a d'autres rôles aussi: elle discute et vote le budget, *ratifie*[3] les traités internationaux, nomme les fonctionnaires de justice, peut provoquer la révision de la Constitution.

— Le Sénat, de 317 membres en 1986, a des fonctions législatives semblables à celles de l'Assemblée nationale. Les projets de lois du gouvernement peuvent être en effet déposés soit au Sénat soit à l'Assemblée nationale en première lecture. Les deux assemblées discutent et votent les projets de lois et propositions budgétaires. Une divergence de vue donne lieu au réexamen de la question. Mais le Sénat (les sénateurs ne sont pas élus par l'ensemble des électeurs) reste *subordonné*[4] à la décision ultime de l'Assemblée nationale.
En tant que «corps inutile», le Général de Gaulle voulait supprimer le Sénat, mais il a échoué (référendum de 1969). Les sénateurs, des notables représentent les collectivités locales ont de très fortes *assises*[5] dans les campagnes françaises.

● Le Conseil constitutionnel veille à la régularité des élections et se prononce sur la conformité à la Constitution des lois ou règlements avant leur promulgation sur la demande du Président de la République ou un groupe de 60 députés ou sénateurs. Il est composé de 9 membres nommés pour 9 ans (3 par le Président de la République, 3 par le Président de l'Assemblée nationale, 3 par le Président du Sénat) ainsi que par tous les anciens présidents de la République. Au cours de la Vᵉ République, le Conseil constitutionnel a plusieurs fois refusé des projets de lois ou de règlements.

2. La pratique de la démocratie

La Constitution de 1958 a créé les conditions d'une grande stabilité des institutions. Elle permet l'alternance politique: la gauche, l'ayant toujours critiquée, s'en accommode fort bien, une fois arrivée au pouvoir (1981-86). On a longtemps craint que si le Président ne dispose pas d'une majorité parlementaire, la crise du régime soit inévitable. L'expérience des années 1986-87 montre le contraire: un Président socialiste et un gouvernement, issu d'une Assemblée nationale qui lui est hostile peuvent ''cohabiter'' en respectant scrupuleusement les textes de la Constitution.
Les deux pouvoirs *émanant*[6] du choix populaire par le suffrage universel — Président et Assemblée nationale — pourraient entrer en conflit. Le Président peut dissoudre l'Assemblée, celle-ci n'a aucun contrôle sur le chef de l'État, elle ne peut agir par les motions de censure que contre le Gouvernement. Dans un tel cas, déjà posé, le Président change de gouvernement. Au cas d'une nouvelle désapprobation cela signifierait que le Président ne peut plus exercer le pouvoir, et pourtant aucun texte ne l'oblige à démissionner.

[1]attachée à
[2]chef de file, personnage le plus important
[3]préconisée, définie
[4]dominants, influents
[5]vote

Le général de Gaulle a toujours affirmé que s'il n'avait plus la confiance du pays il quitterait le pouvoir, ce qu'il a d'ailleurs fait. Valéry Giscard d'Estaing laissait entendre avant les élections de 1978, où l'opposition avait une chance de devenir majoritaire à l'Assemblée, qu'il resterait au pouvoir. François Mitterrand s'est exprimé de façon semblable et il est resté en place après les élections de mars 1986.

En fait la Vᵉ République est restée stable de 1958 à 1986, car il y a toujours eu une majorité parlementaire qui concordait à «la majorité» présidentielle. Cette majorité suscitée par l'élection d'un président est une chose fondamentale. Le président de la République est au-dessus des partis politiques. L'élection du général de Gaulle est antécédante à la formation de l'UNR; après lui, Georges Pompidou s'impose, alors qu'il est un ancien Premier ministre en disgrâce, sans fonction officielle, y compris au sein de l'UDR; Valéry Giscard d'Estaing a quitté la direction de son parti (R.I.) un an avant d'être candidat à la présidence. De Gaulle disposait, par sa très forte personnalité, d'une majorité acquise à sa politique personnelle. Valéry Giscard d'Estaing obtient aussi une majorité, non pas *dévouée*[1] à sa personne, mais qui défend une conception de société dont le Président est le *porte-drapeau*[2]. François Mitterrand, tout en étant l'homme désigné par le parti socialiste, affirme qu'il est élu en 1981 par la majorité des Français pour la réalisation d'un programme de société qu'il a lui-même défini.

Pendant 27 ans, les présidents de la République qui se sont succédé disposant de la majorité parlementaire, interprétaient la Constitution en leur faveur: ils ont instauré un régime présidentiel où le gouvernement se cantonnait au rôle d'exécuteur d'une politique *suggérée*[3] par le Président. La situation en 1986-87 montre une autre interprétation, une interprétation ''à la lettre'' de la Constitution: c'est le gouvernement qui conçoit la politique générale du pays, en respectant les prérogatives du Président (défense nationale, diplomatie, politique étrangère). Il ne s'agit pas de partage des pouvoirs mais d'une coopération obligatoire. Le Président ne peut empêcher que les initiatives politiques du gouvernement aboutissent, mais il peut retarder leur exécution (en refusant de signer les ordonnances du gouvernement ou en faisant appel au Conseil constitutionnel). Cette situation redonne à l'Assemblée nationale un rôle beaucoup plus grand qu'auparavant.

3. Les partis politiques

Les partis politiques, malgré la faiblesse des effectifs, jouent un rôle important dans la société française. Ils forment, influencent et mobilisent l'opinion publique. Ils déterminent les grands courants de pensée. Les représentants élus de la population dans leur grande majorité se réclament d'un des partis *prépondérants*[4] et d'ailleurs sont élus en tant que tels, car au moment des élections, la personnalité des candidats a moins d'importance que leur appartenance à tel ou tel parti politique.

Dans la plupart des démocraties, il existe un accord très large sur les principes d'organisation de la vie sociale. La compétition politique, aussi vive qu'elle soit, se joue entre des équipes qui proposent des méthodes peut-être différentes pour exercer le pouvoir, mais qui ne mettent pas en cause les fondements de la société ni la nature du pouvoir. C'est le cas entre autres des États-Unis, de l'Allemagne fédérale, de la Grande-Bretagne ou encore des pays scandinaves. Certes, au moment des élections, apparemment ces pays sont partagés entre deux tendances majeures, mais c'est un résultat habituel dans tout *scrutin*[5] majoritaire, et non le signe d'une opposition incompatible. L'alternance au pouvoir de ces différentes équipes politiques ne représente pas des bouleversements révolutionnaires, mais une suite d'inflexions dans la progression de la société.

[1] influence
[2] qui ne peuvent être destitués
[3] culte du secret
[4] la plus grande partie
[5] imposable, assujetti
[6] Union Nationale des Étudiants de France, syndicat étudiant proche du Parti communiste

En France, depuis une dizaine d'années, le débat politique est une lutte entre deux conceptions opposées de la société, entre deux vérités qui s'excluent. A chaque consultation électorale les Français sont appelés à choisir entre deux idéologies ; aussi la polémique politique, chargée d'intolérance et de violence, fait-elle partie de la vie quotidienne.

D'un côté, la ''droite'' défend la société libérale capitaliste qu'elle fait progresser en douceur par des réformes dans le sens d'un plus grand bien-être individuel et collectif. De l'autre, ''la gauche'' propose une société socialiste, fondée sur une nouvelle distribution des richesses, la participation de tous à une vie sociale plus riche dans une société plus juste, plus humaine.

Unique exemple en Europe occidentale, les socialistes ont choisi le rapprochement avec les communistes. La signature en 1972 du Programme commun de gouvernement est le premier pas de la gauche pour conquérir le pouvoir par des moyens légaux. Devant les progrès incessants de l'opposition aux différentes élections, le centre et la droite politiques, abandonnant l'émiettement qui les caractérisaient jusqu'alors, ont constitué une coalition suffisamment solide pour se maintenir ou pour reconquérir le pouvoir.

A côté des deux grands blocs politiques hostiles, il n'y avait guère de place pour les extrêmes : l'extrême gauche a éclaté en une multitude de groupuscules depuis 1968, l'extrême droite n'a cessé de perdre l'emprise[1] sur l'opinion avec la fin des guerres coloniales et l'assimilation progressive des rapatriés d'Algérie. Au milieu des années 80, on assiste à la renaissance des extrêmes. L'extrême gauche s'exprime par des attentats meurtriers (Action directe avec des ramifications internationales). L'extrême droite est représentée par 35 députés au Parlement (le Front National a recueilli 10 % des voix en 1986, autant que le parti communiste). Elle prône des idées nationalistes et son intolérance est proche du racisme.

● Le jeu politique n'est pas le seul déterminant de la vie sociale, même s'il est l'aspect le plus voyant. Dans un état hypercentralisé comme la France, l'administration publique pèse souvent d'un poids plus grand. La force du pouvoir administratif réside dans la stabilité et la complexité de ses structures, dans la permanence des équipes de direction des grands services. L'administration est «le visage quotidien du pouvoir». Le petit fonctionnaire, en classant des dossiers, a souvent un pouvoir très grand, renforcé par le statut des fonctionnaires (pratiquement inamovibles[2]) et un certain ésotérisme[3] qui y règne.

Un parlementaire (élu des citoyens) passe le plus clair[4] de son temps à des interventions auprès des services publics pour arranger telle ou telle affaire de ses électeurs ; mais étant ainsi redevable[5], il doit à son tour intervenir auprès du Parlement ou des directions de parti pour favoriser tel ou tel service (par exemple au moment du vote du budget).

Le troisième grand tenant du pouvoir est économique : le pouvoir de l'argent. Les groupes de pression financiers agissent de façon occulte et dans tous les domaines de la vie.

Ces trois pouvoirs (politique, administratif, économique) caractérisent la plupart des pays avancés. Mais si ailleurs ils sont exercés par différents types d'hommes, en France ces trois centres de pouvoir sont de plus en plus occupés par des hommes de même formation qui passent aisément d'un secteur à l'autre. Ils viennent tous de «grandes écoles» : l'École Nationale d'Administration (les «énarques»), l'École polytechnique, St-Cyr, et forment un milieu très restreint, homogène et extérieur au corps social. Mais contrairement à bien des pays, le recrutement des futurs hauts fonctionnaires est surtout fondé sur les capacités, et non sur l'opinion politique ou l'origine sociale. En 1962 par exemple, l'entrée simultanée à l'E.N.A. de l'ancien président de l'UNEF[6] et d'un étudiant qui avait été interné pour activisme d'extrême droite symbolise un libéralisme dont on ne trouve guère d'équivalent dans d'autres pays.

DOCUMENTS

Annexe I.

Extraits de la Constitution de la Vᵉ République.

¹*en même temps*

ARTICLE 5. — Le Président de la République veille au respect de la Constitution. Il assure, par son arbitrage, le fonctionnement régulier des pouvoirs publics ainsi que la continuité de l'État...

ARTICLE 8. — Le Président de la République nomme le Premier ministre. Il met fin à ses fonctions sur la présentation par celui-ci de la démission du Gouvernement...

ARTICLE 9. — Le Président de la République préside le Conseil des ministres.

ARTICLE 10. — Le Président de la République promulgue les lois...

ARTICLE 12. — Le Président de la République peut, après consultation du Premier ministre et des présidents des assemblées, prononcer la dissolution de l'Assemblée nationale... Il ne peut être procédé à une nouvelle dissolution dans l'année qui suit ces élections.

ARTICLE 13. — Le Président de la République signe les ordonnances et les décrets délibérés en Conseil des ministres...

ARTICLE 15. — Le Président de la République est le chef des armées. Il préside les conseils et comités supérieurs de la Défense nationale.

ARTICLE 16. — Lorsque les institutions de la République, l'indépendance de la Nation, l'intégrité de son territoire ou l'exécution de ses engagements internationaux sont menacées d'une manière grave et immédiate et que le fonctionnement régulier des pouvoirs publics constitutionnels est interrompu, le Président de la République prend les mesures exigées par ces circonstances, après consultation officielle du Premier ministre, des présidents des Assemblées ainsi que du Conseil constitutionnel. Il en informe la Nation par un message.

ARTICLE 20. — Le Gouvernement détermine et conduit la politique de la Nation. Il dispose de l'administration et de la force armée. Il est responsable devant le Parlement...

ARTICLE 34. — La loi est votée par le Parlement. La loi fixe les règles concernant : les droits civiques..., la nationalité, l'état et la capacité des personnes..., la procédure pénale..., l'assiette, le taux et les modalités de recouvrement des impositions..., le régime électoral..., les nationalisations d'entreprises et les transferts de propriété d'entreprises du secteur public au secteur privé. La loi détermine les principes fondamentaux : de l'organisation générale de la Défense nationale, de la libre administration des collectivités, de leurs compétences et de leurs ressources, de l'enseignement, du régime de la propriété..., du droit du travail, du droit syndical et de la Sécurité sociale.
Les lois de finances déterminent les ressources et les charges de l'État... Des lois de programme déterminent les objectifs de l'action économique et sociale de l'État...

ARTICLE 38. — Le Gouvernement peut, pour l'exécution de son programme, demander au Parlement l'autorisation de prendre par ordonnances, pendant un délai limité, des mesures qui sont normalement du domaine de la loi...

ARTICLE 39. — L'initiative des lois appartient *concurremment*¹ au Premier ministre et aux membres du Parlement...

ARTICLE 44. — ...Si le Gouvernement le demande, l'assemblée saisie se prononce par un seul vote sur tout ou partie du texte en discussion...

ARTICLE 49. — ...L'Assemblée nationale met en cause la responsabilité du Gouvernement par le vote d'une motion de censure... Le Premier ministre peut, après délibération du Conseil des ministres, engager la responsabilité du Gouvernement devant l'Assemblée nationale sur le vote d'un texte...

Annexe II.

[1] accordent, donnent

« La clé de voûte de notre régime, c'est l'institution nouvelle d'un Président de la République désigné par la raison et le sentiment des Français pour être le Chef de l'État et le guide de la France... La Constitution lui confère, à présent, la charge insigne du destin de la France et celui de la République. »

Charles de Gaulle, Conférence de presse, 20 septembre 1962.

Annexe III.

« La France a choisi présentement un système intermédiaire (entre le régime présidentiel américain et le régime parlementaire britannique) où le chef de l'État, qui inspire la politique générale, trouve dans le suffrage universel la base de son autorité, mais ne peut exercer ses fonctions qu'avec un gouvernement qu'il choisit et nomme, certes, mais qui, pour durer, a constamment besoin de la confiance de l'Assemblée. »

Georges Pompidou, discours à l'Assemblée nationale, le 24 avril 1964 cité par F. Goguel, A. Grosser, *La Politique en France,* Ed. Colin, 1975.

Annexe IV.

« La Constitution adoptée par le peuple français en 1958 a permis de mieux équilibrer les pouvoirs et d'assurer la stabilité de l'exécutif. Avec le droit de dissolution, le Président de la République dispose d'une prérogative qui fait contrepoids au pouvoir du Parlement de renverser le Gouvernement. D'autre part, le Parlement lui-même ne peut censurer le Gouvernement qu'en adoptant à cet effet une motion votée à la majorité absolue. Le Gouvernement, nommé par le Président de la République, est ainsi mieux protégé à l'égard des manœuvres des hommes et des partis. »

Valéry Giscard d'Estaing, *Démocratie française* (p. 152), Fayard 1976.

Annexe V.

« Je serais dépendant si je soumettais mes choix à quelque pression que ce fût. Tel n'est pas mon cas, vous l'imaginez, puisque la politique de la France, je l'ai moi-même définie et qu'elle est conduite sous mon autorité. Je ne surprendrai personne, enfin, en ajoutant que le chef de l'État ne peut dépendre que de l'idée qu'il a de l'intérêt public et des suffrages du peuple qui l'a élu. »

François Mitterrand, Entretien avec le journal *Libération*, 10 mai 1984.

Annexe VI.

« Nos institutions *confèrent*[1] au Président de la République des pouvoirs de droit que nous respecterons. Mais quant à ses pouvoirs de fait, ceux qu'il tient de sa position de chef de la majorité, s'il perd cette majorité, il perdra ces pouvoirs-là. Dès lors, c'est le nouveau gouvernement qui, conformément à la Constitution, devra décider de la nouvelle politique et la mettre en œuvre. »

Jacques Chirac, Discours à la Mutualité, le 17 février 1986.

LA HIÉRARCHIE DU POUVOIR ET LE SYSTÈME ÉLECTORAL

**La commune, le département, la région.
La décentralisation du pouvoir.
Le système électoral.**

Le Président de la République, l'Assemblée nationale, le Sénat, élus au suffrage universel, sont appelés à décider dans les questions intéressant toute la France. A côté de ces instances supérieures, existent au niveau local ou régional d'autres centres de décision, correspondant aux divisions administratives du pays.

● L'unité territoriale la plus petite en France est la commune, administrée par un maire, entouré du Conseil municipal. La commune possède son budget propre provenant des recettes de taxes et d'impôts locaux (taxe professionnelle, taxe locale d'équipement, taxe sur les propriétés, taxe en contrepartie des services rendus aux habitants, taxe de voirie, de spectacle, de publicité, etc.), de la vente des propriétés communales auxquelles s'ajoute la subvention de l'État. Ces recettes peuvent être complétées par des emprunts bancaires. Avec ces ressources, le Conseil municipal entretient et modernise l'infrastructure communale, gère, développe les unités de production et les services techniques qui sont sous sa dépendance et rétribue le personnel employé. Le maire a des pouvoirs très étendus,(administratif, juridique, économique, policier) sur le territoire de la commune, son autorité est renforcée par l'élection au suffrage universel. Il est évident que les différences de pouvoir sont très grandes entre le maire d'un petit village et celui d'une grande ville. Aussi les modalités d'élections ne sont-elles pas identiques: jusqu'en 1983, dans les communes de moins de 30 000 habitants si des listes étaient déposées, on pouvait choisir lors de l'élection des conseillers, parmi les candidats de plusieurs listes opposées («le scrutin plurinominal»); à partir de 30 000 habitants, le "panachage" n'était plus possible, la liste qui obtenait la majorité absolue (1er tour), ou la majorité relative (2e tour), l'emportait («scrutin majoritaire de liste à 2 tours»). Aux élections municipales de 1983, le mode de scrutin a été modifié pour les communes de plus de 3500 habitants: le système mis en place est un système "mixte proportionnel-majoritaire". Dans les cinq grandes villes françaises (Paris, Marseille, Lyon, Toulouse, Nice) on vote par secteur urbain. Le maire est choisi par le Conseil municipal au cours de sa première assemblée générale. Le Conseil municipal est élu pour 6 ans.

● Le regroupement d'une dizaine de communes en moyenne s'appelle le canton. Si le canton peut être le siège de services intercommunaux (gendarmerie, ponts et chaussées, etc.), il est essentiellement une circonscription électorale pour élire un conseiller général (voir plus loin).

● Avec la commune, le département est l'unité territoriale fondamentale. Créé par la Révolution et Napoléon, comme les autres subdivisions spatiales, il a reçu des *prérogatives*¹ importantes, semblables à celles d'une commune: grâce à son budget propre dont les recettes sont librement fixées («les centimes additionnels») il gère et crée un ensemble d'équipements très importants (routes, électricité, logements, transports, activités sportives et culturelles).

Jusqu'en 1982, le département était dirigé par le Préfet, haut fonctionnaire nommé par le Gouvernement. Véritable relais du pouvoir central à l'échelon local, il surveillait l'application de la loi, dirigeait l'administration, élaborait le budget, disposait de la police. Pour qu'il reste toujours un fidèle serviteur de l'État, insensible aux intérêts locaux, le Gouvernement le changeait souvent de place. A côté du Préfet, siégeait le Conseil général qui décidait par ses votes la répartition budgétaire et les actions à entreprendre. Ses conseillers étaient élus au suffrage universel au sein des cantons, au ''scrutin uninominal majoritaire à deux tours'' (le candidat arrivant en tête étant élu), pour 6 ans.

La loi de décentralisation de 1982 n'a pas changé le mode de scrutin des élections de conseillers, mais a considérablement renforcé le rôle du Conseil général en attribuant au président de ce conseil la majorité des prérogatives du Préfet. Celui-ci dont le nom maintenant est Commissaire de la République, reste le chef des services de l'État dans le département (équipement, services financiers, police, etc).

● Pendant un siècle et demi, il n'existait pas d'échelon intermédiaire entre l'État et les départements. La nécessité de la Région s'impose progressivement dans les années 1950-60, (voir chapitre G6), mais ce n'est que depuis la loi de décentralisation de 1982 qui définit son champ d'action, et les élections régionales de 1986 qui lui donnent un conseil souverain, que la Région existe réellement en France, encore que ses prérogatives ne soient pas aussi étendues que dans beaucoup de pays développés.

● Le mode de scrutin choisi en 1986 est celui de la représentation proportionnelle à un tour, dans le cadre départemental, avec la répartition des restes à la plus forte moyenne. (Voir annexe II). Les députés sont élus dans le cadre des départements, au cours des ''élections législatives''. Le système en vigueur de 1958 à 1985 est celui du scrutin majoritaire à deux tours, les élections se déroulant dans des circonscriptions électorales dont les limites varient au cours des années. La loi électorale de 1985 institue le mode de scrutin à la proportionnelle (comme pour les conseillers régionaux) pour les élections législatives de mars 1986. La nouvelle Assemblée nationale, à peine élue selon ce scrutin, vote une nouvelle loi (avril 1986) qui impose le retour au scrutin majoritaire, qui rentrera en application en 1991 (si entre-temps l'Assemblée n'est pas dissoute) les députés étant élus pour 5 ans.

Le mode de scrutin a suscité beaucoup de discussions au cours des années 1980. Pour ses défenseurs, la proportionnelle reflète plus fidèlement l'opinion et permet la représentation de tous les courants. Elle supprime les primes excessives qu'accorde le scrutin majoritaire au parti qui a réuni le plus grand nombre de voix. Elle libère le député des contraintes de son implantation locale, lui permet de se consacrer davantage à sa fonction de législateur.

Les partisans du scrutin majoritaire affirment que pour gérer le pays une majorité stable est indispensable. Le député élu dans une circonscription est connu de tous, il peut réellement représenter ses électeurs. Le scrutin à la proportionnelle favorise les calculs d'état-major politique et instaure le régime des partis, l'instabilité du pouvoir et permet aux extrémistes d'avoir une représentation politique (Front National).

DOCUMENTS

Annexe I.

Exemple de division territoriale.

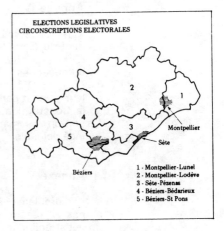

Annexe II.

Élection des députés en mars 1986. Représentation proportionnelle.
Soit une circonscription électorale où cinq sièges sont à pourvoir. Quatre listes
(ou partis) A, B, C, D, sont en présence. Elles recueillent respectivement :
Liste A : 82 000 voix ; Liste B : 54 000 voix ; Liste C : 32 000 voix : Liste D :
22 000 voix, soit un total de 190 000 suffrages exprimés. Le quotient électoral
est 190 000 : 5 = 38 000. Au terme de cette première opération :
La liste A obtient :   82 000 : 38 000 = 2 sièges
La liste B   54 000 : 38 000 = 1 siège
La liste C   32 000 : 38 000 = 0 siège
La liste D   22 000 : 38 000 = 0 siège
Deux des cinq sièges n'ont pas été attribués. Ils sont attribués selon la règle de
la plus forte moyenne. Pour le calcul, il convient d'ajouter fictivement à chaque
liste un siège à ceux qu'elle a obtenus lors de la première opération, puis de divi-
ser les suffrages qu'elle a recueillis par ce nombre. (Si une liste n'a eu aucun
siège, on la divise par 1.) La liste qui obtient ainsi la plus forte moyenne, obtient
un siège.
— Liste A : 82 000 : 2 + 1 = 27 333 ;
— Liste B : 54 000 : 1 + 1 = 27 000 ;
— Liste C : 32 000 : 1 = 32 000 ;
— Liste D : 22 000 : 1 = 22 000.
Le premier des deux sièges va à la liste C... le deuxième à la liste A.

Le Monde, Dossiers et documents, n° 129, janvier 1986.

Annexe III.

« Je souhaite un système où l'exécutif et le Président de la République élus au suffrage universel pour cinq ans disposeront d'une large autorité et des moyens de la stabilité, mais où le Parlement sera élu au scrutin proportionnel. Ainsi nos institutions rétabliront-elles l'*équité*[1] dans la représentation nationale sans *nuire*[2] à l'efficacité du pouvoir exécutif. »

François Mitterrand, *Un socialisme du possible* (p. 37), Ed. Seuil, 1970.

Annexe IV.

« En France, le rêve du notable local, c'est de devenir député — maire — président du district ou de communauté urbaine — conseiller général — conseiller régional. Certains *raffinent*[3] en se faisant élire, en prime, à une des assemblées européennes. D'autres, en plus, à la présidence du conseil général ou du conseil régional. D'autres encore sont en même temps ministre, et continuent à exercer leur mandat parlementaire sur le terrain, même si, comme l'exige heureusement la Constitution, ils cèdent à leur *suppléant*[4] leur siège au Parlement... Ainsi voit-on les mandats accaparés par une caste politique étroite, et presque indéracinable. »

Alain Peyrefitte, *Le Mal français* (p. 309), Ed. Plon, 1976.

Annexe V.

« Le problème essentiel que pose le fonctionnement de notre vie politique n'est pas en réalité, institutionnel. Il tient au caractère inutilement dramatique du débat politique dans notre pays. »

Valéry Giscard d'Estaing, *Démocratie française* (p. 153), Ed. Fayard, 1976.

Annexe VI.

« En réalité, chaque parti voit les réformes électorales uniquement sous l'angle de son intérêt particulier. »

Général de Gaulle, Conférence de presse, le 16 mars 1950.

Annexe VII.

« A partir du moment où dans une assemblée parlementaire, il y a, à cause de la proportionnelle plusieurs majorités possibles, c'est comme s'il n'y en avait aucune. Le scrutin majoritaire uninominal à deux tours est, en revanche, le seul qui permette une majorité stable et un gouvernement stable. Sans stabilité gouvernementale, on ne peut pas réellement projeter puis réaliser une politique. Or un pays ne peut pas vivre dans l'instabilité ministérielle. Nous avons vu sous la IVe République où cela conduit finalement le pays. »

Chaban-Delmas, *Le Monde,* 21 mars 1985.

Annexe VIII.

« L'application de la proportionnelle sera jugée, avec le recul du temps, comme un *contresens*[5] historique... Le temps revient aux intrigues d'état-major, où les élus sont davantage ceux des partis que des citoyens, et où il est plus important qu'un comité vous inscrive en tête de liste que de gagner des voix. L'intrigue est un chemin plus long que la persuasion. »

Valéry Giscard d'Estaing, *Le Figaro,* 6 mars 1985.

P2

LE COMPORTEMENT ÉLECTORAL

Les constantes électorales :
les fiefs de la gauche et de la droite.
Les facteurs de comportement électoral.

[1] domaines
[2] entourant
[3] centres
[4] similitudes, synchronismes

REFERENDUM DU 5 MAI 1946
(Projet de Constitution)

Majorité de "NON"

Majorité de "OUI"

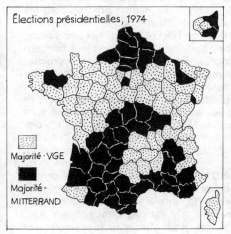

Élections présidentielles, 1974

Majorité · VGE

Majorité · MITTERRAND

La fréquence des consultations électorales ainsi que la pratique du suffrage universel permettent d'observer les grandes tendances politiques de l'électorat français. Sa stabilité est une des données de base du comportement social.

La participation aux élections n'est pas obligatoire en France, pourtant les taux d'abstention de l'après-guerre dépassent rarement le tiers des inscrits (élections ou référendum sur la question européenne). Au moment des consultations les plus importantes, leur nombre reste inférieur même à 20 %. Cela traduit un degré élevé de civisme, que la propagande électorale intense précédant les votes, entretient.

● L'opinion politique en France est surprenante par sa stabilité. La comparaison des cartes ci-jointes, montre la permanence des tendances politiques. La droite et la gauche ont leurs *fiefs*[1]. Les conservateurs, les modérés, la droite classique dominent trois grandes zones géographiques : la France de l'Ouest (Normandie, Bretagne, Pays de la Loire), la France de l'Est (Alsace, Lorraine, Champagne) et le sud-est du Massif central (du Lyonnais jusqu'aux Causses). Parfois, à la faveur des grands courants politiques unificateurs — comme fut le gaullisme — ces trois grandes zones se rejoignent, attirant vers elles les régions les plus hésitantes au sud du Bassin parisien, en Bourgogne et dans le Jura.

À cette «France modérée» s'opposent des régions votant traditionnellement à gauche et qui forment une longue zone continue dans le midi de la France — de la frontière italienne à l'Atlantique — s'élargissant dans le sud-ouest et *enveloppant*[2] par le nord la région conservatrice du Massif central. A celle-ci s'ajoute le «triangle» Paris - Pas-de-Calais - Ardennes. Dans ce schéma de répartition des tendances, les exceptions sont nombreuses, parfois importantes : l'opposition de la ville de Paris et de sa banlieue (ou même de l'est et de l'ouest de l'agglomération), ou dans le Midi socialiste la persistance des *foyers*[3] conservateurs du Pays basque ou des Alpes Maritimes.

● L'explication de ces tendances et de la permanence des oppositions n'est pas toujours aisée. Les fortes *coïncidences*[4] du conservatisme et de la pratique religieuse (voir carte en annexe) sont troublantes. Si le catholicisme perd du terrain, les comportements sociaux sont toujours marqués par des attitudes traditionalistes, surtout dans les campagnes qui ont connu peu de transformation.

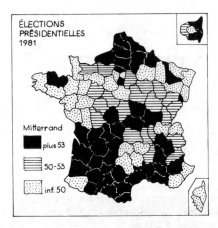

ÉLECTIONS
PRÉSIDENTIELLES
1981

Mitterrand

■ plus 53

▤ 50-53

⬚ inf. 50

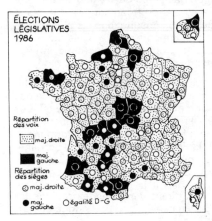

ÉLECTIONS
LÉGISLATIVES
1986

Répartition
des voix

⬚ maj. droite

■ maj.
gauche

Répartition
des sièges

◉ maj. droite

● maj.
gauche

◯ égalité D-G

[1] désagrégés, entamés

La structure socioprofessionnelle différente paraît être un deuxième facteur d'explication. Le succès électoral de la gauche a toujours été plus grand dans les zones où le développement industriel a donné naissance à une classe ouvrière dynamique (radicaux du tournant du siècle, socialistes entre les deux guerres et enfin communistes depuis 1945). Les banlieues ouvrières de Paris, les régions minières et industrielles du Nord et du Pas-de-Calais en sont des exemples. La généralisation est pourtant difficile, car nombre de grands foyers industriels et ouvriers ne se comportent pas de la même façon (ainsi la région lyonnaise ou la Lorraine). De même les régions agricoles ou rurales ne sont pas forcément conservatrices: la preuve en est fournie par le sud-ouest. Les études sociologique et anthropologique ont permis d'établir des corrélations entre la structure familiale et le comportement électoral: les régions à ''familles nucléaires'' (non-cohabitation des parents et des enfants mariés) votent plutôt à droite (Ouest non breton, Bassin parisien, Est, Côte d'Azur); les ''familles communautaires'' (cohabitation de plusieurs ménages sous le même toit) caractéristiques du Midi expliqueraient la préférence pour la gauche politique. Les bastions de la droite la plus conservatrice seraient déterminés par la fréquence des ''familles autoritaires'' (forte pratique religieuse, âge élevé de mariage, respect de la hiérarchie sociale) comme c'est le cas en Bretagne, dans les Alpes, dans le sud-est du Massif central, dans l'est, dans le Pays basque ou en Corse.

L'étude des tendances économiques apporte quelques certitudes: les régions dont les activités économiques — qu'elles soient agricoles, industrielles ou tertiaires — sont en difficulté permanente, manifestent leur inquiétude par des votes favorables à l'opposition, donc à la gauche; l'inverse étant vrai aussi. Tous ces facteurs d'explication restent pourtant insuffisants dans certains cas, comme la Lorraine ou le Midi viticole. Les régions de l'Est ont longtemps témoigné une méfiance vis-à-vis des partis antimilitaristes ou internationalistes, les suspectant de ne pas être prêts à assurer — si besoin était — la défense du pays, eux qui ont en premier souffert des invasions et subi des destructions. Gaullisme, anticommunisme, et peut-être aussi une certaine attirance vers les formules politiques de l'Allemagne de l'Ouest proche, sont les expressions actuelles de cette méfiance ancestrale. Bastion du socialisme historique en France, le Midi lui reste fidèle. Est-ce une fidélité aux idéaux socialistes, est-ce l'expression d'un enthousiasme spécifique aux Latins dans leur conception à la fois idéaliste et romantique du progrès, est-ce une façon de s'accrocher aux modes de vie et aux formes économiques valables dans le passé? Ou s'agit-il d'une forme de protestation, de refus du pouvoir central en place?

L'observation de la carte des élections législatives de 1986 laisse perplexe. Les bastions de la gauche politique dans le Midi aquitain et méditerranéen se sont effrités[1]: sur les 29 départements où François Mitterrand a eu plus de 53 % des voix en 1981, il n'en reste que 11 où la gauche réussit à recueillir la majorité des voix après cinq ans de pouvoir socialiste. Déception ou vote contre le pouvoir en place?

L'autre phénomène nouveau des années 80 est l'apparition de l'extrême droite. Dans 58 des 96 départements il n'y aurait pas de majorité de droite sans elle. La crise économique et ses corollaires:(insécurité, intolérance), l'explique certement. Le mode de scrutin à la proportionnelle n'y est pas étranger non plus. Suffirait-il que l'on change de système électoral pour effacer de la mémoire des électeurs des réflexes d'auto-défense?

DOCUMENTS

Annexe I.

Vote au premier tour des élections présidentielles en 1981.

	Marchais	Mitterrand	Giscard	Chirac	Lalonde[*]
Moyenne nationale (%)	16	26	28	18	4
Hommes	17	29	23	19	4
Femmes	14	24	32	18	4
18/24 ans	24	22	23	11	11
25/34 ans	23	27	16	18	6
35/49 ans	15	27	27	20	2
50/64 ans	11	26	28	24	2
65 ans et plus	7	28	48	11	1
Agriculteurs	2	23	33	36	1
Commerçants/Artisans	9	14	35	29	7
Professions lib./Cadres sup.	7	19	24	36	4
Employés/Cadres moyens	18	29	17	18	6
Ouvriers	30	33	18	10	4
Inactifs/Retraités	12	25	35	16	3
Catholiques pratiquants	2	12	50	26	3
Catholiques non pratiquants	18	31	22	17	4
Sans religion	39	29	6	7	8
Gains du chef de famille					
Moins de 2000 F/mois	11	31	36	13	6
2000 F / 3000 F/mois	18	30	31	15	2
3000 F / 7500 F/mois	19	28	25	12	4
plus de 7500 F/mois	10	23	26	25	4

(*)candidat écologiste   Sondages post-électoraux, *SOFRES-Nouvel Observateur*

Annexe II.

« L'enjeu d'un scrutin peut modifier le comportement électoral : une consultation sans conséquences nationales directes incite les Français à éparpiller leurs suffrages vers les sensibilités les plus diverses, même extrêmes. On a également remarqué que les centristes votaient volontiers à gauche localement mais étaient plus modérés dans les élections à enjeu national. »

J. Sarramea : Géographie électorale de la France, *Information géographique*, N° 3, 1985.

Annexe III.

« Il n'y a plus de différence de vote entre les hommes et les femmes. Sur le long terme, cette évolution est certainement la plus spectaculaire. En 1967, 65 % des femmes votaient à droite, pour 48 % des hommes, soit un écart de 17 points ; en 1978, l'écart était de 6 points. Aujourd'hui, il n'y a plus d'écart du tout : hommes et femmes ont voté à droite à 55 %. On touche là au terme d'une évolution où vie politique et vie sociale mêlées aboutissent à une identité du comportement électoral. »

J. Jaffré, *L'Express*, 21/27 mars 1986.

Annexe IV.

« En 1986 les jeunes ont voté en majorité à droite. 50 % des 18-24 ans ont voté pour le R.P.R., l'U.D.F., les divers droite et le Front national, 48 % ont voté à gauche, 2 % pour les écologistes. Le mouvement est encore plus marqué pour les 18-20 ans, où le vote à droite atteint 53 %. On avait déjà constaté un phénomène semblable aux élections européennes de 1984, mais c'est la première fois qu'il se produit lors d'une élection décisive. Aux législatives de 1978, 62 % des 18-24 ans avaient voté à gauche ; au second tour des présidentielles en 1981, 63 % s'étaient prononcés pour François Mitterrand. »

J. Jaffré, *L'Express,* 21/27 mars 1986.

Annexe V.

« La France est un drôle de pays, où le peuple choisit directement deux pouvoirs, l'Assemblée et le Président, à deux dates différentes. Comme les Américains, nous élisons un président doté de vraies prérogatives. Comme les Britanniques ou les Allemands, nous choisissons une Assemblée devant laquelle le Premier ministre est responsable. Huit fois de suite depuis 1958, le miracle s'est reproduit : les électeurs ont donné au président une majorité à l'Assemblée. Il put donc choisir son Premier ministre et gouverner à sa guise. Le pays connut la belle simplicité du présidentialisme, où tous n'obéissaient qu'à un seul. Mais ce qui devait arriver arriva. Le 16 mars 1986, les Français ont changé d'avis et décidé d'expérimenter la cohabitation, en envoyant au Palais-Bourbon juste ce qu'il faut de députés de droite : pas trop, pour ne pas renvoyer François Mitterrand à Latché ou réduire ses possibilités d'actions à néant : assez pour l'obliger à choisir un nouveau Premier ministre hors de la gauche et changer au moins les hommes, sinon la politique de la France. Cela s'appelle l'alternance. »

O. Duhamel, *L'Express,* 21/27 mars 1986.

Annexe VI.

Annexe VII.

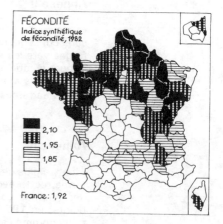

P3

LA DROITE POLITIQUE

**Les trois composantes: RPR, UDF, Front national.
Évolution, idées, chefs de file.**

En dehors de l'extrême droite, les partis politiques refusent l'étiquette de ''droite''. Les hommes politiques se déclarent centristes, libéraux, démocrates. Mais le centre politique n'existe plus en France, il a été laminé par des nécessités d'alliance, de *cristallisation*¹ de blocs politiques hostiles et aussi par le système électoral de la Vᵉ République. Cette droite politique qui s'oppose donc à une gauche politique comprend un éventail politique allant de l'extrême droite au centre-gauche, regroupé au sein de trois blocs: le RPR (Rassemblement pour la République), l'UDF (l'Union pour la démocratie française) et le FN (Front national).

● Le RPR est le mouvement gaulliste, issu de ce vaste rassemblement qu'ont suscité la personnalité et la politique du général de Gaulle dès 1958. Si le mouvement a souvent changé de nom (UNR, UNR-UDT, UD Vᵉ République, UDR) il reste longtemps fidèle à une seule *motivation*²: le soutien de l'action du Président. Ce mouvement ne se transforme en véritable parti politique qu'en 1967 (Congrès de Lille) en se donnant des structures solides, qui lui assurent sa continuité après la disparition de De Gaulle. Obtenant 4 millions de voix en 1958, 6 millions en 1962, 9 millions en 1968, 8 millions en 1973, le mouvement perd des électeurs d'extrême droite avec le processus de décolonisation, s'élargit vers le centre et domine la vie politique française. La mort *subite*³ du Président Pompidou divise le mouvement sur la question de la succession, et la *mésentente*⁴ profonde parmi les hommes influents — les «barons du gaullisme» — Michel Debré, Maurice Couve de Murville, Olivier Guichard, Jacques Chaban-Delmas, Pierre Messmer, entre autres, conduit à l'échec aux élections présidentielles de 1974: Jacques Chaban-Delmas n'obtient que 14,6 % des voix.
Le mouvement semble se *désagréger*⁵ lorsque Jacques Chirac, ancien ministre de Pompidou et Premier ministre démissionnaire de Valéry Giscard d'Estaing *s'empare*⁶ de sa direction. Le RPR, créé en décembre 1976, se donne comme but de défendre les institutions de la Vᵉ République qui «assurent la stabilité politique et l'équilibre du pouvoir», de lutter contre le Programme commun de la gauche, jugé dangereux pour les libertés, de *veiller*⁷ au maintien — dans la conception gaulliste — de l'indépendance de la France.
Le mouvement veut se situer — dans la tradition *inspirée*⁸ par de Gaulle — au-delà des partis politiques, qu'il accuse de ne pouvoir apporter aux problèmes posés que «de mauvaises raisons et de fausses réponses». Ses succès relatifs aux élections de 1978 et 1986 permettent au RPR de demeurer le premier parti de la droite (avec 148 députés) et probablement le mouvement politique le plus populaire (880 000 adhérents déclarés en 1986).

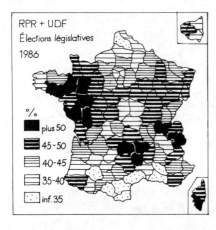

RPR + UDF
Élections législatives
1986

%
■ plus 50
▤ 45-50
▦ 40-45
▥ 35-40
□ inf. 35

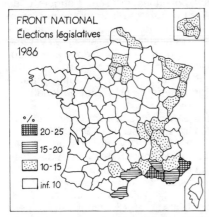

FRONT NATIONAL
Élections législatives
1986

%
▦ 20-25
▤ 15-20
▨ 10-15
□ inf. 10

[1] leader
[2] sous la direction
[3] en appellent
[4] ranimer, relever le moral
[5] laissez-aller, faiblesse

● L'UDF est une fédération de partis, née à la veille des élections de 1978 pour s'opposer à la gauche en soutenant l'action du Président de la République, et en œuvrant pour la réalisation du programme de société défini par Valéry Giscard d'Estaing dans «Démocratie française». Elle réunit le Parti Républicain, le Centre des Démocrates-Sociaux, le Parti Radical Socialiste, les clubs Perspectives et Réalités, le Parti Social-Démocrate ainsi que les adhérents à titre personnel, (''majorité présidentielle'' jusqu'en 1981, ''UDF'' depuis).

Le Parti Républicain est l'héritier de la Fédération des Républicains Indépendants créée par Valéry Giscard d'Estaing qui est demeuré l'allié fidèle, mais difficile (la politique de ''Oui, mais...'') du gaullisme. L'élection à la présidence de la République de son *chef de file*[1] lui donne une importance plus grande: contre 20 à 30 députés au temps du général de Gaulle, il a 71 élus en 1978. Après la défaite de Giscard d'Estaing en 1981, le parti reprend un nouveau dynamisme *sous la houlette*[2] de jeunes stratèges tels que François Léotard: il double le nombre de ses élus et de ses adhérents (60 députés, 190 000 adhérents en 1986).

Le Centre des Démocrates-Sociaux (CDS), représente la droite libérale, issue de l'éclatement du MRP, dans l'opposition au temps de De Gaulle et de Pompidou, il participe aux gouvernements de Giscard d'Estaing. Son européanisme le distingue des autres formations de la droite: 41 députés, 74 sénateurs, 4 000 maires *s'en réclament*[3]. Ses dirigeants sont Jean Lecanuet, Pierre Méhaignerie, Jacques Barrot.

Le Parti Radical Socialiste est le plus ancien parti en France, dominant la vie politique dès la IVe et même la IIIe République, représentant le centre-gauche réformiste, allié des socialistes. Très affaibli, vieilli, déchiré par des tendances centrifuges, il éclate définitivement quand se pose la question de l'alliance avec les communistes. Jean-Jacques Servan-Schreiber essaie de *revigorer*[4] le parti (''Manifeste radical'' de 1970), mais il échoue dans sa tentative de rassemblement du centre-gauche.

Depuis, le parti survit tant bien que mal, mais dans la vie politique il est marginalisé (6 députés, 17 sénateurs en 1986), de même d'ailleurs que le Parti Social-Démocrate.

Raymond Barre, ancien Premier ministre, adhérent à l'UDF à titre personnel, a une audience de plus en plus large dans l'ensemble des composantes de l'UDF (les ''barristes'') et cela malgré son hostilité catégorique à la cohabitation.

● L'extrême droite ne connaît de réelle importance que depuis le début des années 80. Derrière le Front national, créé par Jean-Marie Le Pen, se rassemblent divers mouvements et diverses personnalités d'extrême droite, pour ''combattre le socialo-communisme autrement que par le *laxisme*[5] chiraco-giscardien, pour le rétablissement de la peine de mort et une justice plus sévère, pour l'arrêt effectif de l'immigration et le retour progressif des immigrés chez eux, pour la remise en cause de la dictature fiscale de l'administration pléthorique''. C'est au cours des élections européennes de 1984 que le Front national enregistre ses premiers succès: 11 % des votes (10 députés européens élus), succès confirmés aux élections législatives de 1986 (9,7 % des voix, 35 députés) et aux élections régionales où il devient un recours inévitable pour la droite libérale dans plusieurs régions lors de la conquête des présidences de conseil (Provence-Alpes-Côte d'Azur, Languedoc-Roussillon, Midi-Pyrénées), ailleurs il se pose en arbitre de la situation.

DOCUMENTS

Annexe I.

¹*calme*
²*après la mort*
³*survivance*

«Plus on est âgé, plus on vote à droite. R.P.R., U.D.F., divers droite et Front national obtiennent un peu moins de 50% chez les moins de 35 ans et ils progressent régulièrement au-delà : 54% parmi les 35-49 ans, 63% chez les 50-64 ans, 67% chez les plus de 65 ans. Les inactifs votent massivement à droite : 62% des retraités, 65% des personnes sans profession (principalement des femmes au foyer) se sont prononcés pour elle. Le clivage salariés-travailleurs indépendants coupe politiquement en deux la population active. Les agriculteurs votent massivement à droite (75%) ainsi que les commerçants (75% également)... Le niveau du revenu intervient peu dans le vote, sauf pour les foyers les plus aisés.»

J. Jaffré, *L'Express*, 21/27 mars 1986.

Annexe II.

«Notre projet est celui d'une société démocratique moderne, libérale par la structure pluraliste de tous ses pouvoirs, avancée par un haut degré de performance économique, d'unification sociale et de développement culturel.»

Valéry Giscard d'Estaing, *Démocratie française* (p. 170), Fayard 1976.

Annexe III.

«Gouverner au centre sans gouverner contre la gauche. Être au milieu sans être neutre. Séduire par la modération sans décevoir par l'excès de timidité. Se placer au point de rencontre des convergences nationales et au lieu géométrique de l'*apaisement*¹ : telle est la stratégie giscardienne. Elle vaut aussi bien pour la manière de gérer que pour celle de faire campagne.»

N.J. Bergeroux, *Le Monde,* 25 mars 1980.

Annexe IV.

«De Gaulle représente un grand moment de l'histoire de ce pays. 84% des Français sont d'accord pour estimer que son action a été positive. Cette adhésion *posthume*² — elle était moins évidente, il y a 15 ans — montre que le général a pris, après sa mort, une dimension nouvelle qui le place au-dessus des querelles de la politique politicienne. La gauche, elle-même, en convient, elle qui s'était rangée dans le camp des adversaires du fondateur de la Vᵉ République. Plus encore les jeunes dont le jugement promet la *pérennité*³ dans la mémoire de la nation...

...Aujourd'hui, diriez-vous que vous êtes gaulliste? A cette question 21% des personnes interrogées répondent oui, tandis que 49% des Français estiment que le gaullisme est, aujourd'hui, une classification dépassée.»

Analyse du sondage Sofres-Figaro réalisé du 18 au 24 octobre 1985
Le Figaro, 8 novembre 1985.

Annexe V.

Pacte RPR pour la France.
Dix mesures pour l'économie : 1. Libérer les prix… 2. Libérer le travail… 3. Libérer le contrôle des changes… 4. Supprimer les réglementations inutiles… 5. Dénationaliser… 6. Réduire les blocages par la négociation… 7. Promouvoir la participation… 8. Établir la vérité sur la situation de la France en 1986… 9. Réduire les impôts… 10. Accorder la priorité à l'emploi des jeunes…
Dix mesures pour les libertés : 1. Rétablir le scrutin majoritaire… 2. Protéger les libertés fondamentales… 3. Assurer la sécurité des Français… 4. Sauver la Sécurité sociale… 5. Donner la priorité à la famille… 6. Gagner la bataille de l'école… 7. Contrôler l'immigration… 8. Libérer l'audiovisuel… 9. Émanciper la culture… 10. Relancer la construction…
Il faut le faire, nous le ferons !

Tract électoral, mars 1986.

Annexe VI.

« Il n'est pas homogène. Aucun parti ne peut d'ailleurs y prétendre. Un clivage ancien et profond sépare les chefs historiques, les nostalgiques des grandes heures du gaullisme, et ceux qui ont vécu pour et par l'État-UDR. Combien de fois les premiers ont-ils été acclamés, en congrès, par les militants tandis que le nom de Georges Pompidou tombait dans le silence ? Mais l'éclatement que certains attendaient, préconisaient, espéraient ou redoutaient ne s'est pas produit. »

Françoise Giroud, *La Comédie du pouvoir* (p. 127), Fayard 1977.

Annexe VII.

« Personnellement, je veux bien qu'on me dise de droite, si cela signifie que j'ai une certaine idée de la France. Je veux bien qu'on me dise de gauche, si cela signifie que j'ai une certaine idée des hommes. J'accepte même qu'on me classe au centre, si cela signifie que j'ai une certaine idée de l'unité de la République. Prenez ces trois idées. Il y a un mot qui les exprime : le gaullisme. C'est donc, pour ce qui me concerne, le qualificatif que je choisirais, de préférence à tout autre. »

Jacques Chirac, *L'Express,* 27 janvier/2 février 1984.

Annexe VIII.

« Je ne crains pas d'être traité de ''conservateur'', si l'on entend par là que je suis le conservateur de la liberté et du progrès. Pourquoi, d'ailleurs, ne serais-je point, dans cet esprit, un ''conservateur libéral'' ? Toutes ces qualifications sont en fait dérisoires. Ce qui compte, ce sont les valeurs que l'on défend et les principes que l'on respecte, c'est-à-dire, pour moi, la liberté, la tolérance, la solidarité, l'indépendance de la France. Est-ce ''de droite'' ou est-ce de ''gauche'' ? Je laisse aux spécialistes de la *glose*[1] le soin d'y répondre. »

Raymond Barre, *L'Express,* 27 janvier/2 février 1984.

[1] *discussion, débat*

P4

LA GAUCHE POLITIQUE

PC, PS, le chemin de l'unité.
Les difficultés de l'Union de la gauche.
Le pouvoir socialiste et son échec.

[1] *simultané*
[2] *attachement*
[3] *paralysé*

L'opposition parlementaire existe dans tous les pays démocratiques. La particularité de la France, c'est que l'opposition ne propose pas une méthode différente de gouvernement, mais un choix de société. C'est le seul exemple dans les pays développés où parti socialiste et parti communiste s'associent autour d'un programme d'action et obtiennent une large assise populaire.

● Le rapprochement des deux grands partis de la gauche est le résultat d'un changement progressif et *concomitant*[1] des structures, des idées et des hommes.
Au cours des années 60, diverses tentatives d'union ont lieu entre les différents courants socialistes et le centre-gauche représenté par le Parti radical, sans aboutir à des résultats durables. Après 1968, la seule solution possible reste l'alliance communiste que préconise François Mitterrand.
Au Congrès d'Epinay-sur-Seine en octobre 1971, la fusion des divers mouvements socialistes est décidée, la motion recommandant un programme commun de gouvernement avec le PCF l'emporte, et François Mitterrand est désigné comme Premier secrétaire du nouveau parti socialiste.
Le parti communiste, malgré la masse de ses adhérents et le *dévouement*[2] de ses militants apparaît comme un parti vieilli et *sclérosé*[3], dirigé par des hommes usés (Maurice Thorez reste secrétaire général de 1930 à 1964, Waldeck-Rochet et Jacques Duclos ont plus de 60 ans), renfermé dans des positions idéologiques inacceptables pour la grande majorité des Français, d'autant plus que l'alignement sur les positions de l'URSS est la règle. Pourtant, à la fin des années 60, des changements importants interviennent. Annonçant l'invasion soviétique en Tchécoslovaquie, le PCF «exprime sa surprise et sa réprobation». Au cours des événements de mai 1968, le PCF apparaît fondamentalement hostile à l'action révolutionnaire. L'ouverture, accompagnée d'un changement de style se développe de façon continue à partir de 1970, sous la direction de Georges Marchais (qui supplée à Waldeck-Rochet malade, puis qui lui succède en 1972).

PARTI SOCIALISTE
Élections législatives
1986

%
▦ 40-50
▤ 35-40
▨ 30-35
☐ inf. 30

● Les pourparlers entre les deux grands partis aboutissent à la signature d'un programme commun de gouvernement en juin 1972, scellant une alliance prétendant aller au-delà d'une combinaison électorale, vers une véritable charte idéologique et une action pratique. C'est en se référant sans cesse à ce document de base que les grandes batailles électorales sont abordées. L'entente entre socialistes et communistes provoque l'éclatement des deux partis situés plus à droite et plus à gau-

PARTI COMMUNISTE
Élections législatives
1986

%
20-25
15-20
10-15
inf. 10

che, amenant une partie des radicaux sous la conduite de Robert Fabre à signer le Programme commun («Mouvement des radicaux de gauche»), de même qu'une partie du PSU (Parti socialiste unifié), avec ses principaux dirigeants: Michel Rocard et Robert Chapuis. Le bénéficiaire principal de cette union sera le parti socialiste qui réussit à étendre considérablement son audience dans tous les milieux sociaux. Le parti communiste s'efforce de paraître un parti démocratique: l'abandon de la «dictature du prolétariat» et du principe révolutionnaire de la conquête du pouvoir, la distance prise par rapport à Moscou et le rapprochement vers le PC italien, les appels aux catholiques, aux gaulllistes sont autant de signes de changement profond, ou du moins tactique, que complète la propagande très habile de Georges Marchais, véritable artiste des mass media.

● Le rêve de l'unité de la gauche sera de courte durée. L'échec des discussions concernant l'actualisation du Programme commun met au grand jour la mésentente profonde entre socialistes et communistes. L'intransigeance du parti communiste dans la question des nationalisations, son alignement sur les positions soviétiques dans l'affaire d'Afghanistan le condamnent à l'isolement. Déchirée par ces querelles, la gauche sera battue en 1978.

● Surmontant les dissensions internes (tendances Mitterrand, Mauroy, Rocard, Chevènement), élargissant son audience (au détriment du parti communiste), présentant un programme cohérent (''Projet socialiste''), le parti socialiste gagne seul et largement les batailles électorales de 1981 (François Mitterrand élu Président de la République avec 52,4 % des voix, le parti socialiste avec 270 députés a la majorité absolue à l'Assemblée nationale).

● Les années 1981/82 sont celles des grandes réalisations du projet de société: lutte contre l'injustice sociale (relèvement des bas salaires et des allocations, impôt sur le capital), amélioration des conditions de travail (39 heures par semaine, 5e semaine de congés payés), humanisation de la société (peine de mort, Cour de sûreté de l'État, loi anti-casseurs, contrôles d'identité supprimés; lois Quillot, Auroux, réformant les institutions; encouragement soutenu à la vie associative), décentralisation du pouvoir administratif, contrôle de l'économie par les nationalisations.
Mais cette politique sociale généreuse a un prix élevé: les indices économiques se dégradent rapidement, l'endettement de l'État double, le commerce extérieur enregistre des déficits records, le chômage s'accélère et il faut procéder à une troisième dévaluation du franc. Les socialistes acceptent de gérer la crise au prix de l'abandon des thèses idéologiques et de projets hardis (enseignement, presse, politique sociale) et la politique de rigueur imposée en 1983-84 fait dire à nombre d'observateurs que la gauche conduit une politique de droite. Si la situation économique s'améliore en 1985, la gauche a déjà largement perdu la confiance que lui faisait en bloc le peuple en 1981.

● Les socialistes ont perdu le pouvoir en 1986, tout en gardant une large assise populaire (31,6 % des voix, 216 députés élus). Mais ils sont isolés, sans allié possible pour reconquérir le pouvoir. En effet, le parti communiste ne cesse de s'affaiblir, ne représentant plus que 10 % de l'opinion. La chance des socialistes réside dans les personnalités pouvant briguer la présidence: Laurent Fabius et surtout Michel Rocard dont la popularité croît. Les records de satisfaction pour François Mitterrand (74 % d'opinion favorable en novembre 1986) poussent à penser que la France préfère un gouvernement de droite tempéré par un président de gauche.

DOCUMENTS

Annexe I.

«Pour sortir de la crise, il faut sortir du capitalisme en crise. Puisque la crise est la stratégie du capitalisme pour rétablir ses profits et restaurer son pouvoir, il nous faut inventer une autre logique de développement vers d'autres finalités avec d'autres incitations. Il n'est possible de sortir de la crise économique qui tend à faire de la France la filiale des États-Unis d'Amérique qu'à condition de renverser radicalement l'évolution actuelle. La recherche du profit ne doit plus décider souverainement de l'investissement ni des marchandises. Elle doit céder le pas à la rationalité des citoyens affirmant démocratiquement leurs besoins, à travers la planification et le marché. Ainsi sera rendue possible une croissance sociale.»

Le projet socialiste.
Le Poing et la Rose n° 85 (p. 49), novembre-décembre 1979.

Annexe II.

«Ceux qui exigent de moi que je me place dans une autre logique que celle du programme commun se trompent d'adresse. L'arrivée de la gauche au pouvoir résultera du besoin ressenti par la majorité des Français, d'un renversement catégorique de tendance. A cet égard, le débat qui oppose droite et gauche se fonde sur un malentendu: les uns parlent structure quand les autres pensent conjoncture.»

François Mitterrand, *La Paille et le Grain* (p. 250) Flammarion, 1975.

Annexe III.

[1] *ensemble de méthodes*
[2] *changeantes*

«Le fait d'aborder le problème des inégalités par le concept de solidarité plutôt que par celui de lutte de classes implique non pas l'oubli des conflits qui traversent la société mais simplement la volonté de les résoudre par des *procédures*[1] de dialogue démocratique et de compromis, plutôt que d'en espérer la solution grâce à la victoire physique et politique d'une classe sur une autre...
...Le marché ne doit pas être, aux yeux des socialistes, une réalité contraignante dont on admet à contrecœur l'existence, faute de pouvoir la remplacer, mais la traduction économique élémentaire des valeurs fondamentales qui sont les nôtres.»

Michel Rocard, discours à l'Université d'été des jeunes rocardiens,
Les Arcs, le 5 septembre 1986.

Annexe IV.

«Le socialisme est une grande tradition historique moderne. Mais les besoins de l'an 2000 ne sont pas ceux de l'an 1900. Être fidèle à ses racines tout en s'affirmant capable de gérer les réalités quotidiennes, par nature *mouvantes*[2], telle est l'indispensable synthèse de l'action... Mon socialisme, c'est tout simplement la recherche d'une vraie démocratie politique, économique et sociale. Ce qui signifie: plus de liberté, de responsabilité et de savoir pour chacun et pour tous; la maîtrise ou le contrôle par la nation des grands moyens de production; une juste répartition des profits; une solidarité nationale sans faille; la fin des privilèges de classe.»

François Mitterrand, *L'Expansion,* 18 novembre/6 décembre 1984.

Annexe V.

« Les socialistes... *s'obstinent*¹ à voir les premiers symptômes d'une démocratisation future dans ce qui n'est qu'une des phases classiques de la tactique communiste : celle dite de Front populaire ou d'union de la gauche. Cette tactique a un double but : ajourner une lutte *sans merci*² avec une ''droite'' que le PC estime momentanément trop forte pour être détruite par une attaque violente ; et surtout, empêcher la formation d'un bloc réformiste ou social-démocrate, en coupant en deux les effectifs sociaux et électoraux capables de le constituer. Une partie est neutralisée par son alliance avec des éléments plus conservateurs qu'elle. »

Jean-François Revel, Le suicide socialiste, *L'Express,* 12-18 janvier 1976.

Annexe VI.

« Incapable d'un véritable dialogue respectueux de l'identité des autres, faisant trop bon ménage encore avec l'idée que ''la fin justifie les moyens'', le PCF me donne le sentiment d'être resté un ''handicapé de la démocratie''. »

Jean-Pierre Chevènement, *Le Monde,* 26 avril 1980.

Annexe VII.

« Tandis que les communistes italiens ont su avancer lentement, mais constamment et irréversiblement, dans le sens d'une réelle prise de distance par rapport à l'URSS (modèle, relation, caution), sans pour autant rompre le dialogue ; tandis qu'ils ont réussi à maîtriser les forces centrifuges inévitables pour tout parti en voie de renouvellement ; tandis qu'ils sont arrivés à se débarrasser du dogmatisme marxiste-léniniste pour aboutir à une nouvelle perception des classes sociales et, surtout, de la classe ouvrière, le PCF est toujours empêtré dans le centralisme démocratique à l'ancienne, lié par de multiples fils aux expériences issues de la révolution d'Octobre, et garde une conception messianique de la classe ouvrière en tant que dépositaire d'une mission historique. »

Mme L. Marcou, *Le Monde,* 21 juillet 1984.

Annexe VIII.

« ''Le capitalisme est en crise, soupire-t-on dans les rangs de l'extrême gauche, mais la situation en France n'est pas révolutionnaire.'' ''Le mouvement ouvrier est démoralisé'', disent les uns. ''Les travailleurs ne sont pas prêts à s'engager dans des luttes politiques'', disent les autres. Bref, les effectifs de l'extrême gauche, après une passagère embellie au moment de l'élection présidentielle de 1981, stagnent assez piteusement... De l'extrême gauche d'antan surnagent surtout les trois principales organisations trotskistes... La plus intellectuelle et la plus influente, c'est la Ligue Communiste Révolutionnaire (L.C.R.) d'Alain Krivine avec ses 4000 militants. La plus ''boy-scout'', sans doute la plus populaire, grâce à Arlette Laguiller : Lutte ouvrière (L.O.) et ses 2500 adhérents. La plus rigide et la plus mystérieuse, le Parti Communiste Internationaliste (P.C.I.), qui revendique 7000 membres. »

J. Rémy, *L'Express,* 3-9 février 1984.

P5

LA POLITIQUE
DE DÉFENSE NATIONALE

**La force nucléaire. La stratégie de dissuasion.
Les contradictions de la politique de défense.**

La défense nationale est fondée sur la sauvegarde de l'indépendance par la *dissuasion*[1]. Celle-ci s'appuie sur la force nucléaire stratégique qui «doit créer une menace permanente et suffisante pour détourner un adversaire de ses intentions agressives». Cette politique d'armement nucléaire (appelée la «Force de frappe») a été définie par le général de Gaulle en 1959 et votée par le Parlement en automne 1960. La France demeure membre du Pacte atlantique, mais elle s'est retirée en 1966 du dispositif militaire intégré (OTAN) disposant ainsi de la maîtrise totale de ses armes, tout en apportant une contribution au renforcement global de la dissuasion.

[1] *action pour détourner quelqu'un d'une résolution*
[2] *ripostes, châtiments*
[3] *espérer*
[4] *traditionnels*

● La force de dissuasion française comprend la force nucléaire stratégique et la force nucléaire tactique.

— Les forces nucléaires stratégiques ont pour mission de «dissuader» un agresseur d'attaquer la France en le persuadant qu'une action militaire majeure de sa part risquerait de déclencher des *représailles*[2] stratégiques au cœur même de son propre territoire et d'y provoquer des dégâts matériels et des pertes en vies humaines hors de proportion avec le bénéfice qu'il pourrait *escompter*[3]. Elles se composent de bombardiers porteurs de charge nucléaire (37 Mirages IV en 1986), d'un rayon d'action supérieur à 1 200 km (2 500 km avec ravitaillement en vol) et avec une puissance de destruction égalant plusieurs fois la bombe de Hiroshima ; de deux unités de tir souterraines (Plateau d'Albion en Haute-Provence) équipées de missiles balistiques «sol-sol» à portée supérieure à 3 500 km, chacun des missiles thermonucléaires ayant une puissance cinquante fois supérieure à la bombe de Hiroshima ; et enfin des sous-marins nucléaires lanceurs de missiles, à tête thermonucléaire, d'une portée supérieure à 3 000 km. (Six en service en 1986 : «le Redoutable», «le Terrible», «le Foudroyant», «l'Indomptable», «le Tonnant», «l'Inflexible», armés chacun de 16 missiles.)

— L'armement nucléaire tactique est conçu pour la défense directe du territoire :
«Au sein du corps de bataille, il fait peser sur l'adversaire une menace d'emploi permanente et l'empêche de bénéficier à plein de la supériorité en moyens *conventionnels*[4]. Il sert donc à délivrer le dernier et solennel avertissement du pouvoir politique signifiant à l'agresseur qu'il faut s'attendre au déclenchement de l'armement stratégique s'il persiste.»

Dépenses militaires				
	par habitant $, 1983	% du PNB		
		1978	1983	1985
États-Unis	1023	6,0	7,4	6,9
Royaume-Uni ..	439	5,0	5,5	5,3
France	394	3,5	4,2	4,1
R.F.A.	363	3,4	3,4	3,3
Pays-Bas	300	3,6	3,3	3,1
Belgique	272	3,4	3,3	3,3
Suède	336	3,4	3,2	3,1
Italie	172	2,4	2,8	2,7
Japon	98	0,9	1,0	1,0
URSS	781	12 à 17		

Forces nucléaires, 1978					
	USA	URSS	GB	F	Chine
Bombardiers ...	415	180	50	37	65
Missiles sol-sol	2.154	2.070	0	9	50/80
Missiles sous-marins (terre)	5.540	1.015	192	48	
Sous-marins ...	41	89	4	5	

Sources : *Le Monde,* 29 novembre 1978.

Il comprend 75 avions porteurs de bombe atomique, à faible rayon d'action, mais rapides («Mirage III-E» et «Jaguar A» volant à plus de Mach 1,5); 30 rampes de lancement montées sur châssis, équipées de missiles «Pluton» (puissance 10 à 20 Kt, portée 120 km) et des porte-avions («Clémenceau», «Foch») donnant abri à 24 avions «Super-Étendard» dotés de l'arme nucléaire (puissance 20 Kt), et avec un rayon d'action de 650 km.

[1] destruction, élimination
[2] défense exclusive
[3] choquantes
[4] discussion

● L'ensemble de la puissance nucléaire française est négligeable, elle est 15 000 fois inférieure à celle estimée de l'URSS. L'URSS par exemple, peut atteindre l'ensemble du territoire français en utilisant seulement 0,4 % de son potentiel de puissance, c'est-à-dire qu'elle pourrait détruire la France sans compromettre l'équilibre de sa force avec celle des USA. Mais la question se pose autrement: l'URSS ne pourra détruire les forces de commandement nucléaire; alors il faudra savoir si *l'anéantissement*[1] de la France «vaudrait la destruction simultanée d'une cinquantaine de villes et centres économiques de l'URSS». C'est là que réside tout le fondement de la stratégie de la force de dissuasion.

● Devant les progrès technologiques considérables accomplis en matière d'armement, la modernisation du dispositif français est indispensable. Le remplacement progressif du matériel est en cours, mais au-delà, se posent des questions fondamentales: quelle orientation donner, quelle stratégie privilégier? Diversifier et rendre mobiles les engins ou bien concentrer les efforts au renforcement de la force océanique stratégique (les sous-marins), certainement la moins vulnérable en cas de conflit? Augmenter la puissance nucléaire par le passage à la fabrication de la bombe à neutrons dont la France a les moyens? Ou au contraire, mettre en place une force militaire à armes conventionnelles, en acceptant l'idée que les conflits seront de faible rayon d'action et que la puissance nucléaire ne sera jamais utilisée? Peut-on continuer la stratégie «égoïste» de «*sanctuarisation*[2]» de la France? Ne devrait-on pas s'orienter vers la défense commune européenne? Autant de questions qui, au-delà des choix stratégique et militaire, exigent une réponse politique.

En 1984, les révélations *fracassantes*[3] d'un haut responsable militaire démissionnaire (le général Capel) relancent la polémique sur la stratégie de la France. Affirmant que ''le nucléaire ne dissuade que du nucléaire'' et que dans une guerre européenne éventuelle avec des forces conventionnelles, la France sans défense convenable ne peut choisir qu'entre ''la capitulation ou le suicide'', il préconise l'abandon de la stratégie de ''tout ou rien'' en mettant en place à côté du nucléaire, ''l'ultime recours'', une armée d'intervention classique, dotée de matériel moderne (chimique, neutronique).

L'autre sujet de *polémique*[4] concerne l'isolement stratégique de la France. Peut-on limiter dans l'espace géopolitique européen un ''sanctuaire'' français? Au cours des discussions entre les États-Unis et l'URSS concernant la limitation des armements en Europe, il apparaissait clair que pour les Soviétiques la force nucléaire indépendante de la France n'est pas reconnue, malgré les refus de cette dernière de participer à la ''guerre des étoiles'' prônée par les Américains. La nécessité de solidarité européenne s'impose de façon vitale à tous ceux qui prennent conscience de la situation géographique de la France, de l'étroitesse du territoire ouest-allemand en cas d'attaque des armées du Pacte de Varsovie. Le discours officiel relatif à la ''dissuasion du faible au fort'' par l'armement atomique demeure inchangé. Mais la création de la F.A.R. (Force d'action rapide) très mobile et dotée d'armement exclusivement conventionnel, pouvant servir dans une bataille d'avant-garde, est un premier signe d'évolution des idées quant à l'isolement possible (''sanctuarisation'') de la France dans le domaine défensif.

DOCUMENTS

Annexe I.

«La conception d'une guerre et même celle d'une bataille dans lesquelles la France ne serait plus elle-même et n'agirait plus pour son compte avec sa part bien à elle et suivant ce qu'elle veut, cette conception ne peut être admise. Le système qu'on a appelé ''intégration''... a vécu.

...La conséquence, c'est qu'il faut évidemment que nous sachions nous pourvoir, au cours des prochaines années, d'une force capable d'agir pour notre compte, de ce qu'on est convenu d'appeler ''une force de frappe'' susceptible de se déployer[1] à tout moment et n'importe où. Il va de soi[2] qu'à la base de cette force sera un armement atomique. »

Charles de Gaulle, Discours au Centre des Hautes Études Militaires,
le 3 novembre 1959.
J. Lacouture, Citations du Président de Gaulle (p. 129), Seuil, 1968.

Annexe II.

«Un principe doit toujours être rappelé, car son évidence échappe souvent aux constructeurs de système. Il n'y a de défense que nationale. Chaque protagoniste[3] doit être persuadé qu'une attaque de sa part ne viendra pas à bout de tous les systèmes de défense de l'adversaire, ce dernier conservant suffisamment de moyens pour infliger des représailles intolérables. »

Michel Debré, Le Monde, 6 décembre 1979.

Annexe III.

«Dans toute stratégie de dissuasion, et plus particulièrement dans le cas de la France, qui fait appel à la ''dissuasion du faible au fort'', l'élément majeur est la ''crédibilité politique'' liée à la personnalité du chef d'État appelé à la mettre en œuvre. C'est lui, lui seul qui dispose de l'engagement nucléaire ; lui seul est maître d'une décision qu'il aura bien soin de se réserver pour lui seul, laissant les autres dans la plus grande incertitude jusqu'au dernier moment. »

P. Caubel, Le Monde, 21 janvier 1986.

Annexe IV.

«La vulnérabilité[4] de l'Europe dépendante énergétiquement, géographiquement, cible facile pour toute attaque extérieure, ne peut être réduite que par la mise en commun de ses moyens militaires et techniques. Cela suppose d'affirmer avec force une politique de défense autonome, évitant à la fois la sanctuarisation du territoire national, la réintégration dans l'OTAN, mais impliquant un effort réel de modernisation des forces nucléaires stratégiques et tactiques, tout autant que l'adaptation de nos moyens conventionnels. »

Robert Pontillon, Le Monde, 26 avril 1980.

Annexe V.

« Il faut une Défense nationale efficace et indépendante. La politique du pouvoir ayant sacrifié l'armée classique, nous proposons donc, tant qu'il n'y aura pas de désarmement nucléaire général, de maintenir l'arme nucléaire française au niveau requis pour dissuader qui que ce soit de toucher à la sécurité de notre territoire et à l'indépendance de notre pays. Cela dit, si l'on a pour souci exclusif la défense du pays, la politique militaire de la France ne doit désigner aucun adversaire particulier à l'avance. Elle doit être au contraire, ''tous azimuts''. Si l'on a pour souci impérieux l'indépendance du pays, il faut refuser catégoriquement de participer à un éventuel bloc militaire ouest-européen qui mettrait nos forces armées à la disposition de l'Allemagne de Schmidt et de Strauss. »

L'Humanité, 5 septembre 1977.

Annexe VI.

« L'avenir appartient aux engins mobiles. D'où l'invite de Chirac, mais aussi d'un Debré ou d'un expert militaire comme le général Gallois : augmentons le nombre de nos sous-marins nucléaires lanceurs d'engins ! Eux échappent à tout repérage. Eux ne peuvent être détruits par une première frappe adverse. »

Dominique de Montvallon, *Le Point,* 25 février 1980.

Annexe VII.

« Les recherches françaises sur la bombe sont très avancées. Les chercheurs français au cours de leurs expériences sont arrivés à de meilleurs résultats que les Américains, et la décision politique de construction de cet engin devrait être annoncée à la fin de juin ou à défaut au début de juillet par M. Giscard d'Estaing. La bombe à radiations renforcées (dite à neutrons) est un engin... qui tue les hommes sans détruire l'environnement. Sur un champ de bataille, comme celui de l'Europe de l'Ouest, elle permet par exemple d'anéantir une division tout en laissant intact un important nœud routier ou ferroviaire. »

Yves Cuau, *Midi libre,* 8 juin 1980.

Annexe VIII.

« ''Vaincre la guerre, c'est d'abord vaincre la guerre nucléaire'', dit Capel. Mais non, la guerre nucléaire s'interdit d'elle-même. Vaincre la guerre, c'est vaincre la guerre classique. Depuis Hiroshima, l'atome n'a tué personne. Les armes classiques ont exterminé plus de 20 millions d'humains. L'auteur tombe dans ce piège des pacifistes inspirés par la propagande de l'Est. »

P. Gallois, à propos du livre d'Étienne Capel : ''Vaincre la guerre''
L'Express, 16/22 mars 1984.

Annexe IX.

« Sur ce point précis, d'une coopération militaire européenne, la nouvelle majorité et l'opposition socialiste ne sont pas éloignées de partager les mêmes ambitions. ''Il n'y a pas de sécurité pour notre pays sans sécurité pour ses voisins'' a notamment expliqué le Premier ministre, Jacques Chirac. M. Hernu, puis son successeur au ministère de la Défense, M. Paul Quilès, ne disaient pas différemment lorsqu'ils insistaient, à l'occasion de manœuvres conjointes, sur ''les impératifs communs de sécurité'' avec l'Allemagne. »

J. Isnard, *Le Monde,* 11 avril 1986.

LA POLITIQUE ÉTRANGÈRE DE LA FRANCE

**Les constantes de la politique étrangère.
Les liens privilégiés avec l'Afrique.
Les avantages et les écueils de la diplomatie active.**

La politique étrangère est l'aboutissement d'impératifs souvent complexes déterminés par les facteurs économique, culturel, stratégique. L'adaptation continuelle à la conjoncture internationale est une nécessité. Pourtant, au-delà d'une réaction immédiate aux événements, l'essentiel de la diplomatie est basé sur un ensemble de liens de préférence constants entre les pays, que la situation géographique, les traditions historiques ou les *affinités*[1] culturelles ont solidement tissés.

[1] *alliances, affections*
[2] *autorité, pouvoir*

● Dans la politique étrangère de la France, l'héritage de De Gaulle pèse lourdement, et les orientations restent fidèles aux grands principes définis par le Général voici maintenant vingt ans : indépendance et *souveraineté*[2] de la France dans tous les domaines, rejet de la stratégie de blocs exclusifs et inconditionnels, recherche de la construction européenne mais refus de toute tendance supranationale, renforcement des relations privilégiées avec les pays méditerranéens et africains où la culture française trouve un écho favorable. La décolonisation «en douceur», l'abandon de l'organisation militaire de l'OTAN et la création de la force nucléaire nationale, l'opposition à l'hégémonie américaine et la main tendue aux pays socialistes, le renforcement du Marché commun sur la base d'une entente franco-germanique, sont les points marquants de ces optiques marquées paradoxalement d'une certaine intransigeance et d'un comportement diplomatique parfois peu appréciés ici ou là. C'est à ce prix que la France sera écoutée et respectée dans la tourmente des années 60.

● La diplomatie actuelle s'inspire de ces principes, mais les méthodes sont plus souples, plus nuancées, sans que l'on puisse parler de renversement de tendances.
L'Europe est devenue avec le Marché commun le cadre économique vital pour la France où s'effectue plus de la moitié de son commerce. Tout en luttant pour préserver ses intérêts majeurs, dans le domaine agricole par exemple, la France est désormais favorable à l'«ouverture» : extension à neuf et à douze, acceptation du Parlement européen élu au suffrage universel, positions impensables au temps de De Gaulle.
La politique de «distance égale» par rapport aux deux super-puissances n'est pas remise en cause, et si les relations avec les États-Unis sont plus détendues, elles ne signifient pas alignement systématique. Ainsi lors de la crise de l'Afghanistan, si la France condamne énergiquement l'intervention des troupes soviétiques, elle ne s'associe pas à la proposition pressante des Américains de boycotter les Jeux olympiques de Moscou (1980). Contrairement à l'avis américain, elle signe avec l'URSS un contrat important de fourniture de gaz (1982). Elle intervient militairement au Tchad, non quand les Américains la pressent de le faire, mais quand elle le juge indispensable (1984). Elle refuse le droit de survol du territoire français aux bombardiers américains attaquant Tripoli (1986).

La France reste une alliée fidèle des États-Unis (son appui à l'installation des missiles américains en Europe le prouve), mais elle reste très jalouse de son indépendance diplomatique et militaire.

● La France est tout particulièrement intéressée par le cours des événements sur le continent africain. La décolonisation en Afrique noire n'a pas été le résultat de luttes sanglantes, mais l'aboutissement d'un processus progressif mis en place par la Constitution de 1958 : la Communauté française prévoyait la possibilité d'accession à l'indépendance des anciennes colonies, au moment où elles le jugeraient opportun. La plupart des pays ont choisi cette voie en 1960, sans *renier¹* pour autant les relations privilégiées qu'ils entretenaient avec la France, cependant la nature de ces liens a profondément changé. Coordonnée par un ministère de la Coopération, l'aide culturelle et technique de la France reste primordiale dans cette Afrique occidentale qui est très attachée à la francophonie, ardemment défendue par des hommes d'État comme les présidents Senghor (Sénégal) et Houphouët-Boigny (Côte-d'Ivoire). L'aide économique (publique ou privée) conditionne le développement de ces pays, dont certains, comme la Côte-d'Ivoire, le Gabon ou le Sénégal, sont parmi les plus avancés du continent africain. A l'initiative de la France, les pays africains sont associés au Marché commun (Convention de Yaoundé, juillet 1963) bénéficiant de ce fait de la libre circulation des produits et de l'aide financière des organismes européens. L'autre domaine d'entente est politique. Des accords *bilatéraux²* sont signés concernant la sécurité de ces pays que la France accepte de garantir, et qui étaient concrétisés par des interventions militaires françaises (Tchad, Mauritanie, Zaïre) parfois très *controversées³* au sein de l'opinion mondiale. La mise en place en 1973 des réunions annuelles des chefs d'État africains autour du Président français a pour but d'harmoniser l'ensemble des relations. Mais une question se pose : la coopération étroite ne permet-elle pas à l'ancienne métropole de se créer des clients fidèles, dans tous les sens du mot ? Certains critiques n'hésitent pas à parler de néo-colonialisme.

● *Garante⁴* d'une diplomatie active, la "présence française dans le monde" revêt des aspects multiples, à la fois économiques, culturels, militaires. Elle s'appuie d'abord sur les "départements d'outre-mer" (DOM), parties intégrantes du territoire français depuis la départementalisation, intervenue en 1946 (Guadeloupe, Martinique, Guyane, Réunion, St-Pierre-et-Miquelon). Le statut des "territoires d'outre-mer" (TOM) est tout différent : morceaux dispersés de l'ancien empire colonial, ces territoires restent dans la Communauté française jusqu'à ce qu'ils demandent et obtiennent (référendum) leur indépendance. Beaucoup de ces anciennes colonies se sont séparées de la France au début des années 60, d'autres ont eu leur indépendance plus récemment (Comores 1975, Djibouti 1977, Vanuatu 1979), d'autres encore la préparent actuellement (Nouvelle Calédonie).
Irritée par certaines maladresses ou erreurs (affaire Bokassa en 1979, événements de Nouvelle Calédonie en 1984, affaire Greenpeace en 1985), l'opinion mondiale ne comprend pas toujours le *bien-fondé⁵* des actions et des décisions de la France. Le maintien de la présence française dans le monde a beaucoup d'aspects désintéressés, souvent purement humanitaires. La France a accepté tous les sacrifices pour œuvrer activement au rétablissement de la paix au Moyen-Orient (soldats de la FINUL tués au Liban, prises d'otages, attentats terroristes à Paris). Du docteur Schweitzer à mère Thérésa, de l'accueil des milliers de "boat people" à l'héroïsme anonyme des "Médecins sans frontières", les actions humanitaires françaises, qu'elles soient individuelles ou collectives, privées ou publiques, ont toujours été et restent des éléments indispensables de cette présence française dans le monde entier.

¹*abandonner, renoncer*
²*engageant deux pays*
³*discutées*
⁴*assurant*
⁵*logique*

DOCUMENTS

Annexe I.

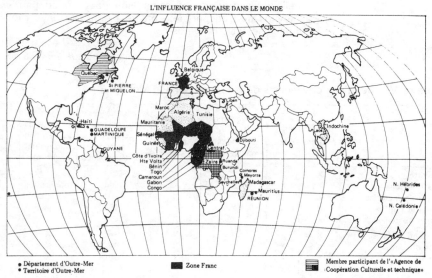

L'INFLUENCE FRANÇAISE DANS LE MONDE

Annexe II.

[1] retrouvée
[2] au plus haut point
[3] secret

« L'indépendance ainsi *recouvrée*[1] permet à la France de devenir ... un champion de la coopération ... Or, la France est *par excellence*[2] qualifiée pour agir dans ce sens-là. Elle l'est par sa nature qui la porte aux contacts humains. Elle l'est par l'opinion qu'on a d'elle historiquement et qui lui ouvre une sorte de crédit *latent*[3] quand il s'agit d'universel. Elle l'est par le fait qu'elle s'est dégagée de tous les empires coloniaux qu'elle exerçait sur d'autres peuples. Elle l'est enfin, parce qu'elle apparaît comme une nation aux mains libres dont aucune pression du dehors ne détermine la politique. »

Charles de Gaulle, *Conférence de presse,* 9 septembre 1965.

Annexe III.

« Coopération d'abord, avec les partenaires auxquels nous sommes unis par des liens privilégiés de culture et d'affection. Je pense aux États indépendants d'Afrique et à l'exceptionnelle compréhension qui s'est établie entre eux et nous, dans le respect de leur dignité et de leur indépendance. La France continuera à apporter à cette œuvre jugée exemplaire, de part et d'autre, ses ressources et ses soins. »

Valéry Giscard d'Estaing, *Démocratie française* (p. 164), Fayard, 1976.

Annexe IV.

« En matière de politique étrangère, nos principes sont clairs. Il s'agit d'abord et avant tout d'affirmer notre indépendance au sein de nos alliances librement choisies et fidèlement maintenues. »

Jacques Chirac, Discours-programme à l'Assemblée nationale, le 10 avril 1986.

[1] préparés, transformés
[2] dépendants

Annexe V.

« Les États africains achètent en Europe des produits et du matériel européens ; même si les produits africains — surtout ceux de l'agriculture — bénéficient de préférences en Europe, vice versa, les produits industriels bénéficient de préférences similaires ; or, celles-ci sont, et de loin, sur le plan financier, supérieures à celles des produits africains, souvent non ou peu *élaborés*[1]. L'absence de moyens de transport (ex. navires) rend ces pays *tributaires*[2] des compagnies françaises et étrangères… »

Maurice Agulhon, André Nouschi,
La France de 1940 à nos jours (p. 150), Nathan.

Annexe VI. Relations privilégiées de la France dans le Monde.

	Base militaire	Zone Franc	Enseignement dans le secondaire exclusivement	Membre associé de la CEE	T.O.M. ou ancienne colonie date d'indépendance	Membre de l'Agence de coopération culturelle et technique	Le français langue officielle	Commerce Extérieur Export. % vers la France	Import. % de la France
Mayotte	X	X	X	X	TOM		X	39	7
Nlle Calédonie	X	X	X	X	TOM	représentés	X	59	46
Polynésie française	X	X	X	X	TOM	par la	X	58	47
Wallis et Futuna	X	X	X	X	TOM	France	X	—	—
Terres australes	X	X	X	X	TOM		X	—	—
R. Centrafricaine	X	X	X	X	1960	X	X	35	54
Côte-d'Ivoire	X	X	X	X	1960	X	X	19	35
Gabon	X	X	X	X	1960	X	X	35	56
Sénégal	X	X	X	X	1960	X	X	32	44
Djibouti	X		X	X	1977	X	X	76	36
Bénin		X	X	X	1960	X	X	55	33
Burkina Faso		X	X	X	1960	X	X	12	33
Cameroun		(X)	X	X	1960	(X)	X	—	43
Comores		X	X	X	1975	X	X	57	57
Congo		X	X	X	1960	X	X	—	—
Mali		X	X	X	1960	X	X	—	12
Niger		X	X	X	1960	X	X	32	34
Tchad		X	X	X	1960	X	X	93	78
Togo		X	X	X	1960	X	X	21	32
Monaco		X	X	X			X	—	—
Guinée			X	X	1958	X	X	17	40
Zaïre			X	X		X	X	4	24
Mauritanie				X	1960	(X)	X	66	68
Vanuatu				X	1979	X	X	10	—
Maurice				X		X	X	17	11
Ruanda				X		X	X	1	5
Burundi				X		X	X	—	11
Madagascar				X	1960		X	27	51
Tunisie					1956	X	X	23	25
Maroc					1956	(X)	X	21	18
Seychelles						X	X	—	2
Liban						X	X	—	16
Laos					1954	(X)	X	—	—
Viêt-nam					1954	X	X	—	—
Haïti				X		X	X	10	4
Dominique						X	(X)	—	—
Belgique						X	X	19	15
Luxembourg						X	X	15	13
Canada (Québec)						X	X	—	—
Algérie					1962		X	18	19

4
L'ESPACE FRANÇAIS

**Organisation de la société et utilisation du territoire.
Caractères originaux de l'espace français.
Diversité, inégal développement des régions.**

Les pays économiques les plus avancés offrent des formes d'organisation spatiale semblables. Certes, chaque pays possède ses traits originaux, dus à la situation géographique, la dimension, le milieu naturel, le peuplement, l'évolution économique ou la structure politique et sociale, mais de façon générale, on retrouve le même modèle d'organisation comme l'exige l'économie moderne, capitaliste.

● La répartition des hommes sur un territoire n'est pas immuable ; elle change, elle évolue en fonction des impératifs économiques et sociaux. La transformation des activités, l'évolution de la société sont capables de déclencher de puissants mouvements de population. Ainsi, on assiste, avec la modernisation de l'agriculture, à une émigration rurale massive qui vide les campagnes *jadis*[1] densément peuplées. Le développement des activités industrielles, la concentration dans l'espace géographique des unités de fabrication ont exercé une forte attraction démographique et ont été les premiers facteurs d'urbanisation de la période contemporaine. Les règles de la localisation industrielle obéissent à des impératifs de meilleure productivité et de plus grand profit, aussi dans l'espace, les transferts sont-ils continus. Si l'industrie demeure une activité fondamentale, l'évolution de la période récente est dominée par l'accroissement très rapide des activités de service. Sur six emplois créés au cours des dix dernières années, cinq l'ont été dans le secteur tertiaire. L'augmentation du niveau de vie, l'accès à *l'ère*[2] de «consommation de masse» expliquent ce phénomène qui, dans l'espace correspond à l'accélération de la concentration urbaine de la population. Il ne s'agit plus d'un impératif économique, mais d'un changement de la façon de vivre. L'attrait de la vie urbaine s'exerce de façon irrésistible.
Dans cette civilisation nouvelle, la notion de l'espace reçoit un contenu nouveau. Les moyens de transport rapides, la voiture individuelle dont dispose la majorité des gens permettent de connaître, de fréquenter un espace géographique de plus en plus grand.
Non seulement le progrès, mais aussi les modes, les idées, se répandent et pénètrent dans tous les milieux grâce à une information largement diffusée par les mass media puissants. Les antagonismes spatiaux — opposition ville-campagne, de citadins et ruraux — tendent à *s'estomper*[3] ; le genre de vie s'uniformise. Les villes débordent de leurs cadres historiques, forment des agglomérations étendues où la vie est rythmée par les *migrations pendulaires*[4]. Les régions longtemps délaissées — car économiquement non rentables — sont redécouvertes et ranimées pour les besoins des loisirs et du tourisme.
L'intégration de l'espace est ainsi un phénomène tout autant économique que social, culturel ou politique. Les anciennes divisions déterminées par le milieu naturel ou les activités homogènes deviennent inadaptées : les régions sont des

[1] *autrefois*
[2] *époque*
[3] *disparaître*
[4] *déplacements quotidiens liés au travail*

NORD-
PAS-DE-CALAIS
PAS-DE-CALAIS
62 • Lille
• Arras 59 NORD
80 SOMME
• Amiens • Charleville-Mézières
SEINE-MARITIME 76 PICARDIE • Laon ARDENNES
HAUTE- • Rouen • Beauvais OISE AISNE 08
50 60 02 • Metz
MANCHE NORMANDIE EURE 27 ILE-DE-FRANCE 51 MEUSE MOSELLE 57
BASSE- • Caen • Evreux MARNE 55 • Nancy BAS-
St-Lô CALVADOS 14 • Châlons- • Bar-le-Duc MEURTHE- RHIN 67
NORMANDIE ORNE EURE • Chartres sur-Marne ET- • Strasbourg
• St-Brieuc 61 • Alençon 28 CHAMPAGNE- MOSELLE
COTES-DU-NORD Troyes ARDENNE LORRAINE
29 22 Rennes 53 ET-LOIR • Chaumont • Epinal RHIN
FINISTERE BRETAGNE MAYENNE • Le Mans AUBE 10 HAUTE-MARNE 88 VOSGES ALSACE
• Quimper 35 ILLE-ET- • Laval SARTHE YONNE 52 HAUT-
56 VILAINE PAYS- 72 • Orléans LOIRET 89 COTE-D'OR HAUTE- • Belfort RHIN
MORBIHAN • Auxerre SAONE • Vesoul 90
• Vannes DE-LA- • Angers Blois 45 NIEVRE 21 • Dijon 70 FRANCHE-
44 LOIRE 49 INDRE-ET- 41 BOURGOGNE 25 • Besançon
• Nantes LOIRE MAINE-ET-LOIRE Tours 37 LOIR-ET-CHER • Bourges 58 DOUBS COMTÉ
ATLANTIQUE ET-LOIRE CENTRE 18 • Nevers 39 JURA
VENDEE • Poitiers CHER • Lons-le-Saunier
• La Roche-sur-Yon 85 DEUX- 86 Châteauroux 71
SEVRES VIENNE 36 • Moulins SAONE-ET-LOIRE 01
• Niort 79 POITOU INDRE 03 • Mâcon • Bourg AIN
• La Rochelle CHARENTES ALLIER LOIRE RHONE HAUTE-SAVOIE
CHARENTE • Guéret 23 42 69 • Annecy 74
CHARENTE- • Angoulême CREUSE • Clermont- • Lyon • Chambéry 73
MARITIME 16 LIMOUSIN PUY-DE- Ferrand SAVOIE
17 HAUTE-VIENNE DOME St-Etienne RHONE-ALPES 38
• Périgueux 24 CORREZE 87 63 AUVERGNE • Grenoble ISERE
24 • Tulle 19 HAUTE- • Le Puy • Valence 26
DORDOGNE CANTAL LOIRE • Privas DROME HAUTES-ALPES
• Bordeaux • Aurillac 15 43 07 05
33 46 LOT ARDECHE • Gap ALPES-DE-
GIRONDE • Cahors LOZERE • Mende HAUTE- ALPES-
AQUITAINE LOT-ET- TARN- 12 • Rodez 48 PROVENCE MARITIMES
GARONNE ET- AVEYRON 04 • Digne 06 • Nice
LANDES 47 • Agen GARONNE GARD VAUCLUSE PROVENCE
40 Montauban • Albi 30 • Avignon 84 COTE-D'AZUR
• Mont-de-Marsan GERS MIDI- HAUTE- TARN • Nîmes Bches-DU- VAR
32 • Auch GARONNE 81 34 RHONE 13 83
PYRENEES- 31 • Toulouse HERAULT • Montpellier • Marseille • Toulon
ATLANTIQUES 64 GARONNE LANGUEDOC-
• Pau • Tarbes Carcassonne 11 • Bastia
65 • Foix AUDE ROUSSILLON 2 B
HAUTES- ARIEGE PYRENEES- HAUTE-CORSE
PYRENEES 09 • Perpignan
ORIENTALES CORSE
66 • Ajaccio 2 A
CORSE-DU-SUD

ILE-DE-FRANCE
Pontoise 95
VAL D'OISE
YVELINES Nanterre 92 93 SEINE St-DENIS
78 HAUTS- PARIS Bobigny
Versailles DE- 94 Créteil
SEINE VAL DE MARNE
Evry 77
91 • Melun SEINE ET
ESSONNE MARNE

0 _____ 50km

0 _____ 200km

- - - - Limites de département
——— Limites de région
• Préfecture de département
• Préfecture de région

« espaces à caractère économique ayant une certaine autonomie en ce qui concerne les services offerts aux ménages et aux entreprises » (D. Noin). Ces services se concentrent dans les villes. La densité plus ou moins grande des services définit une hiérarchie parmi les villes, qui se manifeste par la différence d'attraction, de polarisation que possède chacune d'entre elles. Des ensembles régionaux se constituent autour des villes — des pôles — les plus puissantes.

Cette évolution spontanée ne se déroule pas sans poser une série de problèmes graves : désertification de la campagne ; urbanisation désordonnée, paralysante, inhumaine ; destruction de l'environnement ; *frustrations*[1] individuelles et collectives ; coût économique de plus en plus élevé des processus de concentration. Les moyens d'information modernes ont permis une prise de conscience générale de tous ces problèmes. Partout on tente de maîtriser, de canaliser cette évolution, pour mieux équilibrer l'espace : nous vivons l'ère de « l'aménagement du territoire ».

[1] *privations, appauvrissement*
[2] *relief*
[3] *existant avant la Révolution*

● Ces caractères de structure et d'évolution se retrouvent dans tous les pays développés et tout particulièrement en Europe, avec évidemment beaucoup de nuances et de variantes. L'espace français possède quelques traits très originaux par rapport aux autres pays. Cette spécificité est due à la *configuration physique*[2], aux particularités de l'évolution démographique et économique, à une centralisation politique *pré-révolutionnaire*[3].

— Par sa superficie, 551 000 km², la France est un État moyen dans le monde, mais le plus étendu en Europe : presque deux fois plus grand que l'Allemagne, la Grande-Bretagne ou l'Italie. Sa forme massive, grossièrement hexagonale, fait que les distances extrêmes sont importantes : plus de 900 km du nord au sud et d'ouest en est. En raison même de ses dimensions, son organisation spatiale est nécessairement beaucoup plus complexe que dans la plupart des pays européens.

Les conditions topographiques, pédologiques et climatiques se conjuguent pour donner au milieu naturel une très grande variété que l'on ne retrouve nulle part et que la multitude de particularismes locaux accentue. Les principaux aspects du relief européen s'y retrouvent. La plaine flamande fait partie de la grande plaine nord-européenne. Les Ardennes sont le prolongement du Massif Schisteux Rhénan. Les grandes plaines sédimentaires — comme celle de Londres ou de l'Allemagne méridionale — se retrouvent dans le Bassin parisien. Le bastion disloqué des hautes terres du Massif central a beaucoup de points communs avec le Massif de Bohême ou certains paysages de la Meseta espagnole. Les Pyrénées, les Alpes, appartiennent à cette chaîne de montagnes jeunes qui traverse toute l'Europe, de Gibraltar à la mer Caspienne. A cette variété de milieu naturel s'ajoutent les façades de deux mers, l'Atlantique et la Méditerranée avec plus de 3 000 km de rivages. Les trois grands domaines climatiques de l'Europe — océanique, continental et méditerranéen —, partagent l'espace français lui donnant une touche supplémentaire d'aspect et de complexité.

— L'espace français est relativement peu peuplé. La densité moyenne, 97 habitants au km², n'est que le tiers ou la moitié de celle des autres pays développés d'Europe. Cette densité varie de façon considérable d'une région à l'autre : elle n'est que de 8 sur les plateaux bourguignons ou dans les montagnes des Alpes du sud, mais elle dépasse 1 000 dans le bassin houiller du Nord.

Le quart du territoire a moins de 20 habitants au km², plus des trois quarts de la superficie ont moins de 40 habitants au km². Des densités « européennes » n'apparaissent sur la carte qu'en taches souvent isolées, surtout dans le quart nord-est de la France, le long du littoral de la Manche et de la Méditerranée.

— Le mouvement d'urbanisation, bien qu'important, démarre plus tardivement en France que dans les autres pays comparables. La lenteur du développement industriel, la protection dont bénéficiait l'agriculture, sont les causes du maintien d'une population nombreuse à la campagne. Le taux de 50 % de citadins

[1] excessive
[2] désirées, demandées
[3] décadence
[4] proviennent
[5] retard

n'est atteint qu'en 1928 alors qu'il l'a été en 1870 en Grande-Bretagne, en 1875 aux Pays-Bas et en 1890 en Allemagne. Ce retard important est rattrapé depuis la dernière guerre, au prix d'une évolution très rapide : le taux qui n'est encore que de 58,6 % en 1954 atteint 77,1 % en 1975 et dépasse 80 % actuellement. Cette concentration trop rapide dans le temps a ses conséquences sur l'organisation de l'espace : une certaine anarchie dans la structure urbaine, la spéculation *effrénée*[1] sur les terrains à construire, la résistance fragile des terres agricoles *sollicitées*[2] par l'urbanisation, le *dépérissement*[3] irréparable de certaines régions rurales, l'infrastructure générale incomplète. Là aussi, comme pour la densité de population, de grands écarts demeurent : en face de 19 départements où la population urbaine dépasse 80 %, il y en a 4 ou elle n'atteint pas 30 %. Ces écarts indiquent le caractère peu harmonieux et inachevé de l'évolution, un certain déséquilibre spatial.

— La distribution spatiale de la production, les indicateurs de niveau de vie attirent l'attention sur l'importance de ce déséquilibre régional. Certes, tous les pays connaissent des problèmes semblables, nés déjà au temps de la révolution industrielle qui a définitivement favorisé les zones de matières premières. Mais en dehors de l'Italie, nulle part l'opposition n'est aussi nette sur des espaces aussi grands. En effet, la moitié occidentale de la France s'oppose à la moitié orientale, séparées par une ligne Le Havre-Marseille. L'Est est industriel, urbain ; l'Ouest est beaucoup plus agricole et rural.

L'Ouest, avec 55 % du territoire et 36 % de la population ne produit que 29 % de l'ensemble de la richesse (P.I.B.) nationale en 1970. En excluant la région parisienne, l'Est avec 43 % de la superficie et 45 % de la population du pays participe pour 43 % de la richesse nationale. Ce constat global se retrouve au niveau de l'examen approfondi des différents types d'activités économiques, mais aussi du niveau de vie de la population.

— Plus forte, plus originale que dans d'autres pays est l'opposition entre Paris et la province. Aucun autre grand pays développé ne connaît une telle accumulation d'hommes, de biens économiques et culturels dans la capitale. L'agglomération parisienne avec plus de neuf millions d'habitants concentre près du cinquième de la population française, et fournit près de 30 % de la richesse nationale. Elle constitue un pôle d'attraction unique dans tous les domaines, dont l'influence s'étend sur l'ensemble du territoire. Toutes les grandes voies de transport s'y dirigent, toutes les décisions *émanent*[4] des sièges centraux politiques, économiques, culturels. Bien plus grand encore est le *décalage*[5] qualitatif qui existe entre Paris et la province, à tel point, que présentant l'espace français, un géographe a pu parler de « Paris et le désert français » (J.F. Gravier).

— Ce rôle démesuré de la capitale s'explique en grande partie par la centralisation politique dont les origines sont antérieures même à la Révolution française et qui a été cimentée par la révolution industrielle. La division administrative du pays en une multitude de départements au cadre étroit, n'a pas favorisé l'épanouissement d'une vie régionale dynamique. Si les villes petites et moyennes sont nombreuses en France, les grandes villes sont rares et elles ne peuvent affronter Paris. Trois agglomérations atteignent le million d'habitants : Lyon, Marseille et Lille ; mais la plus peuplée, Lyon, l'est sept fois et demie moins que Paris. Ailleurs en Europe, c'est seulement en Hongrie que l'on observe une situation semblable ; mais ce pays a perdu deux tiers de sa superficie en 1920, ce qui explique le poids démesuré de la capitale. Même en Angleterre, le rapport entre les deux premières villes n'est que de 3,3 en dépit du caractère gigantesque de l'agglomération londonienne.

Cinq villes au total dépassent 500 000 habitants, alors qu'on en compte une quinzaine en Grande-Bretagne, en Allemagne ou en Italie, pays dont les populations sont pourtant comparables quantitativement à celle de la France. L'espace français est donc caractérisé par l'existence d'un réseau de villes nombreuses mais petites, par le manque de grandes villes et par le rôle écrasant de Paris.

● Ce double déséquilibre Paris-Province, Ouest-Est, constitue la base de compréhension de l'espace français. Pendant longtemps la concentration des foyers industriels, la présence d'un pôle parisien très dynamique, ont joué un rôle moteur dans l'économie française engagée dans la recherche de la croissance. Ces régions d'émigration constituaient le réservoir de main-d'œuvre de la France riche.

L'évolution rapide du niveau de vie, l'élévation du niveau d'instruction, l'élargissement de l'information ont entraîné un réveil régional, la prise de conscience des inégalités spatiales.

Simultanément, la concentration économique et humaine s'alourdissait et devenait une gêne au développement général. L'intervention devenant une nécessité urgente, elle entraîne la mise en place d'une stratégie d'aménagement du territoire, dont les objectifs principaux sont la décentralisation des activités de production et de services, la création d'une infrastructure équilibrée, le développement de la vie régionale autour des pôles urbains puissants et attractifs, la conservation des espaces agricoles ou naturels. Malgré des efforts louables et quelques réussites incontestables, l'œuvre de l'aménagement de territoire demeure incomplète et inachevée car la crise économique, fortement ressentie, a donné un coup d'arrêt aux projets ambitieux. Dans les années 80, on se préoccupe beaucoup plus de l'amélioration du cadre de vie et la décentralisation du pouvoir encourage les initiatives locales.

— La structure de l'espace français n'est pas indépendante de l'évolution économique et sociale de la C.E.E. Pendant près de 30 ans, les régions proches de l'axe vital européen — Bassin de Londres, vallée du Rhin, Italie du Nord — bénéficiaient de l'avantage de proximité, ce qui expliquait en partie leur dynamisme. Par contre l'ouest et surtout le sud-ouest de la France supportaient le handicap d'une situation géographique de "bout du monde". L'entrée de l'Espagne et du Portugal dans la C.E.E. (1er janvier 1986) donne à la France une situation géographique centrale, dont peut profiter le grand sud-ouest.

● L'espace français se prolonge au-delà du territoire métropolitain dans une multitude d'îles, dispersées dans le monde, restes de l'ancien empire colonial. Selon leurs statuts, il s'agit des départements ou des territoires d'outre-mer (D.O.M. ou T.O.M.).

— La loi de 1946 a promu au rang de "départements d'outre-mer" les colonies de la Guadeloupe (1780 km², 340 000 hab.), de la Martinique (1102 km², 330 000 hab.) toutes deux situées dans les Antilles, de la Guyane (90 000 km², 73 000 hab.), voisine du Brésil, et de la Réunion (2512 km², 520 000 hab.) dans l'Océan Indien. Depuis 1976, Saint-Pierre et Miquelon, îles au large du Canada (242 km², 6 000 hab.) ont aussi le statut du D.O.M. Les lois en vigueur sont celles qui régissent la vie en métropole, mais ces territoires ont en plus, comme la Corse, une large autonomie régionale depuis 1982.

— Les territoires d'outre-mer comprennent quatre groupes d'îles : la Nouvelle Calédonie (19 000 km², 145 000 hab.), la Polynésie française (4 200 km², 167 000 hab.), Wallis et Futuna (272 km², 13 000 hab.) dans l'Océan Pacifique et les Terres australes et antarctiques françaises (439 000 km², 600 hab.) dans le sud de l'Océan Indien. Quant à l'île de Mayotte (375 km², 54 000 hab.) située dans l'archipel des Comores, dans l'Océan Indien, elle jouit d'un statut particulier, celui de "collectivité territoriale". Ces îles, bien qu'appartenant à la communauté française, peuvent accéder à l'indépendance sur leur demande (après référendum).

DOCUMENTS

Annexe I.

ESPACE PHYSIQUE : RELIEF

Massif Armoricain, Ardennes, Bassin Parisien, Vosges, Jura, Alpes, Bassin Aquitain, Massif Central, Pyrénées, Corse

Plaines et bas plateaux
Collines ou plateaux découpés
Montagnes et plateaux élevés

Annexe II.

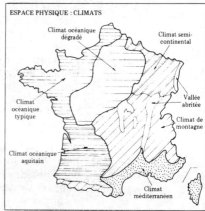

ESPACE PHYSIQUE : CLIMATS

Climat océanique dégradé, Climat semi-continental, Climat océanique typique, Vallée abritée, Climat de montagne, Climat océanique aquitain, Climat méditerranéen

Annexe III.

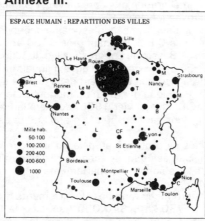

ESPACE HUMAIN : REPARTITION DES VILLES

Lille, Le Havre, Rouen, Brest, Rennes, Le M, Nancy, Strasbourg, Nantes, Bordeaux, Montpellier, Toulouse, Marseille, Toulon, Nice, Lyon, St Etienne, CF

Mille hab.
50-100
100-200
200-400
400-600
1000

Annexe IV.

ESPACE HUMAIN : TYPES D'ESPACES

Grandes Agglomérations
Urbanisation diffuse
Zone mixte
Espace à dominante rurale
Zone temporairement utilisée

Annexe V.

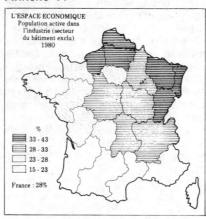

L'ESPACE ECONOMIQUE
Population active dans l'industrie (secteur du bâtiment exclu) 1980

%
33 - 43
28 - 33
23 - 28
15 - 23

France : 28%

Annexe VI.

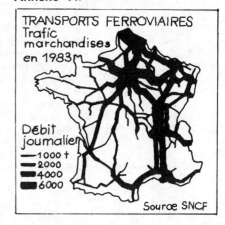

TRANSPORTS FERROVIAIRES
Trafic marchandises en 1983

Débit journalier
1000 t
2000
4000
6000

Source SNCF

110

G1

L'ESPACE RURAL

Le paysage agraire et sa transformation.
Évolution de la société rurale.
Intégration économique et sociale des campagnes.

L'espace, de prime abord, est un ensemble de paysages, avec ses cultures, ses formes végétales, sa topographie, son habitat. C'est aussi un milieu de vie où s'organisent les collectivités humaines. Le rapport des hommes avec l'espace environnant est chargé de longues traditions en perpétuel changement, en raison des progrès économiques et sociaux qui pénètrent la campagne.

● Le paysage revêt des caractères d'infinie variété en France. Aux causes naturelles — topographie, sol, climat, altitude — s'ajoutent des attitudes mentales et sociales différentes d'une région à l'autre. Les contrastes les plus frappants proviennent du degré d'humanisation du paysage (continuité ou discontinuité de la mise en valeur des terres), des dimensions et des formes du *parcellaire[1]*, de la présence ou de l'absence de clôtures. La carte ci-contre donne une idée de cette complexité. Dans le nord-ouest de la France prédomine le paysage de bocage où les parcelles régulières sont entourées de clôtures : talus, *haies vives[2]*, murettes. Dans le nord-est s'étend à perte de vue le paysage agraire de champs ouverts (openfields) comprenant parfois un parcellaire à grandes unités de surface comme dans le centre du Bassin parisien. Dans le sud de la France la netteté des paysages agraires est moins évidente : l'Aquitaine a un paysage de champs ouverts boisés, la basse vallée du Rhône aligne ses rideaux d'arbres parallèles, la moitié occidentale du Massif central est un semi-bocage. Dans les régions montagneuses, mais aussi sur les plateaux lorrain et provençal, le paysage agraire est discontinu, les champs se concentrent dans les vallées et sur les *replats[3]*, ou bien s'ouvrent en une succession d'îlots dans les landes et *garrigues[4]*.

[1] *champ délimité de culture*
[2] *barrière faite de buissons, d'arbres*
[3] *terrasse au versant d'une vallée*
[4] *paysage végétal méditerranéen*

L'habitat rural s'adapte à ses paysages. De façon habituelle, au bocage est associé le minuscule groupement de maisons : le hameau ; dans les campagnes ouvertes les gens se groupent dans des villages très étendus, ce qui n'exclut pas pour autant une dispersion intercalaire. Dans les zones de montagnes et de plateaux, l'habitat en fermes isolées est fréquent.

● Ce paysage agraire est le fait des collectivités humaines ayant forgé une civilisation paysanne, fortement structurée, hiérarchisée, traditionnelle. Les diffusions de progrès ont été lentes dans cette société rurale que la révolution industrielle a très peu touchée. Les caractères essentiels de la société villageoise demeuraient inchangés pratiquement jusqu'à la deuxième guerre mondiale. Mais l'équilibre socio-démographique s'est brisé : après un siècle d'exode rural continu — nécessaire pour les campagnes surpeuplées — la période 1950-70 voit diminuer le nombre des agriculteurs au rythme affolant de 160 000 par an, tant par la mort des agriculteurs sans successeur que par le passage de jeunes agriculteurs à d'autres professions.

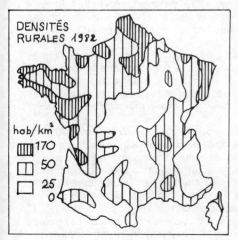

DENSITÉS RURALES 1982

hab/km²
▥ 170
▢ 50
▢ 25
0

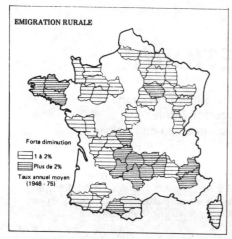

EMIGRATION RURALE

Forte diminution

1 à 2%

Plus de 2%

Taux annuel moyen
(1946 - 75)

[1] terres non cultivées
[2] à tout prix
[3] activités multiples
[4] ménages
[5] enthousiasme
[6] attirance, attrait

Ce processus ne correspond plus à une nécessité d'organisation que la modernisation des techniques exige, mais à une véritable fuite. Les *friches*[1] se multiplient, les fermes abandonnées ne se compte plus, l'âge moyen des exploitants ne cesse de s'élever. Certaines régions — de montagne notamment — sont alors en voie d'abandon, destinées à mourir avec la disparition des quelques vieux qui s'y accrochent désespérément. Les derniers jeunes sont partis quand l'école s'est fermée, faute d'un nombre d'élèves suffisant, quand les commerçants ont quitté les lieux, faute de clientèle suffisante, quand l'administration a cessé d'entretenir routes et services publics, faute de contribuables. Cette évolution profonde et rapide a des causes complexes. La modernisation accélérée de l'agriculture qu'impose l'ouverture de la France vers le marché mondial exige capitaux, compétence, opportunisme. Un grand nombre d'exploitations agricoles trop petites, endettées, mal intégrées dans les circuits de marché, sont condamnées à disparaître. Ceux qui se maintiennent *coûte que coûte*[2], mesurent les écarts grandissants entre leur façon de vivre et celle des citadins. Ce sont les jeunes des campagnes qui sont les plus sensibles aux avantages de la ville (salaire et horaires de travail fixes, liberté individuelle, culture et loisirs), ce sont eux qui constituent la masse des émigrants qui affluent vers les villes dans l'espoir d'y vivre une vie meilleure. Deux types de mentalités, deux façon de vivre, deux mondes s'opposent alors: la campagne et la ville.

● Dans les décennies 70 et 80, de nouvelles tendances apparaissent: la population rurale se stabilise puis augmente régulièrement à l'inverse de la population urbaine. Ce processus est lié au renversement des flux migratoires. La diversification des activités rurales, conformément à la politique d'aménagement du territoire, propose un éventail d'activités plus large. Les emplois urbains, pour des ruraux, deviennent accessibles grâce à la voiture: la *pluri-activité*[3] des ménages agricoles est un phénomène qui se généralise. Les modes de vie et les modèles de consommation urbains gagnent facilement les campagnes par les moyens de transport modernes et les mass media: comme preuves, l'équipement et le niveau de confort des *foyers*[4] ruraux, la fréquentation des supermarchés, installés partout. La ville n'a plus le privilège du modernisme et le genre de vie urbain n'a plus le même magnétisme qu'il y a vingt ans (chômage, insécurité, fatigue physique et morale...).
Fuyant les inconvénients de la ville, les citadins découvrent les avantages de la campagne: l'*engouement*[5] pour la résidence secondaire ainsi que le tourisme, le besoin de plus en plus grand d'espace de loisir sont autant de facteurs de conquête ou de reconquête de zones rurales. L'idéologie néo-rurale ou régionaliste, surgie de 1968, le *tropisme*[6] du soleil, le retour massif des retraités, accompagnent ces mouvements.
Mais le phénomène le plus marquant est l'exode des citadins du centre ville et des banlieues vers la périphérie rurale de plus en plus lointaine. Ainsi dans de vastes zones, campagne et ville ne s'opposent plus, mais s'interpénètrent.
L'espace rural, longtemps assimilé à l'espace agricole, et opposé ipso facto à l'espace urbain et industriel, est de plus en plus intégré dans un système économique et social unique. Cette intégration n'est pas exempte de conflits importants: l'espace rural est l'enjeu de compétitions parfois féroces, qui explosent lors des batailles pour le pouvoir municipal, entre anciens et nouveaux habitants à propos de leurs conceptions de l'utilisation et l'aménagement de l'espace.

DOCUMENTS

Annexe I.

[1] tranquillité

« L'agriculteur découvre qu'il ne suffit plus de produire mais qu'il faut vendre et que son produit, espoir et récompense de tous ses efforts, peut n'avoir aucune valeur pour une société gaspilleuse. Le paradoxe lui paraît d'autant plus incompréhensible qu'il voit les villes s'étendre et se peupler, en même temps que le nombre d'agriculteurs diminue et que la surproduction devient plus menaçante. L'économiste explique avec *sérénité*[1] que les besoins alimentaires ont peu d'élasticité, que la productivité agricole s'est multipliée prodigieusement et que les marchés internationaux sont faussés. Le scandale du paysan n'en est pas diminué. »

H. Mendras, *La Fin des paysans* (p. 227), Ed. Armand Colin, 1967.

Annexe II.

« L'histoire des paysans français depuis quarante ans est celle de la course à la parité du niveau de vie avec celui du reste de la population, autrement dit, à l'intégration sociale... Les deux tiers des paysans français ont dû quitter la terre pour permettre au tiers restant de vivre, en terme d'équipement domestique au moins, comme des citadins. »

A. Murcier, *Demain la France*, n° spécial de *L'Expansion*, 1985.

Annexe III.

Taux d'équipement des ménages agricoles en 1982.

	Agriculteurs exploitants	Salariés agricoles	Moyenne France
Automobile	92,2	76,6	72,1
Téléviseur	90,0	84,4	91,0
Réfrigérateur	96,5	90,8	96,1
Congélateur	75,3	47,5	30,7
Lave-linge	92,7	81,6	81,7
Lave-vaisselle	23,4	9,9	19,7

Tableau de l'économie française, *INSEE*, 1984.

Annexe IV.

« La solidarité communale et communautaire fait place à la solidarité professionnelle qui insère les agriculteurs modernes dans des réseaux d'échanges commerciaux à une échelle élargie, nationale et européenne... L'organisation de la communauté sur son territoire fait place à l'organisation d'agents économiques sur l'espace de filières de produits. La logique productiviste bouleverse la sociabilité communautaire. »

P. de Roo, *État de la France et de ses habitants*
(éd. J-Y. Potel), p. 32, Édition de la Découverte, 1985.

Annexe V.

« Pour satisfaire ses besoins en espace, le tourisme accapare les terres agricoles et surtout celles qui se prêteraient le mieux à un travail productif. Il va sans dire que, dans la jungle des prix fonciers, l'agriculture est perdante ; seule une législation autoritaire (mais n'oublions pas que notre société est libérale) maintenant des prix agricoles sur le marché, serait capable de sauvegarder le patrimoine cultivable. Au profit de qui, s'étonneront les partisans d'un aménagement rentable ? »

R. Lamorisse, *La Population de la Cévenne languedocienne* (p. 404), Paysans du Midi, 1975.

Annexe VI.

« Tandis que la valeur marchande du prix du terrain, mais aussi des paysages ruraux, monte, les catégories économiques qui les ont façonnés et qui détenaient le pouvoir municipal sont en pleine régression, résistant farouchement à leur élimination politique. Conflits entre nouveaux et anciens résidents, conflits entre résidents secondaires et habitants permanents, conflits entre forestiers et agriculteurs, entre vieux et jeunes agriculteurs, conflits entre vacanciers et agriculteurs, entre promoteurs et comités de défense locaux, conflits entre associations de chasse, de pêche, cherchant à maintenir leur acquis et nouveaux usagers randonneurs, amateurs de paysages, etc. Tous ces conflits traduisent les changements des rapports sociaux ruraux. De plus, au niveau national, les pouvoirs publics engendrent également des conflits par une forme importante de consommation d'espace pour les grandes infrastructures : aéroports, autoroutes, lignes à haute tension, T.G.V., aménagements hydrauliques, camps militaires, centrales nucléaires. Les ''luttes'' du Larzac, de Naussac, de Plogoff sont des exemples de ces conflits dans lesquels les agriculteurs jouent un rôle très important, appuyés et entraînés par les groupes sociaux porteurs de ces valeurs culturelles nouvelles (écologistes, néo-agriculteurs et néo-ruraux...). »

P. Pinchemel, *La France*, tome 2, p. 224, Ed. Armand Colin, 1981.

Annexe VII.

« L'agriculteur qui reste attaché à son terroir et parle encore le patois local n'est pas le conservateur qu'on a trop souvent décrit. La manière dont il a modifié sa façon de travailler depuis vingt ans le prouve. Mais il demeure tout de même attaché à une tradition, qu'elle soit de gauche, comme dans la Haute-Vienne ou catholique, comme dans la Beauce. C'est lui qui charrie, bien plus que le citadin, la mémoire des régions. »

P. Bonazza, *L'Express,* décembre 1983.

G2

LA VIE URBAINE

**La croissance urbaine et ses conséquences.
Essai de restructuration des villes.
Les difficultés de la vie quotidienne des citadins.**

[1] *à peine touchées*
[2] *Habitat à Loyer Modéré*
[3] *décline*

La concentration de la population dans les villes est un phénomène majeur de civilisation. Elle déclenche un mouvement démographique qui a des conséquences déterminantes sur la structure sociale et professionnelle, mais aussi sur la structure urbaine et l'occupation de l'espace.

● L'afflux des populations vers les villes exige la construction de logements, d'équipements de toutes sortes, des infrastructures économiques et humaines. En France, cette population se presse aux portes des villes anciennes que la révolution industrielle n'a souvent qu'*effleurées*[1], et finalement est rejetée à la périphérie des villes. La croissance urbaine, par la soudaineté et la puissance du phénomène signifie ainsi une rapide explosion spatiale des villes. Ce phénomène est d'autant plus considérable qu'il ne touche au départ qu'un nombre relativement peu élevé de villes et que la période d'après-guerre est celle de la forte natalité, donc bilan migratoire et naturel se conjuguent pour augmenter les exigences. Les villes doublent, triplent de superficie au détriment de la campagne environnante, incapable de résister à la tentation des plus-values tirées de la vente des terres alors que, malheureusement, les prix agricoles stagnent. La ville atteint et incorpore des villages proches, étend ses banlieues au gré de la spéculation foncière. L'anarchie et le caractère hétéroclite des constructions dominent, où se juxtaposent lotissements pavillonnaires, cités *HLM*[2], usines et installations ferroviaires, contournant sablières, dépôts de toutes sortes, cimetières, aérodromes, hôpitaux psychiatriques, prisons, fortifications militaires, etc., traditionnellement rejetés par la ville à la périphérie.

Les grandes agglomérations, population en milliers d'habitants en 1982 (entre parenthèses la ville-centre)			
Paris	8707(2176)	Lens	327 (38)
Lyon	1221 (413)	St-Etienne	317(205)
Marseille	1111 (874)	Nancy	307 (96)
Lille	936 (168)	Cannes	296 (72)
Bordeaux	640 (208)	Tours	263(132)
Toulouse	541 (348)	Béthune	258 (26)
Nantes	465 (240)	Clerm.-Fd.	256(147)
Nice	449 (337)	Le Havre	254(199)
Toulon	410 (179)	Rennes	234(195)
Grenoble	392 (157)	Montpellier	221(197)
Rouen	380 (102)	Mulhouse	220(112)
Strasbourg	373 (248)	Orléans	220(103)
Valenciennes	350 (40)	Dijon	216(140)

● Pendant que la ville s'étend considérablement, le centre urbain traditionnel, à l'intérieur des anciens remparts transformés en boulevards, garde ses fonctions de carrefour social et économique le long de ses rues étroites et tortueuses: il abrite commerces et bureaux, administrations et services socioculturels divers, il est aussi traversé par les axes de circulation urbains et régionaux.
L'accessibilité à cet espace central surchargé devient de plus en plus difficile, malgré des aménagements nombreux visant à permettre la circulation et le stationnement des véhicules individuels de plus en plus nombreux. Ce centre *périclite*[3], étouffé par la circulation, dégradé par la pollution, abandonné finalement par une partie des fonctions centrales, envahi par une population socialement marginale et économiquement démunie.

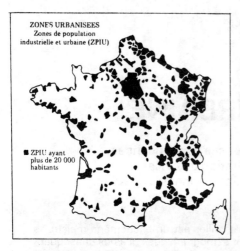

ZONES URBANISEES
Zones de population
industrielle et urbaine (ZPIU)

■ ZPIU ayant
plus de 20 000
habitants

¹Zone à Urbaniser en Priorité

²Zone Industriele

³Zone à Aménagement
Différé

⁴Zone à Aménagement
Concerté

⁵Organisation d'Études
d'Aménagement des Aires
Métropolitaines

⁶misérables

⁷provoquent

⁸secrets, contenus

⁹séduit

● De façon spontanée, on crée des centres attractifs nouveaux à la périphérie, le long des axes majeurs de circulation, autour des hypermarchés sans cesse plus étendus et complexes ; par la suite on déplace les services publics (administration, santé, enseignement) construits quelquefois en rase campagne à plusieurs kilomètres du centre. La population, pour fuir les inconvénients de la vie urbaine, préfère résider dans les communes de la grande banlieue encore rurale, mais doit ainsi effectuer de longs déplacements quotidiens. Devant la spéculation effrayante et les résultats négatifs de l'urbanisation spontanée, les pouvoirs publics essaient depuis longtemps d'intervenir. Les règlements d'urbanisme, définissant les volumes, la destination, le style des bâtiments, la prise en charge des constructions de logements sociaux, la défense des sites, monuments, datent déjà d'avant-guerre. Le début d'une véritable réflexion sur la maîtrise de l'ensemble de l'espace urbain apparaît seulement dans les années 50, ou même 60. La zonation fonctionnelle de l'espace est suivie de la planification dans la localisation des équipements (comme les *Z.U.P.*¹, les *Z.I.*², etc.) ; les lois nouvelles permettent la constitution des réserves foncières (*Z.A.D.*³, *Z.A.C.*⁴, etc.) ; des missions d'études sont créées (comme l'*O.R.E.A.M.*⁵) pour se pencher sur les solutions futures à adopter en milieu urbain, concrétisées par la publication des schémas directeurs d'aménagement urbain ; on entreprend la rénovation des quartiers centraux en rasant les zones insalubres et en les remplaçant par des complexes d'affaires et d'achat, véritables villes dans la ville (les Halles ou la Défense à Paris, la Part-Dieu à Lyon, etc.), on rend obligatoire la définition des Plans d'occupation du sol (P.O.S.).

Malgré les améliorations incessantes du cadre urbain, certains problèmes demeurent et de nouvelles tensions naissent. Construits en hâte, avec des matériaux et des techniques pas toujours appropriés, sans souci de la qualité et de l'environnement, les grands ensembles réalisés après la guerre se sont très vite dégradés, à un point tel que, après seulement 20 ou 30 ans de vie, il faut entreprendre leur rénovation ou destruction. La population fuit cet univers de béton qui devient finalement une zone de concentration pour les plus *déshérités*⁶. Même les constructions les plus récentes, plus agréables, a priori, par la variété des formes et volumes, les couleurs, les espaces verts et commerces incorporés, n'ont pas pu créer un centre de vie collective agréable : chacun s'isole à double tour dans son appartement, se laisse accaparer par la télévision, ignore parfois son voisin de palier et peut devenir irascible et insociable. Ces grands ensembles sans âme, monotones, ennuyeux (manquant toujours d'équipement socioculturel et de loisir) *génèrent*⁷ des attitudes antisociales de désespoir et de violence *latents*⁸ dans une conjoncture de crise économique.

La maison individuelle entourée de son jardin, réponse d'une société évolutive aux frustations de l'habitat concentré et slogan officiel dès les années 60, crée d'autres inconvénients. L'extension urbaine, inévitable, allonge les parcours jusqu'à l'absurde, source de fatigue physique et nerveuse, augmentent les pertes de temps au détriment du repos et du loisir ; les heures de pointe deviennent de véritables cauchemars avec les embouteillages continus ; la vie quotidienne se résume alors bien par ces trois mots ''métro, boulot, dodo''.

Malgré toutes ces difficultés et imperfections, rares sont les citadins qui abandonneraient volontiers le milieu urbain. Avec son dynamisme, sa variété de distractions, de plaisirs, ses magasins, ses lumières, son agitation, ses symboles culturels et esthétiques, la ville garde son charme, *magnétise*⁹.

DOCUMENTS

Annexe I.

« La civilisation a fait un saut qui a définitivement éloigné le mieux-être du cadre traditionnel de nos villes. L'accent doit être mis sur l'étonnant décalage entre les possibilités techniques quasi illimitées de la construction et la confusion archaïque de notre habitat. »

M. Le Lannou, *Le Déménagement du territoire,*
(p. 47), Ed. du Seuil, 1967.

Annexe II.

¹*dommages*
²*voyous (argot)*

« Entre les parois sonores d'un bâti scandaleusement léger, l'intimité de la famille ne réside plus que dans la discrétion du voisin. Les murs travaillent avec un zèle qui leur fait prendre sur les *outrages*¹ du temps une incroyable avance. L'empreinte à nu des coffrages de béton est devenue un genre : on ne connaît plus la finition. Des offices d'HLM influents, des groupements immobiliers cupides ont pu sans vergogne se soustraire à la réglementation. »

Y. Babonaux, *Villes et régions de la Loire moyenne,*
(p. 405), S.A.B.R.I., 1966.

Annexe III.

« La satisfaction de besoins élémentaires n'arrive pas à tuer l'insatisfaction des désirs fondamentaux. En même temps que lieu de rencontre, convergence des communications et informations, l'urbain devient ce qu'il fut toujours : lieu de désir, déséquilibre permanent, siège de la dissolution des normalités et contraintes, moment du ludique et de l'imprévisible. »

H. Lefebvre, *Le Droit à la ville,* (p. 91), Ed. Anthropos, 1968.

Annexe IV.

« A l'intérieur de ces nouvelles unités, qui n'ont rien à voir avec les anciens quartiers, les assemblances sociales servent de lien, accumulant dans certains endroits l'aisance, dans d'autres les difficultés, la ''culture'' ici et les *loubards*² ailleurs. Et ce avec toutes les ségrégations qui s'ensuivent : il suffit quelquefois de dire qu'on habite telle zone pour être suspect aux yeux de la police ou pour être rejeté par un employeur. Ce qui n'est plus vraiment un quartier est peut-être déjà un ghetto. »

F. Lautier, *L'État de la France et de ses habitants,*
(dir. J.Y. Potel), p. 38, Ed. La Découverte, 1985.

Annexe V .

« S'il habite au cœur d'une grande ville, l'enfant souffre particulièrement du manque d'espace, on pourrait presque dire du manque d'air... L'enfant, chassé de l'appartement trop exigu, n'a aucun espace accueillant prévu pour lui. Les

Les cours intérieures des immeubles sont le plus souvent étroites… La concierge interdit la plupart des jeux… Il reste donc la rue. Mais celle-ci est particulièrement dangereuse… Dans les grands ensembles, la bande naît spontanément… L'enfant a besoin de se confier à quelqu'un. Il souffre de l'absence des adultes. Si la mère rentre tard le soir, fatiguée et énervée, il n'a personne à qui se confier. »

G. Mesmin, *L'enfant, l'architecture et l'espace*, Ed. Casterman, 1971.

Annexe VI.

« Ségrégation spatiale dans les quartiers neufs et les secteurs les plus résidentiels, reconquête progressive de la vieille ville aux dépens des moins favorisés, telles sont les conséquences sociales et spatiales de la stratégie apparente des promoteurs. »

X. Piolle, *Les Citadins et leur ville,* (p. 153), Ed. Privat, 1979.

Annexe VII.

Exemple d'urbanisation : Montpellier.

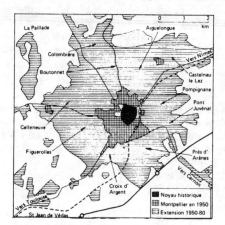

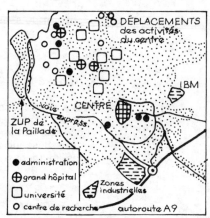

1. Ancien Courrier
2. Pl. de la Comédie
3. Esplanade
4. La dalle (commerces)
5. Hôtel de Ville
6. Centre commercial
7. Logements de "style"
8. Services régionaux
9. Palais des Congrès

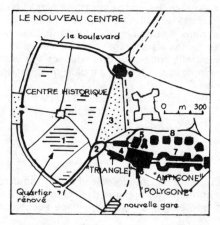

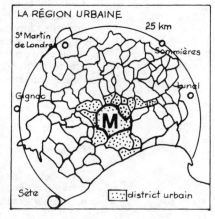

G3

LES DÉSÉQUILIBRES DE L'ESPACE FRANÇAIS

Les points forts de l'espace français.
La différence de développement entre l'Est et l'Ouest.
Le poids démesuré de Paris.

[1] utilisables
[2] la base, le dessin
[3] profitable

L'espace français n'est pas uniforme : la population ne se répartit pas harmonieusement, l'urbanisation est très inégale, les flux économiques n'ont pas la même intensité et surtout la vie quotidienne des hommes est sensiblement différente d'une région à l'autre. Points forts et zones en retard s'opposent, la prise de conscience de ces divergences est de plus en plus aiguë.

● Les points forts de l'espace français correspondent à la localisation des unités de production rentables et dynamiques, à la main-d'œuvre et capitaux disponibles et *mobilisables*[1]. Si l'on accepte cette définition, trois axes favorisés apparaissent de façon évidente : Paris-Basse-Seine, Paris-Lille, Paris-Lyon-Marseille-Côte d'Azur. Ces axes relient les quatre villes millionnaires du pays et conduisent aux quatre plus grands ports : Marseille, Le Havre, Dunkerque et Rouen. Ces axes supportent le trafic de marchandises et de voyageurs le plus important ; ils sont soulignés par des voies de transport modernes, parallèles, complémentaires : voie ferrée rapide, autoroute, voie navigable à grand gabarit, oléoduc et gazoduc. Ces axes majeurs stimulent les activités économiques et les unités d'activités productrices, et attirent dans les nombreuses agglomérations urbaines qui les jalonnent des services nombreux. Le long de ces axes, des carrefours se dessinent : le premier, le plus puissant est Paris, qui est au centre du système d'axes français, formant un dessin étoilé, et qui entraîne par sa vitalité une région environnante, allant de Caen à Troyes et d'Orléans à St-Quentin (voir carte ci-contre).

LES LIGNES DE FORCE DE L'ESPACE FRANÇAIS

Le carrefour de Lyon reproduit, mais plus faiblement, l'exemple parisien. Le dynamisme, la multiplicité des activités industrielles basées sur la chimie de Lyon et l'électromécanique des Alpes du Nord, la tradition européenne, facilitée par la mise en place d'un système autoroutier et la possibilité de liaisons rapides avec l'Italie (tunnel du Mont-Blanc) et la Suisse (Genève) constituent la *trame*[2] de ce carrefour qui se renforcera considérablement encore, une fois la liaison navigable Rhin-Rhône réalisée.
Le troisième carrefour, celui de Marseille, est pour le moment plus naturel qu'économique ou humain : les activités portuaires de Marseille-Fos, le tourisme du littoral méditerranéen, l'agriculture florissante du Bas-Rhône, l'urbanisation dense, sont des atouts certains.
En dehors de ces axes vitaux, quelques points isolés dans l'espace se détachent. Ils sont plus nombreux dans le nord-est de la France où la proximité de Paris et des grands axes européens est *vivifiante*[3], rares dans l'ouest de la France, presque absents dans le centre du pays où le Massif Central apparaît comme un obstacle majeur.

¹rôle primordial
²répétés
³zone industrielle dense
⁴dans le domaine de l'habillement, créations exclusives et de luxe
⁵favorable
⁶distribués à partir d'un budget

● Le déséquilibre est-ouest peut être constaté dans tous les domaines. Il est souligné par la nature des activités, le degré d'urbanisation, la valeur de la production, la productivité industrielle, les rendements agricoles, le réseau de transport et d'infrastructure, le revenu et le niveau de consommation des habitants. Il ne s'agit pas des conséquences d'un milieu naturel défavorable. Au XVIIIᵉ siècle, l'ouest de la France était aussi florissant que l'est. C'est à partir du milieu du 19ᵉ siècle que les écarts se creusent, avec la révolution industrielle qui y trouve les matières premières et les facteurs de production favorables à l'Est. Une migration séculaire commence alors, draînant hommes, richesses, idées et appauvrissant inexorablement la moitié occidentale du pays.

● Un autre déséquilibre de l'espace français, beaucoup plus ressenti, est celui qui met en parallèle Paris et la province. La *prééminence¹*, le poids de Paris, sont parmi les constantes de la civilisation française. Dans tous les domaines, Paris constitue le centre unique de la France malgré des essais *réitérés²* de décentralisation.

Paris apparaît d'abord comme une immense concentration d'hommes. L'agglomération compte 10 millions d'habitants, ce qui place la capitale française parmi les plus grandes villes du monde. Ainsi elle est trop grande par rapport à l'espace national, puisque sur un peu plus de 2 % du territoire vit un Français sur six.

Le poids économique de Paris est bien plus important encore que celui de la démographie.

Elle est d'abord un immense *foyer³* industriel, employant plus d'un million et demi d'actifs dans les diverses branches de production, depuis la métallurgie lourde jusqu'à la *haute couture⁴*, toutes les spécialités étant présentes. Elle fournit le cinquième de la production industrielle, mais c'est moins par l'aspect quantitatif qu'elle domine que par les caractères du travail industriel : recevant de la province des produits semi-finis, c'est l'usine parisienne qui élabore et marque le produit destiné au marché. Cette spécialisation indique un haut niveau technique et la présence d'une main-d'œuvre fortement spécialisée et habile.

Paris est presque le centre de direction exclusif des affaires économiques. Les sièges sociaux dirigent depuis Paris quatre cinquièmes des 500 plus grandes entreprises.

La puissance financière est étroitement liée au rôle économique : deux tiers des crédits accordés aux entreprises, la quasi-totalité des actions négociées à la Bourse de France, deux tiers des actifs employés dans les secteurs de banques et d'assurances.

Un réseau de voies de communication, étoilé, convergeant vers Paris de toutes les régions, fait de la capitale un immense marché et la plus grande plaque tournante pour la redistribution des marchandises. Le négoce parisien achète, transporte, traite, conserve et revend tout article de consommation à l'intérieur et à l'extérieur du pays.

Le dynamisme culturel et scientifique de Paris est incontestable, et les activités fort riches. Paris a créé un milieu ambiant *propice à⁵* l'épanouissement littéraire, artistique, ce qui explique la présence des deux tiers des artistes et hommes de lettres. Les laboratoires bien équipés, la possibilité de contacts enrichissants, les crédits *alloués⁶* ont déterminé le choix de 72 % des chercheurs français qui travaillent à Paris.

C'est la combinaison de ces facteurs économique, culturel, humain, auxquels on doit encore ajouter le pouvoir politique, qui constitue la force d'attraction de Paris. Alors, par rapport à la capitale, les autres villes françaises paraissent éteintes, et la vie provinciale franchement pauvre.

DOCUMENTS

Annexe I.

[1] marquée par d'énormes difficultés économiques (la dépression)
[2] à la recherche de

« On peut considérer qu'une région *déprimée*[1] coûte à la collectivité plus qu'elle ne lui rapporte : elle ne participe pas assez à l'accroissement nécessaire du produit national, et par contre, utilise un équipement sans cesse amélioré, payé par la nation ; elle reçoit en plus, souvent, des subventions. D'autre part, l'hyperconcentration comporte des aspects financiers négatifs : dans les agglomérations géantes il existe un seuil au-delà duquel le coût des services publics augmente plus que proportionnellement à l'accroissement de la population. »

P. George, R. Guglielmo, B. Kayser, Y. Lacoste :
La géographie active (p. 354), Ed. PUF, 1964.

Annexe II.

« Le dynamisme des économies régionales dépend donc de plus en plus des perspectives de profit que donnent les opérations d'investissements groupées, seules susceptibles d'assurer la baisse des frais généraux et la maximalisation des profits. Les régions qui disposent déjà d'équipements de service importants, celles qui ont une structure de région économique bien affirmée bénéficient d'un avantage certain, puisqu'il est possible d'économiser largement grâce aux équipements sous-utilisés... Les régions urbanisées présentent donc toute une série d'avantages pour les industriels *en quête de*[2] lieux d'implantation. »

P. Claval : *Régions, nations, grands espaces* (p. 417), Ed. Génin, 1968.

Annexe III.

Répartition entre la région parisienne, l'est et l'ouest des effectifs des trois secteurs industriels								
Industrie de biens d'équipement %			Industrie de biens intermédiaires %			Industrie de biens de consommation %		
Région paris.	Est	Ouest	Région paris.	Est	Ouest	Région paris.	Est	Ouest
1954	45,9	37,3	16,7	21,4	56,2	22,2	22,1	52,2	25,6
1962	42,0	40,1	17,8	21,5	56,8	21,6	21,5	52,9	25,4
1968	35,7	42,6	21,5	19,7	56,3	23,8	22,1	50,8	27,0
1974	29,4	45,9	24,6	16,9	57,6	25,3	20,2	49,9	29,7
1982	27,7	45,3	27,0	14,1	57,5	28,4	16,4	52,0	31,6

Sources : Rapport de la Commission d'Aménagement du Territoire et du cadre de vie.
Documentation Française (p. 133), 1976.
et *Statistiques et indicateurs des régions françaises*, INSEE (p. 413), 1985.

Annexe IV.

[1] *révolte du Parlement de Paris puis de la noblesse contre la monarchie (1648-51)*
[2] *potentialité intellectuelle*
[3] *désillusion, échec*
[4] *saisi brutalement*

« Du temps de la *Fronde*[1] , Paris n'est encore que la plus grande ville de France. En 1789, il est déjà la France même. »

A. de Tocqueville : *L'Ancien Régime et la Révolution*, 1856.

Annexe V.

« Il est impossible de définir une région parisienne ; les critères d'influence, employés ailleurs, étendraient cette région à toute la France. »

G. Chabot : *Géographie régionale de la France* (p. 382), Ed. Masson, 1969.

Annexe VI.

« Aussi l'agglomération parisienne est-elle une énorme concentration de richesse et de *matière grise*[2], car la population y est en moyenne plus qualifiée et mieux payée que dans le reste du pays. Le salaire moyen est de 1/3 supérieur à celui de l'ensemble de la France. La consommation des biens non alimentaires par habitant est de 1/3 plus élevée que la moyenne nationale… On y trouve une partie importante des couches sociales privilégiées : la valeur moyenne d'une succession parisienne est de trois fois supérieure à celle d'une succession provinciale. »

D. Noin, *L'Espace français,* (p. 176), Armand Colin, Collection U2, 1976.

Annexe VII.

« Quel prestige la France ne retire-t-elle pas de Paris ! Mais la médaille a son *revers*[3] ; la concentration de la plupart des activités supérieures dans une seule ville crée une atmosphère électrique, qui fait obstacle à tout exercice de réflexion approfondie. Quel écrivain peut rayonner, si ce n'est depuis Paris ? Quel écrivain peut mener à bien son œuvre, s'il est *happé*[4] par Paris ? »

Alain Peyrefitte, *Le Mal français* (p. 331), Ed. Plon, 1976.

Annexe VIII.

Annexe IX.

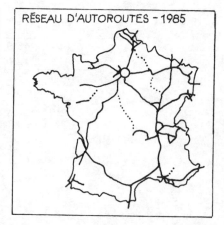

ESPACE ET BIEN-ETRE

Classement des départements
■ 1er au 20
⬚ 21 au 40
▭ 41 au 60
▬ 61 au 80
▬ 81 au 95

D'après le Point, n° 69, janvier 1974

RÉSEAU D'AUTOROUTES – 1985

G4

L'AMÉNAGEMENT DU TERRITOIRE

Objectifs, stratégies et résultats de l'intervention volontaire du pouvoir public dans l'organisation de l'espace.

¹orienter
²accord
³défectueuse, avec des faiblesses
⁴Fonds Interministériel pour l'Aménagement du Territoire
⁵Commission de Développement Économique Régional

L'idée de la nécessité d'aménager le territoire s'est lentement imposée au début des années 50. Elle a progressivement conduit les pouvoirs publics politiques à définir une véritable stratégie de l'espace et d'*infléchir*¹ la planification économique dans ce sens. Selon la conception de l'aménagement, l'organisation de l'action et les objectifs recherchés, on peut distinguer quatre grandes périodes.

● Le début de l'aménagement volontaire remonte aux années 1954-55. Un ensemble de décrets définit 22 «programmes d'action régionale», crée des «Comités d'expansion économique» pour une meilleure coordination des investissements prévus par la planification. Finances publiques et privées sont associées au sein d'organismes aux statuts nouveaux comme les «sociétés d'équipement» ou les «sociétés de développement régional». Des moyens financiers importants sont mis à la disposition de l'action (Fonds de développement économique et social).
L'objectif recherché est le secours aux zones de sous-emploi ou d'évolution retardée. Des «zones critiques» sont délimitées, de façon à recevoir une aide financière en fonction de la gravité de leur situation. L'effort principal porte sur la décentralisation industrielle vers la France de l'ouest, que l'on essaye de provoquer par l'*octroi*² d'une série de primes ou la proposition d'exemptions fiscales (voir carte ci-contre). Simultanément, on entreprend une série de travaux d'aménagement qui visent à améliorer la rentabilité de l'agriculture : reboisement des terres abandonnées dans l'est de la France, bonification des zones marécageuses de la côte atlantique ou de la plaine littorale de la Corse, développement de la production agricole grâce à l'irrigation dans la région méditerranéenne, etc.
Les résultats escomptés sont loin d'être atteints. L'insuccès s'explique tout autant par l'insuffisante préparation (aide trop dispersée), les difficultés d'ordre économique (qualité de la main-d'œuvre, infrastructure d'accueil *défaillante*³) que par la mentalité régnant dans les milieux d'affaires (les «chasseurs de primes», l'attachement parisien inconditionnel).

● L'action d'aménagement reçoit un souffle nouveau en 1963-64. Pour coordonner et promouvoir toute intervention, un organisme de niveau gouvernemental est créé, la DATAR (Délégation à l'Aménagement du Territoire et à l'Action Régionale), disposant en propre d'une dotation budgétaire (*FIAT*⁴). Dans chaque région s'installe un «*CODER*⁵», sorte d'état-major de

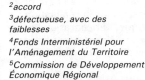

AIDES FINANCIERES DE L'ETAT
pour le développement industriel et tertiaire

1 et 2 Primes de développement industriel et tertiaire, et allégements fiscaux.
3 Allégements fiscaux.
4 et 7 Primes de localisation pour certaines activités tertiaires.
5 Aucune aide.
6 Mesures restrictives.

D'après D. Noin
L'espace
français

DÉCENTRALISATION
Exemples de deux industries de pointe

Lannion
Rouen
PARIS
Brest
Rennes
Le Mans
Dijon
Nantes
Bourges
Bordeaux
Grenoble
Toulouse
Anglet
Nice
Tarbes

Industries électriques et électroniques

Industries aérospatiales

réflexion et de consultation entourant le préfet régional. La planification donne ainsi la priorité au *concept*[1] régional.

La nouvelle stratégie d'aménagement abandonne le principe d'intervention sectorielle et propose l'aménagement global. Pour tempérer la puissance paralysante de la capitale et pour animer la vie régionale, on démontre la nécessité de la création de pôles de développement, et l'accélération des investissements d'équipement en province. Huit villes ou ensembles urbains sont choisis, les «Métropoles d'équilibre» : Nantes, Bordeaux, Toulouse, Marseille, Lyon, Strasbourg, Nancy et Lille. Ces villes reçoivent l'aide massive des pouvoirs publics. Pour entraîner le secteur privé dans l'action, l'État force les entreprises nationales à décentraliser. Certains grands services publics suivent le même chemin. Des «missions interministérielles d'aménagement» entreprennent la réalisation de grands travaux d'équipement : aménagement touristique, amélioration du réseau de communication (autoroutes, téléphone, aéroports) ; des programmes globaux d'aménagement sont conçus (Languedoc-Roussillon), de nouveaux complexes industriels et portuaires sont créés (Fos).

Les résultats sont assez favorables : 600 000 emplois industriels sont créés (1964-72), les trois quarts dans l'ouest, pendant que l'agglomération parisienne en perd une centaine de mille ; la plupart des métropoles d'équilibre se sont fortement renforcées et les programmes d'équipement améliorent sensiblement la situation en province.

● Pourtant les rajustements ont été insuffisants : si la croissance économique a été assurée, elle a coûté très cher et elle n'a pas suffisamment prévu les conséquences sociales du fort développement. Au lieu de stabiliser la population, elle a provoqué l'accroissement des courants migratoires, les métropoles se comportant dans leurs régions comme Paris en France. La dégradation de l'environnement comme l'augmentation des difficultés de la vie urbaine ont suivi. Mais surtout, la crise économique qui débute ne permet plus la poursuite de cette politique.

Alors, à partir de 1973, on infléchit la politique d'aménagement vers les optiques nouvelles plus qualitatives : amélioration du cadre de vie, revitalisation des centres urbains, rénovation de l'habitat, conservation du *patrimoine*[2] architectural, amélioration de la circulation intra-urbaine, politique d'espaces verts et de loisirs. La priorité est donnée aux villes petites et moyennes, définies comme une spécialité française, qui restent à l'échelle humaine où la qualité de la vie doit être préservée. Des «contrats de villes moyennes» sont proposés par l'État : des propositions d'aménagement doivent être présentées par les instances locales, l'État se *bornant*[3] à couvrir une partie importante des dépenses envisagées.

LES PÔLES DE CONVERSION - 1985
Dunkerque-Calais
Bassin minier
V. de la Meuse
V. de la Sambre
Lorraine Nord
Caen
Nancy
Le Creusot
Montluçon
Roanne
St. Etienne
Decazeville
Albi-Carmaux
Fos s/Mer
La Seyne
La Ciotat

● Avec l'arrivée au pouvoir de la gauche politique en 1981, la philosophie de l'État face à l'aménagement du territoire change totalement. L'action doit être entreprise par des instances locales, avec le budget autonome dont elles disposeront désormais grâce aux lois de la décentralisation du pouvoir (1982). Ce sont les conseils généraux (au niveau des départements) et les conseils régionaux, élus tous deux au suffrage universel qui seront les maîtres d'œuvre de l'aménagement futur. La tâche de l'État consiste à définir les conceptions et le cadre législatif des interventions (exemple de la Loi ''montagne'' de 1985), d'harmoniser des plans locaux, de susciter le renversement des tendances néfastes. Ainsi, en février 1984, 15 ''pôles de conversion'' sont désignés (voir carte ci-contre) dans des zones fortement touchées par la crise économique. L'État intervient directement afin de favoriser la modernisation et le renouveau économique par un programme autant social qu'économique.

DOCUMENTS

Annexe I.

Répartition régionale des opérations de décentralisation 1955-73

France de l'ouest	Nombre	Emplois	France de l'est	Nombre	Emplois
Basse Normandie	173	31.000	Nord	112	24.500
Bretagne	96	23.000	Picardie	389	46.000
Pays de la Loire	190	38.500	Haute Normandie	274	50.000
Centre	653	71.000	Champagne	150	25.000
Poitou-Charente	68	13.700	Lorraine	66	12.500
Limousin	37	3.600	Alsace	40	10.900
Auvergne	48	7.200	Bourgogne	243	34.000
Aquitaine	79	10.800	Franche-Comté	20	6.000
Midi-Pyrénées	38	7.700	Rhône-Alpes	263	24.300
Languedoc-Roussillon .	33	3.600	Provence-Côte d'Azur .	48	7.800
Total Ouest	1.415	210.100	**Total Est**	1.605	241.000

Sources : P. Durand, Industrie et Régions. *La Documentation française* (p. 188)
Paris 1974 et Annales Vuibert, série Sciences Économiques, 1977.

Annexe II.

[1] *aléas, difficultés*
[2] *réactions vitales (ou de vitalité)*

« Aujourd'hui, du moins serait-il plus équitable de parler de demi-échec ou de demi-succès, selon le tempérament de chacun. Les *avatars*[1] de cette politique dans le centre et le sud-ouest s'expliquent fort bien. Ce n'est pas seulement une question d'équipement, c'est aussi un problème de capitaux et d'hommes. Faute d'avoir touché aux mécanismes physiologiques qui commandent les *pulsations*[2] de l'économie et de la vie sociale, on ne peut imaginer l'expansion des zones sous-développées que comme un sous-produit de la croissance de la capitale. La dévitalisation du milieu y rend impensables des créations indépendantes et spécifiques. »

J. Labasse : *L'Organisation de l'espace* (p. 573),
Ed. Hermann, Paris, 1966.

Annexe III.

« Le plus gros problème pour installer des industries dans une petite ou moyenne ville de province n'est pas matériel mais culturel : chefs d'entreprise et cadres hésitent à venir «s'enterrer dans un trou» où leurs enfants ne bénéficieraient pas d'aussi bonnes études que s'ils restaient à Paris, et où leurs épouses s'ennuieraient. Il ne reste plus guère sur place qu'un petit commerce endormi ; une colonie de fonctionnaires si mobiles qu'ils semblent toujours porter une valise à la main ; des industries qui emploient une main-d'œuvre peu qualifiée. »

Alain Peyrefitte : *Le Mal français* (p. 332), Ed. Plon, 1976.

Annexe IV.

[1] les plus aptes
[2] affaiblir
[3] le fait de profiter,
de s'approprier
la plus grosse part
pour en retirer un bénéfice
[4] développer
[5] mésententes, heurts
[6] difficulté très importante
que l'on se fait un honneur
de résoudre
[7] autorité légale

« Un des soucis constants de la politique nationale d'aménagement du territoire est de remédier au déséquilibre croissant entre la région parisienne et la province, tout en limitant du même coup les risques d'asphyxie qu'une extension trop rapide fait courir à l'agglomération de Paris. La création de métropoles d'équilibre répond à cette préoccupation puisqu'elle a pour objet de renforcer les potentialités de développement de la province en garantissant à ses grands centres urbains *les mieux armés*[1] un niveau de service et une capacité d'innovation et de progrès, dont la diffusion peut être bénéfique au développement de vastes régions. »

P. Dumont : L'OREAM du Nord. *La Documentation française.*
Notes et Études Documentaires, n° 3635-36, 15 novembre 1969.

Annexe V.

« Que voulons-nous ? Améliorer l'environnement, protéger la qualité de la vie. Si nous donnons de l'importance à la région, nous allons gonfler les métropoles. Nous allons aggraver les grandes concentrations urbaines, *étioler*[2] les villes moyennes. Voyez Lyon, Marseille, Bordeaux, Lille, qui approchent du million d'habitants ou vont le dépasser. C'est déjà trop : ce qu'il faut favoriser, c'est la ville petite ou moyenne, où il fait bon vivre. Donc il faut privilégier le département, non la région. »

Georges Pompidou, cité par Alain Peyrefitte dans *Le Mal Français* (p. 452).

Annexe VI.

« Le rivage au plus offrant ? Ce serait vite — c'est déjà — la *foire d'empoigne*[3]. Il s'agit désormais de tempérer les appétits antagonistes, de distribuer l'espace pour harmoniser les activités, bref d'aménager le littoral... Ne pas tuer les métiers d'antan car ils sont encore pleins d'avenir, *promouvoir*[4] le tourisme sans laisser les privilégiés s'approprier le rivage, développer les ports et leurs zones industrielles en évitant les mégalopoles invivables, puis faire cohabiter tout cela sans *frictions*[5], telle est la quadrature du cercle. C'est un véritable *défi*[6] que la France a décidé de relever. »

Marc Ambroise-Rendu : L'aménagement du littoral, *Le Monde*,
Dossiers et Documents n° 33, juillet 1976.

Annexe VII.

« Sur la côte du Languedoc-Roussillon, huit stations sont en cours d'aménagement. La capacité d'accueil est de 180 000 lits, dont 35 000 lits «sociaux», de camping et de villages de vacances... Selon M. Racine, la mission interministérielle doit se fixer quatre objectifs : accroître dans les stations la part des logements locatifs pour répondre aux souhaits des grandes agences de voyages, notamment étrangères ; développer les activités de loisirs et d'animation hors saison. Il s'agit de savoir vendre un «produit touristique global» avec des variantes sportives et culturelles ; élargir les efforts vers l'arrière-pays languedocien afin de créer des revenus complémentaires pour les agriculteurs et les artisans ruraux ; maintenir une forme de *tutelle*[7] publique sur chacune des sociétés d'économie mixte chargées de l'aménagement des stations. »

Le Monde, 2 mai 1980.

G5

RÉGIONS, RÉGIONALISMES

Ensembles culturels régionaux.
Les revendications régionalistes.
Évolution de la politique régionale de l'État.

[1] *force, urgence*
[2] *se superposant*
[3] *mélanges*
[4] *pousse*
[5] *produit, provoque*

La France est un État centralisé depuis le XVIIIe siècle. L'unification politique s'est accompagnée d'une uniformisation culturelle systématique qui, malgré tout, n'a pas réussi à faire disparaître les particularismes régionaux. On assiste, depuis la guerre, au réveil de ces particularismes. La question régionale se pose avec *acuité*[1].

● La culture régionale, c'est tout ce qui distingue une région de ses voisines: sa langue, ses coutumes, ses façons de vivre, son patrimoine artistique, sa religion parfois. Les ensembles culturels régionaux sont nombreux en France *s'imbriquant*[2] les uns dans les autres, se distinguant avec plus ou moins de netteté. L'autorité de l'État, en imposant la suprématie de la langue française (qui est, à l'origine, le parler de l'Ile-de-France), la révolution industrielle, en unifiant l'espace, en provoquant de forts *brassages*[3] de population, a condamné ces particularismes, les a confondus avec le folklore et l'archaïsme économique et social. La vie moderne inhumaine, l'uniformisation des valeurs, les grands phénomènes sociaux de masse (comme l'émigration rurale, l'urbanisation, le tourisme, l'accès de tout le monde à l'instruction et à l'information) vont paradoxalement permettre la renaissance de la conscience régionale. L'évolution vers une civilisation de masse, ignorant les individualismes, *incite*[4] les gens à rechercher leur identité sociologique à l'intérieur d'une portion de l'espace, matériellement perceptible, par la recherche des liens qui peuvent les unir à ceux qui partagent leur destin. Au-delà de la connaissance et de la pratique des valeurs culturelles ainsi retrouvées se révèle une prise de conscience d'une communauté d'intérêts, qui renforce le régionalisme. Cette prise de conscience est d'autant plus forte, profonde, que les problèmes que doit affronter le groupe, la région, sont graves. La croissance économique rapide, inégale dans l'espace, *sécrète*[5] en fait les régionalismes. Ce sont les régions délaissées par l'économie moderne qui connaissent les premières cette évolution dans les pays développés. L'aspiration à vouloir «vivre, étudier, travailler au pays» peut être ainsi l'aboutissement de frustrations individuelles et collectives. En France, le régionalisme se développe car il symbolise tout à la fois une forme de lutte contre l'État envahissant, contre le pouvoir de la technocratie parisienne, mais aussi contre une forme de croissance économique qui n'a comme seul principe que la rentabilité qui condamne tout le reste.

ENSEMBLES CULTURELS RÉGIONAUX
Les langues régionales

Flamand
Wallon
Picard
Normand
Lorrain Alsacien
Breton
Berrichon
Poitevin
Romand
Parlers Franco Provençaux
Limousin
Auvergnat
Gascon
Languedocien
Provençal
Basque
Corse
Catalan

ORGANISATION RÉGIONALE

Nord Pas de Calais — Lille
Haute Normandie
Amiens Picardie
Chalons/M
Caen Basse Normandie
Rouen
Metz Lorraine
Strasbourg
Paris Ile de France
Champagne Ardennes
Alsace
Bretagne Rennes
Pays de la Loire
Orléans
Dijon Besançon
Nantes
Centre
Bourgogne Franche Comté
Poitiers
Poitou Charente
Limousin Clermont Fd
Lyon
Limoges
Rhône Alpes
Auvergne
Bordeaux
Aquitaine
Midi Pyrénées
Provence Côte d'Azur
Toulouse
Montpellier Marseille
Languedoc Roussillon
Corse
Ajaccio

● Dans les régions situées à la périphérie du territoire français se manifeste un mouvement en faveur de la renaissance des langues et des cultures régionales. La Bretagne, la Flandre, l'Alsace, le Pays basque ont des cultures différentes dans l'ensemble français. L'occitan, le corse ou le catalan sont des langues romanes au même titre que le français. La langue d'Oc a été une grande langue de civilisation au Moyen Âge comme l'attestent les nombreux poèmes des troubadours, les récits historiques et la grammaire. Toutes ces langues ont dû reculer devant la conquête de la langue officielle, celle de la France du Nord. Ces langues et cultures régionales enseignées maintenant dans les lycées et les universités constituent la base de la conscience régionale. Quand le sursaut culturel va de pair avec un sentiment d'oppression ou d'abandon économique, il peut devenir une manifestation de protestation parfois violente, excessive. Certaines régions reprochent au gouvernement d'ignorer leurs problèmes et de les sacrifier. Elles souhaitent accroître leur pouvoir de décision pour résoudre elles-mêmes leurs difficultés; certains mouvements régionalistes vont jusqu'à réclamer l'autonomie, voire l'indépendance. Ce sentiment est particulièrement exacerbé en Bretagne et en Corse où des groupes armés entretiennent par des actes de terrorisme un climat d'insécurité (Fusillade d'Aléria en 1975, destruction des relais de télévision de Bretagne et de Corse en 1977, des radars de Solenzara et une aile du château de Versailles en 1978, prise d'otage d'Ajaccio en janvier 1980, assassinat d'un haut fonctionnaire par le *FLNC*[1] en 1983, etc.).

[1] *Front de Libération Nationale Corse*

● Depuis 1955, dans le cadre de la politique d'aménagement du territoire, l'État a perçu la nécessité de la décentralisation des pouvoirs. Mais les «circonscriptions d'action régionale» de 1960 ou les «22 régions» de 1972 sont loin de l'esprit régional que connaissent d'autres pays européens tels que l'Allemagne, l'Italie ou l'Espagne. Les régions françaises sont beaucoup plus des unités territoriales facilitant le travail de l'administration de l'État que des entités humaines et économiques responsables de leur destin.
Le Conseil régional, réunissant les élus de la région et les représentants des communes, est dirigé par le Préfet, nommé par le gouvernement. Il a un rôle de conseiller et de coordinateur des travaux conçus ailleurs. Son pouvoir est limité puisqu'il ne dispose que de maigres ressources financières (quelques taxes et des subventions d'État). Une autre institution régionale, le Comité économique et social, a un rôle exclusivement consultatif.
Ainsi la région jusqu'en 1982 n'est pas une véritable unité territoriale. Elle n'est pas non plus une ''collectivité locale'' n'ayant pas le droit de posséder de domaines, de gérer des intérêts régionaux et de se doter d'une administration propre. Elle résulte de la volonté d'un État, au demeurant centralisateur. Cette intransigeance de l'État sert les mouvements régionalistes qui, dépassant le ''droit à la différence'' se battent pour ''vivre, travailler et décider au pays'' et réclament de véritables pouvoirs.

● Les textes de lois votées en 1982 ouvrent une ère nouvelle: les régions deviennent des collectivités territoriales, ''libres et responsables'', administrées par des Conseils régionaux, élus au suffrage universel. La compétence d'un Conseil régional est très étendue, allant des affaires économiques aux problèmes sociaux et culturels (voir annexes). Elu par les conseillers, le Président du Conseil régional prépare et exécute les délibérations du Conseil régional, ordonne les dépenses de la région, dirige et contrôle les services régionaux indispensables à l'exercice de sa tâche. Le Préfet disparaît avec ses anciens pouvoirs, il est dorénavant un ''commissaire de la République'' qui représente l'État dans la région, mais il n'intervient pas dans les affaires régionales. Il veille au respect des lois et dirige les services extérieurs de l'État dans la région (sauf l'enseignement et le Trésor).

Ainsi depuis 1982, une décentralisation des pouvoirs, respectueuse de certains particularismes (Corse, Départements d'Outre-Mer) se met en place. Avec la réforme régionale, la France s'aligne sur la majorité des pays de la CEE. Le cadre législatif existant, il reste maintenant aux régions à montrer leur vitalité, ce qui n'est pas si évident, vu le poids des habitudes et réflexes enracinés dans les traditions.

DOCUMENTS

Annexe I.

« L'effort multiséculaire de centralisation (...) ne s'impose plus. Au contraire, ce sont les activités régionales qui apparaissent comme les ressorts de la puissance économique du pays de demain. »

Ch. de Gaulle, *Discours du 24 mars 1968.*

Annexe II.

« La région doit être conçue non comme un échelon administratif se surimposant à ceux qui existent, mais avant tout comme l'union de départements permettant la réalisation et la gestion rationnelle des grands équipements collectifs. »

G. Pompidou, *Discours à Lyon,* 20 sept. 1970.

Annexe III.

« Le rôle de la région n'est pas d'administrer elle-même, ni de gérer elle-même, ni de substituer son intervention au pouvoir de décision des collectivités locales. »

V. Giscard d'Estaing, *Discours de Dijon,* 24 nov. 1975.

Annexe IV.

« La France a eu besoin d'un pouvoir central fort pour se faire. Elle a besoin de pouvoirs décentralisés pour ne pas se défaire. »

F. Mitterrand, *Ici et Maintenant,* Fayard, 1980.

Annexe V.

« Article 59 : Les régions sont des collectivités territoriales. Elles sont administrées par un conseil régional élu au suffrage universel direct. Le Conseil régional règle par ses délibérations les affaires de la région. Il a compétence pour promouvoir le développement économique, social, sanitaire, culturel et scientifique de la région et l'aménagement de son territoire et pour assurer la préservation de son identité, dans le respect de l'intégrité, de l'autonomie et des attributions des départements et des communes. »

Loi du 2 mars 1982.

1 ''Homme d'oc, parle!''
2 ''La Bretagne doit vivre''
3 plus ou moins
4 entourés, limités
5 irresponsabilité

Annexe VI.

« Les dialectes régionaux sont devenus des patois, soumis qu'ils étaient aux agressions de la langue nationale qui les contaminait et les désagrégeait chaque jour davantage. Or depuis une décennie, un mouvement de renaissance s'affirme : des affichettes fleurissent sur les murs, sur les autos (sur la route des vacances) *''Ome d'oc, parla!''*[1]...*''Breiz o veva''*[2], le breton, l'alsacien, le corse, l'occitan... ont droit de cité au baccalauréat.

N. Melet, Téléinformation, *C.N.D.P.*, 1980.

Annexe VII.

« Malgré notre premier avertissement vous persistez à vouloir demeurer dans notre pays. Or, votre présence est indésirable. Car vous occupez la place d'un Corse ; par votre attitude arrogante, vos propos, votre mentalité, vous participez activement à la colonisation de peuplement. Sachez que vous êtes sous surveillance constante. Aussi, prenez vos dispositions pour rejoindre votre pays d'origine, la France. Il n'y aura pas de 3e avertissement. Partez ! Il est plus que temps. Dès réception de cette lettre vous êtes programmé sur la liste des prochaines éliminations physiques. FLNC. »

Lettre d'intimidation, citée par *l'Express,* janvier 1984.

Annexe VIII.

« Pour l'essentiel, trois types d'acceptation de la région, portés *peu ou prou*[3] par les trois composantes du régionalisme breton : celle des conflits régionaux définissant la région comme regroupement arbitraire de problèmes qui sont en fait traités au niveau du pays tout entier, celle des notables posant l'exigence d'un contrôle de l'évolution économique de la région par des responsables régionaux, celle enfin du mouvement breton affirmant l'existence d'une Bretagne autonome... Le mouvement breton défend l'existence d'une communauté fondée sur l'histoire et la langue, tandis que les conflits régionaux sont *cernés*[4] sur la question de l'emploi. Quant aux notables, ils négocient dans cette affaire leur retraite de la scène politique. »

R. Dulong, *Les Régions, l'État et la Société locale* (p. 21)
Ed. P.U.F., séries politiques, 1978.

Annexe IX.

« Quand Occitans, Corses, Bretons ou Basques nous parlent d'une intolérable oppression, nous avons tendance à sourire : tout ce qui est exagéré est sans importance. Nous devrions plutôt voir que l'oppression ne leur est pas réservée, qu'elle atteint peu ou prou tous les provinciaux. L'autonomie n'est qu'un langage local de la colère...» ... « Les habitants de ces provinces moribondes se pénètrent peu à peu du sentiment de leur aliénation et de leur abandon. Quand l'histoire, la langue, le sentiment d'une différence leur offrent une folle raison d'espérer, peut-on s'étonner qu'ils s'y accrochent en desperados ? Peut-on leur en vouloir ? » ... « Mais la *fuite en avant*[5] des autonomistes risque d'en ruiner les chances. Ils se conduisent comme le nageur en perdition qui, par ses réactions désordonnées, empêche son sauveteur de le ramener au rivage. Ils ne servent en définitive que l'immobilisme des jacobins. Dès qu'ils paraissent menacer l'unité nationale, ils justifient ce qu'ils prétendent combattre : l'omniprésence centralisée. »

Alain Peyrefitte, *Le Mal français* (p. 333-34) Ed. Plon, 1976.

Annexe X.

Les institutions régionales depuis 1982.

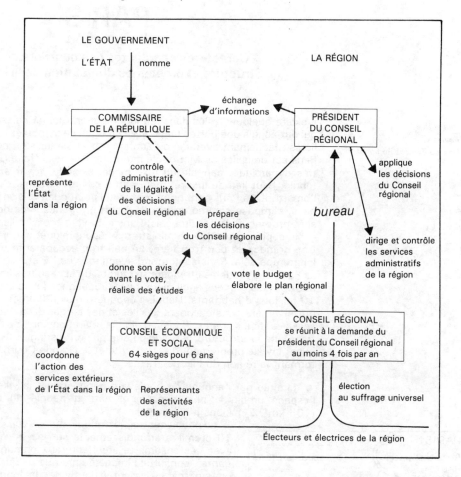

LE GOUVERNEMENT

L'ÉTAT | nomme

LA RÉGION

COMMISSAIRE
DE LA RÉPUBLIQUE

échange
d'informations

PRÉSIDENT
DU CONSEIL
RÉGIONAL

représente
l'État
dans la région

contrôle
administratif
de la légalité
des décisions
du Conseil régional

prépare
les décisions
du Conseil régional

bureau

applique
les décisions
du Conseil
régional

dirige et contrôle
les services
administratifs
de la région

donne son avis
avant le vote,
réalise des études

vote le budget
élabore le plan régional

coordonne
l'action des
services extérieurs
de l'État dans la région

CONSEIL ÉCONOMIQUE
ET SOCIAL
64 sièges pour 6 ans

Représentants
des activités
de la région

CONSEIL RÉGIONAL
se réunit à la demande du
président du Conseil régional
au moins 4 fois par an

élection
au suffrage universel

Électeurs et électrices de la région

PARIS

**Caractères et activités des quartiers de Paris.
Structure et problèmes d'évolution de la banlieue.**

[1] *très active*
[2] *fiévreux*
[3] *Réseau Express Régional*

Il existe quelques villes dans le monde qui ont donné naissance à des mythes, qui ont acquis une portée universelle chargée de symboles et de valeurs particulières, déchaînant aversion ou adoration mais ne laissant personne indifférent: Paris est de celles-ci. Métropole internationale des affaires, centre économique très dynamique, capitale du luxe et de la mode, foyer artistique et littéraire fébrile, haut lieu de luxure, mère patrie des révolutions... Les qualificatifs que l'on attribue à Paris sont nombreux, à tel point que Paris se détache presque du pays, s'impose comme un monde à part en France avec des caractères qui lui sont propres. Pour les Français, Paris est avant tout l'indispensable, l'irremplaçable capitale politique, administrative, économique, culturelle, sociale; un peu trop grande, un peu trop fière, un peu trop accaparante peut-être, car depuis longtemps déjà, Paris se confond avec l'idée de l'État.

Le Paris des touristes étrangers se réduit à un espace très limité. En fait Paris est une des plus grandes agglomérations européennes (avec Londres et Moscou) de 10 millions d'habitants. Depuis l'époque romaine (Lutèce) la ville s'étend progressivement, en s'éloignant des îles et des berges de la Seine par auréoles successives, et les limites, floues, de l'agglomération sont à plus de 30 km du centre. Dans la structure de l'agglomération, on distingue trois zones concentriques: la ville proprement dite, la Petite et la Grande Couronne. Ensemble, elles forment la région de l'Ile-de-France.

● Limitée par l'anneau du boulevard périphérique, la ville de Paris constitue l'espace urbain le plus densément bâti et peuplé du monde industrialisé (105 km², 2 millions d'habitants).

— Le noyau central, historique, sur les deux rives de la Seine (les 10 premiers arrondissements sur les 20 que compte la ville), avec ses ensembles architecturaux prestigieux et sa vie *trépidante*[1], constitue l'image de marque de Paris. Sur la rive droite, courant parallèlement à la Seine, la longue perspective des Champs-Élysées est jalonnée par l'Arc de Triomphe (Place Charles de Gaulle), la place de la Concorde, les Jardins des Tuileries et le palais du Louvre. Tout autour de cet axe structurant et surtout au nord de celui-ci se trouve le quartier des affaires avec des magasins de luxe (Champs-Élysées, rue Royale, place Vendôme, rue du Faubourg-St-Honoré, rue de Rivoli...) des banques et les sièges sociaux des grandes entreprises industrielles et commerciales. Un peu plus à l'est, à partir de la Madeleine et de l'Opéra, les Grands Boulevards, très animés, concentrent cinémas, théâtres, grands magasins et boutiques. Plus au nord, en contrebas de Montmartre, le quartier de Pigalle reste un des centres *névralgiques*[2] de la vie nocturne de la capitale. Près de la Seine, à un point critique de la circulation urbaine (croisement des axes nord-sud et est-ouest, ainsi que des lignes de *RER*[3] et de

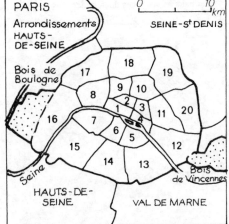

PARIS
Arrondissements
HAUTS-DE-SEINE
Bois de Boulogne
SEINE-St DENIS
HAUTS-DE-SEINE
VAL DE MARNE
Bois de Vincennes
Seine

métro) on a construit au début des années 1980 l'immense complexe commercial et culturel, le Forum des Halles, sur l'emplacement de l'ancien marché central de la capitale. A proximité, après sa rénovation totale, le quartier médiéval du Marais est destiné à remplir un rôle culturel (Centre Pompidou, place des Vosges). Les rives de la Seine ont pu échapper à l'agitation quotidienne débordante : les nombreux ponts, les îles Saint-Louis et de la Cité avec la cathédrale Notre-Dame, l'alignement des palais, tours et églises constituent toujours un paysage urbain émouvant et mouvementé. Sur la rive gauche, deux quartiers typiques se juxtaposent. Face à Notre-Dame, le Quartier latin est le centre culturel, avec des universités (Sorbonne...), les grandes écoles, les maisons d'édition, les librairies spécialisées, alternant avec des petits restaurants et centres de distraction, le long des boulevards Saint-Michel et Saint-Germain, autour de Saint-Germain-des-Prés et dans des rues intersticielles. A côté de ce quartier très animé, apprécié d'une clientèle jeune et cosmopolite, faisant face à la Concorde, s'étale jusqu'à la tour Eiffel, les Invalides et le Luxembourg, le très sérieux quartier administratif avec ministères et centres de décision (Chambre des Députés, Matignon, Sénat). En arrière de ces deux zones, centré sur la tour Montparnasse, un nouveau quartier commercial et culturel est en formation.

— Les arrondissements périphériques de Paris sont essentiellement résidentiels, mis à part Montmartre, avec le Sacré-Cœur et les cafés typiques, lieux de rendez-vous des artistes et des touristes. L'opposition est très nette — et cela malgré les travaux de rénovation — entre les quartiers résidentiels à haut niveau de vie à l'ouest (surtout le 16e arrondissement) et les quartiers essentiellement ouvriers et industriels à l'est (surtout les 19e et 20e arrondissements).

● La proche banlieue, appelée ''Petite Couronne'' comprend les départements de Hauts-de-Seine, Seine-Saint-Denis et Val-de-Marne (656 km², 4 millions d'habitants). Fortement soudée à la ville de Paris, mais administrativement indépendante (123 communes), elle constitue une zone hétéroclite où se mélangent usines de toutes sortes, services tertiaires encombrants, lotissements pavillonnaires de l'entre-deux-guerres et grands ensembles récents. L'activité industrielle est essentielle, surtout au nord et au sud-ouest. La population de cette banlieue proche, assujettie aux migrations quotidiennes souffrait beaucoup des conditions de transport et du sous-équipement en services. Depuis le début des années 1970, la mise en place du réseau RER et d'autoroutes, liée aux nouveaux centres d'affaires et de services de la banlieue (La Défense-Nanterre, Saint-Denis, Bobigny, Rosny-sous-Bois, Choisy-le-Roi, Créteil) a sensiblement amélioré la situation.

— La ''Grande Couronne'' (Seine-et-Marne, Yvelines, Essonne, Val d'Oise, 11 250 km², 4 millions d'habitants) est d'urbanisation plus récente, en plein développement le long des vallées et axes rapides de transport où elle atteint et incorpore d'anciennes villes (Versailles, Pontoise, Fontainebleau...) et zones agricoles riches. La création de ''villes nouvelles'' (Cergy-Pontoise, St-Quentin-en-Yvelines, Evry, Melun-Sénart, Marne-la-Vallée) essaie de canaliser cette fâcheuse tendance.

AGGLOMERATION ET REGION PARISIENNE

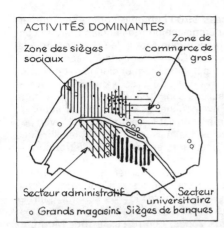

ACTIVITÉS DOMINANTES

Zone des sièges sociaux

Zone de commerce de gros

Secteur administratif

Secteur universitaire

○ Grands magasins   Sièges de banques

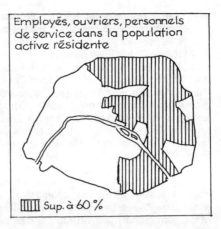

Employés, ouvriers, personnels de service dans la population active résidente

||||| Sup. à 60 %

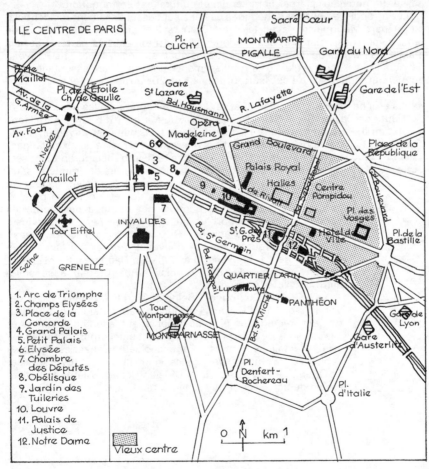

LE CENTRE DE PARIS

Sacré Cœur

Pl. CLICHY

MONTMARTRE PIGALLE

Gare du Nord

Gare de l'Est

Porte Maillot

Pl. de l'Étoile - Ch. de Gaulle

Av. de la G. Armée

Av. Foch

Av. Necker

Gare St Lazare

Bd. Haussmann

R. Lafayette

Opéra

Madeleine

Grand Boulevard

Place de la République

Chaillot

Palais Royal

Tour Eiffel

INVALIDES

Halles

La Rivoli

Centre Pompidou

Pl. des Vosges

Pl. de la Bastille

GRENELLE

Bd. St Germain

Bd. Raspail

St. G. des Prés

Hôtel de Ville

Seine

QUARTIER LATIN

Luxembourg

PANTHÉON

Gare de Lyon

Tour Montparnasse

Bd. St Michel

Gare d'Austerlitz

MONTPARNASSE

1. Arc de Triomphe
2. Champs Elysées
3. Place de la Concorde
4. Grand Palais
5. Petit Palais
6. Elysée
7. Chambre des Députés
8. Obélisque
9. Jardin des Tuileries
10. Louvre
11. Palais de Justice
12. Notre Dame

Pl. Denfert-Rochereau

Pl. d'Italie

Vieux centre

O N km 1

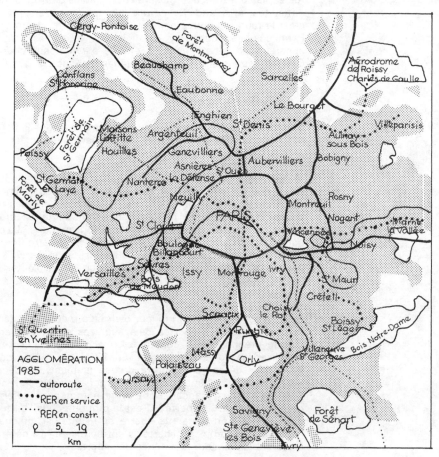

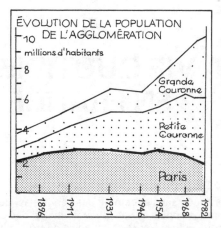

ÉVOLUTION DE LA POPULATION DE L'AGGLOMÉRATION

millions d'habitants

Grande Couronne

Petite Couronne

Paris

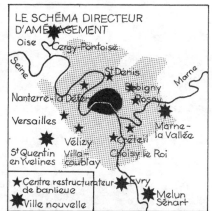

LE SCHÉMA DIRECTEUR D'AMÉNAGEMENT

Oise
Cergy-Pontoise
St Denis
Marne
Bobigny
Rosny
Nanterre-la Défense
Versailles
Marne-la Vallée
Vélizy
Créteil
St Quentin en Yvelines
Villacoublay
Choisy le Roi
Evry
Melun Sénart

★ Centre restructurateur de banlieue
Ville nouvelle

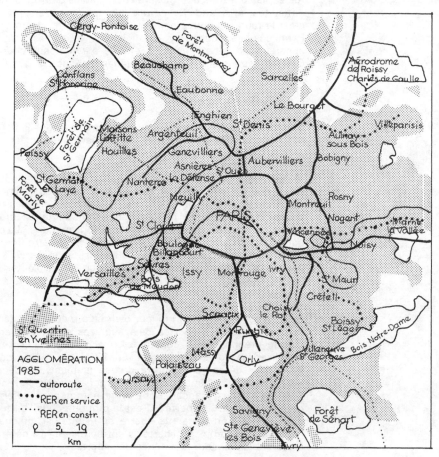

AGGLOMÉRATION 1985
— autoroute
•••• RER en service
···· RER en constr.

0   5   10
km

5
LA VIE QUOTIDIENNE
EN FRANCE

La vie quotidienne en France est celle de 55 millions de vies, autant de cas d'espèces. Ils ont tous sans exception des servitudes, des plaisirs, des loisirs et des rêves. Ils ont des soucis et des revendications, des certitudes et des inquiétudes. Ils sont tous débrouillards et capables de trouver une parade à toutes les difficultés, et quand *d'aventure¹*, ils ne réussissent pas, ils pensent tous que c'est la faute du gouvernement, du ''système'', des autres...

Parmi les préoccupations quotidiennes, certaines sont constantes, d'autres apparaissent, s'amplifient ou encore s'estompent pour devenir secondaires. Chaque époque a ses caractéristiques, ses modes, ses tendances.

I. Les valeurs constantes

Quand on interroge les Français pour savoir à quoi ils tiennent le plus dans leur définition du bien-être, ils placent invariablement la santé, la liberté et l'amour dans les trois premières positions.

● La santé peut paraître surprenante en première position. C'est peut-être parce que nous sommes mieux informés et mieux soignés que nous sommes plus inquiets. La préoccupation de santé n'est-elle pas une sorte d'inquiétude devant la *détérioration²* de l'environnement par la pollution, l'urbanisation inhumaine, le genre de vie déséquilibré que nous menons ? La découverte et la propagation de nouvelles maladies — comme le SIDA — renforce cette angoisse. Pour préserver la santé on ne lésine pas sur les dépenses : 7 % de dépenses de santé dans le budget familial en 1960, 18 % en 1985. Toutes les médecines sont en forte croissance y compris la médecine parallèle. La santé n'a pas de prix et souvent pas de logique non plus.

● La liberté existe en France, bien plus même que dans beaucoup de pays, mais préserver les libertés déjà acquises et en acquérir d'autres reste plus qu'une préoccupation constante, une gloire de l'esprit français, capable de mobiliser les volontés d'action. En 1984, un million de personnes défilent à Paris pour défendre la liberté d'enseignement, en décembre 1986 presque autant de jeunes, venus de toute la France, manifestent pour la liberté d'accès à l'université. Les Français sont prêts à tout pour défendre les libertés. Mais peut-on partager la liberté ? C'est la pratique de la liberté au jour le jour qui est difficile. Peut-on parler de liberté suffisante, si chaque individu possède sa liberté et que toutes les libertés s'entrecroisent ? La défense acharnée des privilèges est-elle encore la défense des libertés ?

● L'amour, le troisième argument de vie, rejoint l'idée de liberté. C'est par la libération de l'amour que la jeunesse actuelle est en train de changer la société. Elle *aspire à*[1] plus de générosité, moins d'hypocrisie dans les sentiments et les rapports avec autrui. Cet amour sans contraintes extérieures, ce couple librement consenti choisit des valeurs éternelles comme buts : fidélité, *abnégation*[2], partage.

2. Les idées nouvelles

A côté de ces valeurs sûres, des idées qui montent et d'autres qui sont en disgrâce dans l'opinion.

● La France des années 1980 découvre des ''coups de cœur'', le besoin d'aider et de comprendre son voisin et un formidable élan de générosité sincère et renouvelé marque ces dernières années. La mobilisation massive des Français lors des campagnes de SOS-Racisme (''Touche pas à mon pote!''), des ''Restaurants du cœur'', les dons recueillis pour l'Éthiopie ou pour les ''sans familles'' de *Jean-Luc Lahaye*[3] en sont des preuves, entre autres. Mais au-delà des actes nécessitant une générosité matérielle, les Français découvrent ainsi le besoin de s'ouvrir, d'aller vers leurs compatriotes, ce dont témoigne la renaissance de la vie associative.

1espère, attend
2sacrifice moral de soi
3chanteur français de variétés
4grand nombre
5artistes de variétés
6célèbre homme d'affaires
7attirés
8montre son mécontentement

● Les Français ont de plus en plus besoin de communiquer, participer, prendre la parole, écouter les autres. Le *foisonnement*[4] des nouveaux médias favorise ces expressions éclectiques. Le succès des radios libres, du ''Minitel'', des chaînes de télévision privées présagent d'autres ouvertures dans l'avenir.

● Les messages idéologiques ou institutionnels — partis, syndicats — sont de moins en moins perçus ; on souligne partout la dépolitisation, la crise des idéologies, la disparition des militants, la fin des actions collectives programmées et dirigées. Les jeunes ne rêvent plus de révolution. Non pas qu'ils trouvent que le monde va bien, mais à l'action globale ils préfèrent les objectifs concrets, des actions ponctuelles où l'on peut évaluer l'impact de son geste. Les nouveaux héros, dont le message passe, sont des gens simples et sincères, qui ne proposent pas des théories, mais des actions au quotidien : *Coluche, Renaud, Yves Montand*[5], *Bernard Tapie*[6]...

● Longtemps les Français attendaient tout de l'État, de 'l'État-providence''. Mais l'État a fini par tout envahir, étouffant totalement les initiatives et les responsabilités sans pouvoir trouver des solutions aux problèmes. *Épris*[7] d'autonomie et d'indépendance — une valeur en forte hausse — le citoyen *regimbe*[8], dénonce le mal bureaucratique, les excès de réglementation absurde, l'empiètement sur les libertés. Partout on assiste à la montée de l'esprit d'entreprise, à la glorification des initiatives, l'exemplarité de la réussite professionnelle. Le profit, l'argent gagné rapidement — si mal vu il y a encore dix ans — est tout à fait accepté. L'efficacité, la mobilité individuelle remplacent les avantages collectifs, le consensus et l'enracinement.

3. Les grandes inquiétudes

Les grandes inquiétudes des Français des années 1980 concernent surtout le chômage et l'insécurité.

● Le chômage est apparu avec la crise économique en 1974. Depuis, le nombre de chômeurs n'a cessé d'augmenter, dépassant le chiffre de deux millions et demi en 1986. Les estimations concordent : même si la situation économique s'améliore, le chômage ne baissera de façon notable que bien après 1990. Cette incertitude devant l'avenir touche beaucoup plus les jeunes que les autres catégories de la société. Au-delà de la question du chômage, l'inquiétude symbolise la peur de l'avenir imprévisible, cet avenir qui exige probablement la remise en cause des habitudes, des traditions de vie, de travail, de comportement.

● L'insécurité de l'avenir se double de l'insécurité quotidienne du présent. Inquiétude devant le nombre croissant de cambriolages, d'agressions, de viols. Angoisse des parents devant l'extension de la consommation de drogues, l'attraction des *sectes*[1]. Choc collectif devant la recrudescence des attentats terroristes dont la France (et surtout Paris) devient le siège depuis 1982. Cette inquiétude ne se traduit pas forcément dans des réactions : un Français sur deux refuse de faire des dépenses pour se protéger ou protéger ses biens, 10 % considèrent seulement que la possession libre des armes à feu est un moyen efficace, ils ne sont que 2 % pour *opter*[2] pour la création d'une milice privée. La majorité d'entre eux estime qu'il faut lutter contre l'insécurité en donnant à la police des moyens *appropriés*[3], et près de la moitié pense que l'insécurité est liée au chômage, aux conditions d'habitation et qu'il est possible d'y remédier.
Tout compte fait, la France reste optimiste : 85 % des gens interrogés se disent heureux, sans problème majeur.

[1] *groupes religieux fermés*
[2] *choisir*
[3] *adaptés*

138

Q1

LA SANTÉ

**Les progrès de l'équipement médico-hospitalier.
La Sécurité sociale, institution fondamentale.
Évolution de la ''consommation'' de santé.**

[1] *contagieuses*
[2] *peu graves*
[3] *nombre de décès d'enfants de moins d'un an par rapport à 1 000 naissances*
[4] *prix de consultation*
[5] *faiblesse, altération*
[6] *sommes d'argent versées par l'État*

Toutes les enquêtes et sondages récents montrent que les Français tiennent aujourd'hui la santé pour une priorité absolue, pour laquelle ils sont prêts à tous les sacrifices.

● Des progrès considérables ont été accomplis depuis la guerre dans le domaine médical. Les grandes maladies réputées incurables ont trouvé des solutions, la plupart des maladies *infectieuses*[1] ont disparu ou sont devenues *bénignes*[2], la médecine a pénétré des domaines qui semblaient naguère ceux de la science-fiction : chirurgie du cerveau, du cœur, remplacements d'organes vitaux. Le résultat de ces progrès constants est la meilleure santé de la population, la diminution de la mortalité (*la mortalité infantile*[3] a baissé de 5 à 1 %), l'allongement de la durée de vie (71 ans en moyenne en 1985 pour les hommes et 79 ans pour les femmes).
Ces résultats obtenus doivent beaucoup à la densification de l'équipement médico-hospitalier. En 1980 quelque 900 hôpitaux publics et plus de 2400 établissements privés offrent un nombre de lits disponibles parmi les meilleurs du monde (90 habitants par lit), de même la densité de médecins (480 habitants par médecin) et du personnel des services médicaux a plus que doublé dans les vingt dernières années. En comptant l'industrie pharmaceutique, 1 250 000 personnes travaillent dans le domaine de la santé, chiffre plus élevé que dans l'agriculture !
L'accès de tout le monde à la médecine et aux soins hospitaliers est un facteur important dans la voie de l'égalité sociale. Grâce à la création de la Sécurité sociale et surtout de l'élargissement progressif de services compétents, actuellement l'ensemble de la population bénéficie de la garantie sociale assurée par le budget social de l'État.

● La Sécurité sociale, mise en place en 1945, est une institution fondamentale dans la vie quotidienne des Français, où elle intervient dans beaucoup de circonstances : maladies, maternité, cas d'invalidité ou de décès, accidents de travail, pour ainsi dire dans chaque moment important de la vie familiale. En ce qui concerne son rôle purement médical elle rembourse les *honoraires*[4] de médecins, les dépenses d'hospitalisation, les achats des produits pharmaceutiques, elle verse des indemnités en cas d'arrêt de travail lié à une *déficience*[5] de santé, et accorde des *pensions*[6] d'invalidité ; elle couvre les frais de grossesse et d'accouchement et elle paye les congés de maternité. Mais la Sécurité sociale a une finalité plus grande : retraite, assurance vieillesse, indemnité de chômage, différents types d'allocations familiales. Le budget de la Sécurité sociale est démesuré : il représente le cinquième du revenu national. Les neuf dixièmes des recettes proviennent des cotisations, le restant est couvert par l'État et des revenus divers.
La participation des employeurs et employés représente 50 % du salaire brut, la plus grande partie étant à la charge de l'employeur.

Évolution des dépenses totales de santé en % du PIB			
	1960	1970	1983
États-Unis	5,3	7,6	10,8
Suède	4,7	7,3	9,6
France	4,3	6,1	9,3
Pays-Bas	3,9	6,0	8,8
R.F.A.	4,8	5,7	8,4
Canada	5,5	7,2	8,2
Italie	3,8	4,5	7,4
Japon		4,6	6,9
Royaume-Uni	4,0	4,6	6,2

La Sécurité sociale, en contrepartie de ces cotisations, offre des prestations qui couvrent, en 1983, 72 % de la consommation médicale. Le développement des mutuelles et assurances complémentaires permet d'augmenter le taux de couverture à 77 % en moyenne, mais plus de 40 % de la population obtient le remboursement intégral des frais de santé. Le niveau des prises en charge n'est pas uniforme selon les catégories de la population : parmi les Français les mieux protégés, on trouve les *affiliés*[1] aux régimes spéciaux (mines, SNCF) ; les salariés et, parmi eux, surtout les cadres moyens et supérieurs et leurs enfants, grâce à un recours beaucoup plus fréquent à une protection complémentaire. Les moins bien assurés sont les jeunes de 18 à 25 ans, certaines catégories de personnes âgées, les ménages agricoles et les faibles revenus.

[1] qui bénéficient de

● La croissance de la consommation médicale a été spectaculaire dans les 30 dernières années, passant de 3 % à 9 % du PIB, suivant un rythme plus rapide que celui du niveau de vie. Les consommateurs considèrent les dépenses de santé comme prioritaires, quel qu'en soit le coût, d'autant plus facilement d'ailleurs qu'ils ont l'impression de la gratuité de l'acte. Pour un moindre mal de tête, on court chez le médecin, tout content de son médecin quand l'ordonnance est bien remplie (prescrire de l'aspirine serait preuve d'un diagnostic incomplet) ; les pharmacies de famille débordent de médicaments utilisés sans discipline pendant ou hors prescriptions.
Ce gaspillage institutionnalisé par la société de consommation est le facteur d'explication du coût le plus évident. D'autres causes interviennent avec plus ou moins de force : le vieillissement de la population qui détermine des soins plus nombreux et plus longs ; l'accroissement du nombre de médecins qui multiplie les actes ; le coût des nouvelles techniques médicales ; le renforcement des prestations paramédicales ; l'amélioration du niveau de vie et d'instruction favorisant le recours aux soins ; la société qui fabrique et entretient des maladies, l'industrie pharmaceutique qui inonde le marché de produits sans cesse renouvelés et plus chers, etc.
La dépense des soins médicaux relève pour à peu près quatre cinquièmes d'un financement collectif essentiellement public. L'augmentation des dépenses (15 % en moyenne annuelle entre 1950 et 1984) est en fait supportée par la Sécurité sociale qui se trouve ainsi en déficit chronique. Le problème de la maîtrise des dépenses de santé se pose à la société de façon impérative.
Les Français tiennent à l'assurance-maladie obligatoire et contrôlée par l'État, de même qu'à la médecine libérale et au paiement de l'acte médical. Face à ces exigences, les solutions ne sont pas infinies : soit l'État réduit les prestations, soit les Français doivent payer davantage.
Outre l'augmentation des cotisations, toute une série de médicaments ou de prestations de santé ne sont que faiblement ou pas du tout remboursés par la Sécurité sociale. Les honoraires des médecins sont fixés par l'État après des négociations collectives, les augmentations accordées sont régulièrement inférieures au taux d'inflation (en 1985, + 3,6 % accordés) pour la médecine conventionnée (85 % des médecins). Les dépenses hospitalières (la moitié des dépenses de santé) sont particulièrement surveillées : un forfait hospitalier, non remboursable, a été instauré en 1983, et on parle de plus en plus de la privatisation du système de financement.

Évolution des dépenses totales de santé en France		
	Part dans la consommation des ménages %	Dépense par habitant F constant 1982
1950	4,5	588
1960	6,6	1241
1970	9,4	2794
1975	10,9	3868
1980	11,8	4907
1982	12,3	5300

Sources : INSEE et CREDOC

DOCUMENTS

Annexe I.

[1] dégâts, dommages

«Difficultés scolaires, inadaptation sociale, délinquance, contraception, allège-ment des troubles de la ménopause, interruption de grossesse, chirurgie répara-trice des formes et des fonctions, rééducation physique ou psychique, diététi-que, lutte contre la pollution, conseil conjugal ou génétique, orientation profes-sionnelle, hygiène de vie, urbanisme, éducation sanitaire et prévention, pren-nent déjà et prendront plus encore une place importante dans un système de santé orienté primitivement vers une optique essentiellement curative.»

Dr Escoffier-Lambiotte : La politique de la santé
Le Monde, Dossiers et Documents n° 36, 1976.

Annexe II.

«Lorsque le remboursement des frais est total, le malade peut acheter les médi-caments sans compter, jeter les boîtes non utilisées, demander des congés de maladies pour un simple rhume. Ce phénomène est bien connu en assurance : il s'agit du «risque moral». L'assuré bien protégé a tendance à aggraver, lorsque la surveillance de l'assureur n'est pas stricte, la fréquence et la gravité des *sinis-tres*[1]. C'est ce que savent tous les automobilistes qui ont une couverture tous risques. Il serait stupide de prétendre que les assurés sociaux choisissent d'être malades, mais il est incontestable que, lorsque la protection augmente, la con-sommation médicale s'accroît, car elle est apparemment gratuite.»

J.J. Rosa, *L'Express,* 20-26 octobre 1979.

Annexe III.

Cotisations obligatoires à la Sécurité sociale, 1.1.1985

Charges	Taux		Plafond en F.	
	Employeur %	Salarié %	Base annuelle	Base mensuelle
Assurance maladie, invalidité, décès	12,60	5,50	totalité du salaire	
Assurance vieillesse	8,20	5,50	97.320	8.110
Assurance veuvage	—	0,10	totalité du salaire	
Allocations familiales	9,00	—	97.320	8.110
Accidents du travail	% variable	—	97.320	8.110

Annexe IV.

«Malgré des progrès récents, la mortalité d'origine alcoolique et celle par acci-dents de la route reste aujourd'hui supérieure à celle des années 50, et celle par suicides est en forte hausse (43 % de 1976 à 1983) : il y a eu en 1983 autant de décès par suicides que par accidents de la route, 11 800 pour chacune de ces deux causes, avec dans les deux cas une importante prédominance du sexe masculin.»

M.L. Lévy, *Population et sociétés,* n° 192, juin 1985.

Annexe V.

« La définition même de la maladie a changé. La frontière entre le normal et le pathologique a évolué, en liaison avec les médicaments, mais aussi avec d'autres phénomènes, comme le développement des connaissances en biologie ou les nouveaux systèmes d'exploration du corps. Les Français vivent plus vieux : certaines maladies sont plus fréquentes du fait de la longévité, les maladies ''de jeunes'' disparaissent, ou du moins ne posent plus de problèmes, grâce notamment aux antibiotiques. »

André Mizrahi, Arié Mizrahi, *La Consommation médicale :
microéconomie*, PUF, coll. l'Économiste, 1982.

Annexe VI.

« Traditionnellement, hôpital public et clinique privée vivaient sur la base d'une complémentarité sociale. Si l'extension de la couverture sociale permet aux cliniques privées d'étendre le champ de leur clientèle vers des classes de niveau moins élevé, l'hôpital public poursuit l'évolution inverse et ouvre ses portes à l'ensemble des classes sociales pour la première fois de son histoire. Cette évolution est rendue possible par :
— la possibilité de choix que constituent au sein de l'hôpital public les formules telles que les cliniques ouvertes et le secteur privé des médecins à temps plein. A cela s'ajoute la possibilité assez large de recourir à l'hôpital de son choix fondé sur la réputation de tel ou tel médecin ;
— l'humanisation des conditions d'accueil. Traditionnellement réputé pour sa qualité médicale, l'hôpital public a su améliorer son *image de marque*[1] hôtelière et sociale. »

J. Imbert (dir.) : L'hôpital dans le contexte socio-économique de 1985,
La Revue hospitalière de France, n° 386, décembre 1985.

[1] renommée
[2] dépendent
[3] rentable

Annexe VII.

« Les établissements hospitaliers *relèvent*[2] davantage du secteur public dans un certain nombre de pays. Les hôpitaux sont nationalisés au Royaume-Uni depuis 1948. Au Danemark, en Finlande, en Suède et en Suisse, ils dépendent des collectivités locales dans leur grande majorité. Néanmoins, le secteur privé, *lucratif*[3] ou non, joue encore un rôle très appréciable dans l'hospitalisation. Beaucoup d'établissements appartiennent au secteur privé non lucratif en Allemagne Fédérale, en Belgique, au Canada, en Espagne, aux Pays-Bas, entre autres. Le partage avec un secteur privé lucratif important, comme en France, est plus rare. Il se rencontre notamment au Japon et aux États-Unis. »

P. Mouton : Analyse comparée des systèmes de santé,
Futurible, oct-nov. 1985, et Problèmes économiques n° 1966,
La Documentation Française, 19 mars 1986.

Q2

LA PRESSE QUOTIDIENNE D'INFORMATION

**Le marché des quotidiens. Le journalisme d'opinion.
La presse parisienne et provinciale.
L'évolution de la presse.**

L'information joue un rôle essentiel dans la vie de tous les jours ; elle est même un des symboles de notre civilisation car elle est en grande partie le support de la « consommation de masse ». Les formes d'information se multiplient et le progrès est incessant. La plus ancienne des sources et qui continue à toucher un très large public est la presse quotidienne.

[1] *faible*
[2] *de toute manière*
[3] *évidente, incontestable*

● Près de cent journaux paraissent tous les jours en France, diffusant quelque dix millions d'exemplaires. Ce chiffre impressionnant en soi est *dérisoire*[1] comparé à celui des autres grands pays. Il y a deux fois plus de journaux vendus en Grande-Bretagne, cinq fois plus au Japon, six fois plus aux États-Unis. Si l'on calcule le nombre d'exemplaires vendus par rapport à la population, la France ne vient qu'en seizième position avec 200 exemplaires pour 1 000 habitants, alors qu'elle était en tête au début du siècle.

Le marché des quotidiens français est caractérisé par la stagnation, sinon la régression depuis la Première Guerre mondiale, contrairement aux autres pays où l'expansion est régulière jusque vers les années 1970. Les causes, multiples, tiennent d'une part à la faiblesse des structures financières de la presse, l'exploitation insuffisante de la publicité, d'autre part au désintérêt général d'un public pour les biens de consommation culturels écrits — qui, *en tout état de cause*[2], préfère la télévision — et enfin au fait que les quotidiens en France, par leurs contenus souvent similaires, sont directement concurrencés par les journaux périodiques.

En effet, le journalisme français, contrairement au journalisme anglo-saxon ou germanique, est beaucoup plus un journalisme d'opinion que d'observation. L'événement pur, la description des faits sont moins importants que leur contexte. L'enquête est préférée au reportage, l'analyse au récit.

Cette tendance traditionnelle du journalisme en France s'explique par le fait qu'il y a toujours été considéré comme une forme littéraire (voir le nombre de journalistes qui deviennent romanciers) et aussi parce que le quasi monopole de l'État sur des services d'information (Agence France-Presse) oriente vers le commentaire critique.

Si, de façon générale, la stagnation de la presse quotidienne est *notoire*[3], l'analyse approfondie montre un double phénomène : tandis que les éditions parisiennes de diffusion nationale voient diminuer leur audience, la presse de province ne cesse d'accroître la sienne. Cette presse est indépendante (c'est tout récemment seulement que l'on assiste à quelques signes de concentration de grandes maisons parisiennes) contrairement aux chaînes de diffusion existant dans d'autres pays, elle est peu orientée politiquement et elle a réussi à trouver sa forme d'expression avec la multiplication d'éditions locales.

● Les quotidiens nationaux sont tous parisiens, une dizaine de journaux de toutes tendances et sous toutes les formes. Certains sont nettement orientés politiquement, servant plus une doctrine que l'information ; c'est le cas surtout des journaux d'extrême gauche, mais aussi l'*Humanité,* organe du parti communiste français, tirant à quelque 200 000 exemplaires.

D'autres journaux, sans être l'organe de la diffusion d'une idéologie, sont marqués politiquement ; *Le Matin* (210 000) est proche des idées du Parti Socialiste, *le Figaro* (420 000) exprime ses sympathies pour les analyses politiques du centre-droit, enfin *le Monde* (560 000), considéré par beaucoup comme le meilleur journal d'information, se trouverait favorable à la gauche modérée. *Le Parisien Libéré* (420 000) ou surtout *France-Soir* (560 000), derrière leurs apparents refus d'engagement politique, ont toujours été gouvernementaux. *La Croix* (120 000) maintient la tradition du journalisme catholique de qualité.

La presse de province demeure solide, grâce à une clientèle fidèle et une position de monopole dans sa zone d'influence. Étant spécialisée dans les nouvelles régionales, elle dispose d'un réseau étendu et indépendant de sources d'information, et vue la structure de la télévision française, elle ne craint pas la concurrence. Une quinzaine tirent à plus de 200 000 exemplaires, dont *Ouest-France* qui, avec 780 000, est le plus grand quotidien régional de France.

● La presse française traverse une période de difficultés, que signale l'apparition *éphémère*¹ de journaux (*Combat socialiste, Quotidien du Peuple, J'informe*), de graves crises de survie (*Libération, Aurore, Quotidien de Paris*), de longs conflits sociaux (deux ans de grève au *Parisien Libéré*), les augmentations très rapides de prix (1 F en 1974, 2 F en 1980, 4,50 F en 1986 pour les quotidiens nationaux), les mutations de propriété et de rachats en série (restructuration du groupe Hachette, renforcement du groupe Hersant, etc.). Ces difficultés sont liées au retard dans la modernisation des structures des entreprises, l'augmentation des coûts avec la crise économique (exemple du prix du papier), l'insuffisance de la publicité. L'État accorde des subventions (15 % des recettes de la presse) pour maintenir certains journaux peu attirés par la publicité (comme *la Croix* ou l'*Humanité*).

Un autre handicap pour la presse écrite est la multiplication de moyens audiovisuels. L'abandon du monopole d'État sur la télévision (1982), la naissance des radios locales privées (1982) et l'autorisation de la publicité dans leur programme (1984), l'arrivée prochaine des réseaux télématiques et des télévisions privées inquiètent beaucoup, car la lutte devient plus âpre pour maintenir les lecteurs et attirer les indispensables annonceurs de publicité.

La presse doit nécessairement évoluer pour se maintenir. Les charges financières contraignent la formation des grands groupes de presse, au détriment d'une certaine liberté et indépendance d'opinion chère à la France (ordonnance du 26 août 1944 sur la pluralité de la presse). La dimension des groupes de presse français reste modeste par comparaison à celle des autres pays européens, et, une certaine stabilité dans les rapports de force a marqué les années d'après-guerre. La crise économique et la révolution audiovisuelle *ébranlent*² cet équilibre en accélérant le processus de concentration dont le groupe Hersant est le principal bénéficiaire, en possédant en 1986 trois quotidiens parisiens, *Le Figaro* (acheté en 1975), *France-Soir* (1976) et l'*Aurore* (1978), une dizaine de quotidiens de province, dont *le Dauphiné Libéré* (1982) et *le Progrès de Lyon* (1986) tirant à plus de 400 000 exemplaires chacun, et de nombreux hebdomadaires et magazines. La gauche au pouvoir a mené une campagne de sensibilisation pour préserver la pluralité et la transparence de la presse, ce qui, après dix mois de bataille législative, a abouti à la loi du 23 octobre 1984, susceptible de ne jamais être appliquée.

DOCUMENTS

Annexe I.

Les quotidiens parisiens.

Titre	Année de création	Tirage en mille 1982	Diffusion en mille		% abonnés 1982	% vente à Paris
			1982	1984		
Le Monde	1944	563	400	357	20,5	43,5
France-Soir	1944	569	410	405	1,1	66,5
Le Figaro	1866	414	343	366	23,5	59,4
Le Parisien libéré	1944	426	337	339	7,4	79,0
L'Équipe (sport)	1944	329	235	241	1,8	41,0
Le Matin	1977	218	175	140	39,6	60,5
L'Humanité	1904	199	140	117	27,4	44,0
La Croix	1880	125	114	114	87,1	26,4
Libération	1973	—	75	116	—	58,0
Le Quotidien de Paris	1974	110	65	80	—	80,0
Les Échos (économie)	1908	80	67	72	—	56,9

Sources : OJD et CESP

Annexe II.

Répartition des quotidiens de province.

LA PRESSE QUOTIDIENNE RÉGIONALE
Zone de vente dominante

Quotidiens de province
diffusion en 1984 (chiffres en mille)

1. Ouest-France (Rennes) 723
2. La Voix du Nord (Lille) 374
3. Le Dauphiné libéré
   Grenoble) 361
4. Sud-Ouest (Bordeaux) 356
5. Le Progrès (Lyon) 288
6. La Nouvelle République
   du Centre-Ouest (Tours) 270
7. L'Est républicain (Nancy) 252
8. Nice-Matin (Nice) 259
9. La Dépêche du Midi
   (Toulouse) 247
10. La Montagne
    (Clermont-Ferrand) 252
11. Les Dernières Nouvelles d'Alsace
    (Strasbourg) 218
12. Le Républicain lorrain (Metz) 200
13. Midi libre (Montpellier) 189
14. L'Union (Reims) 170
15. Le Provencal (Marseille) 161

Annexe III.

« *Le Monde* est un des journaux les plus originaux, et le plus prestigieux, des quotidiens français. (...) Organe sérieux, à la mise en page austère, préférant intéresser que plaire, accordant aux nouvelles de l'étranger une place considérable, jaloux de son indépendance, *le Monde* réussit à trouver une clientèle parmi les cadres, les enseignants et, plus généralement, les esprits plus soucieux d'être très largement informés que d'être *confortés*[1] dans leurs certitudes. La variété, la qualité de ses informations l'ont souvent rendu indispensable à ceux-là mêmes qui ne partagent pas ses tendances de centre gauche. »

P. Albert, *La Presse française, Notes et études documentaires,*
n° 4729-4730, *La Documentation française,* septembre 1983.

Annexe IV.

« Mai 1973 : naissance, avec Jean-Paul Sartre, de *Libération,* journal ''subversif et détergent''. Au sein de l'équipe, encore inconnu : Serge July, ancien communiste contestataire reconverti dans la gauche prolétarienne.
Janvier 1984 : *Libération,* après quelques crises douloureuses, se vend à plus de 100 000 exemplaires. A 60 %, ses lecteurs sont des cadres. A la tête du quotidien, ''citizen July'', auquel la rédaction a confié les ''pleins pouvoirs'' en 1981, ne cache pas son ambition de *supplanter*[2] Le Monde et de porter le tirage à 300 000. Le succès de July et de ''Libé'' fascine, car il symbolise l'évolution d'une certaine gauche, passée du militantisme au réalisme : ''Nous nous méfions de tous et de tout. Et d'abord de l'État.'' Symbole aussi d'un mariage réussi avec son époque : tout en flirtant avec l'institution, *Libération* reste irrespectueux, parfois choquant, surtout ''branché''. »

L'Express, 3-9 février 1984.

Annexe V.

« La concurrence influence aussi très fortement les contenus de la presse écrite, par les curiosités que satisfont ou que créent les moyens audiovisuels. La télévision est devenue un élément de la vie quotidienne : l'énoncé de ses programmes, la présentation de ses émissions (et de ses vedettes), plus rarement leur commentaire et leur critique, tiennent une place importante dans la presse et ont même créé une presse spécialisée aux tirages énormes ; par ses enquêtes, ses interviews, la télévision crée souvent les événements. En fait, elle impose souvent à la presse des thèmes très précis : telle émission médicale ou historique, tel reportage, tel feuilleton même, entraînent souvent une floraison d'articles qui cherchent, en prolongeant son succès, à profiter de la curiosité suscitée dans le public par le sujet exploité. »

P. Albert, La Presse française, Notes et études documentaires
n° 4729-4730 (p. 80), *La Documentation française,* 12 sept. 1983.

Annexe VI.

[1] bruit, désordre
[2] reporté à une date indéterminée
[3] fait durer
[4] la recherche obstinée
[5] volontaire et farouche
[6] imprécision

« A trop se polariser sur le démantèlement du seul groupe de Robert Hersant au lieu d'adopter un texte suffisamment souple et suffisamment général pour être compris sinon admis de tous, les socialistes ont vraisemblablement manqué la chance d'une vraie législation antitrust. Plus grave : par le *tintamarre*[1] qu'ils ont provoqué, ils ont aussi *reporté aux calendes grecques*[2] l'espoir d'une juste réforme économique de la presse. Après le scandale soulevé par la loi anti-Hersant, quel gouvernement réformiste ou même de gauche osera, dans les quinze ans à venir, réviser le régime des aides de l'État aux journaux, lequel *perpétue*[3] pourtant devant la loi une inégalité certaine entre titres riches et titres pauvres ? »

L'Événement du jeudi, n° 69,
27 février-5 mars 1986.

Annexe VII.

« Selon Soljenitsyne, ''la presse dépasse en puissance les pouvoirs exécutif, législatif et judiciaire'' (...) Rien ne définit mieux, par exemple, le profil de certains journalistes français que cette remarque de Serge July, l'animateur de *Libération* — le plus provoquant des quotidiens français ! ''On est toujours journaliste à défaut de faire autre chose : l'Histoire ou des romans. C'est entre ces deux extrémités-là que l'on va et vient.'' A l'opposé, les journalistes américains (...) se caractérisent par leur métier, passion totale et non substitut à des genres plus nobles (...) La *quête têtue*[4], *hargneuse*[5] des faits. Les journalistes américains sont des ''muckrakers'' (remueurs de boue), des ''investigative reporters''. Ils ne lâchent pas leur proie. Pas de *flou*[6] supposé littéraire, mais des documents. »

Max Gallo, Presse et démocratie.
L'Express, 24-30 mai 1980.

Q3

LES CONDITIONS DE TRAVAIL

**L'évolution des conditions de travail.
Réduire le temps de travail ?
Vers une nouvelle organisation du travail.**

[1] prospères
[2] insoutenable
[3] titre du film de Charlie Chaplin
[4] importante, déterminante
[5] obligatoire

Après la recherche à tout prix de la productivité qui caractérisait les années *fastes*[1] de la croissance économique, la période actuelle de la croissance ralentie met en avant la valorisation du cadre de vie, l'amélioration des conditions de travail et d'existence.

● La mécanisation, l'automatisation du travail productif qui auraient dû amener l'allègement appréciable des tâches physiques n'ont entraîné le plus souvent que la simplification de ces tâches. Le travail à la chaîne avec le rythme *infernal*[2] qu'il impose — digne des « *Temps modernes* »[3] — est toujours d'actualité dans un grand nombre d'entreprises. Il impose des gestes mécaniques répétés plusieurs milliers de fois par jour pendant toute une vie. Il isole l'individu, le rend esclave de la machine qui dicte la cadence. La parcellisation du travail ne permet pas à l'ouvrier de prendre conscience de l'utilité de son effort, d'avoir un intérêt, une finalité dans son entreprise.
Ailleurs, autres formes de travail, autre esclavage, partout des contraintes : contrainte de « la machine à pointer », du travail monotone et ennuyeux, de l'humeur des « petits chefs ». Peut-on être étonné que les jeunes ne soient pas attirés par ce genre de travail ?
Pourtant une évolution est intervenue : diminution du temps de travail, amélioration de la sécurité du travail, augmentation des congés payés, accroissement des salaires et des prestations sociales, garanties des ressources (SMIG). La politique de « mensualisation » a apporté une plus grande sécurité de l'emploi et une meilleure répartition du temps de travail, la « participation », un intéressement des ouvriers à la bonne marche de l'entreprise. « Les comités d'entreprise » lui permettent l'apprentissage de la gestion économique, « la formation continue » enfin, doit donner une promotion professionnelle. Dans l'obtention de ces avantages les syndicats ont joué un rôle décisif. 1968 constitue une date *charnière*[4] avec les Accords de Grenelle qui ont sensiblement amélioré les conditions de travail et d'existence des salariés.
Les réflexions sur l'organisation du travail, ainsi que les revendications syndicales, tournent autour de deux questions : amélioration du cadre de travail et réduction du temps de travail.

● L'amélioration du cadre de travail ne relève pas d'une action philanthropique, mais s'inscrit dans la recherche d'une meilleure productivité. Autour de 1970 ont été réalisés des essais d'horaire mobile fort concluants. Cette pratique s'est rapidement répandue dans les services administratifs et sociaux en particulier. Le principe est simple : le temps de travail de la journée est partagé en plusieurs périodes, dont une est fixe où tout le monde travaille ; les autres étant libres, chacun peut choisir les moments précis de son activité, à condition d'effectuer le nombre d'heures *prescrit*[5]. Cette journée de travail suivant le temps variable se généralise maintenant en s'appliquant à la semaine et même parfois au mois. Un véritable travail « à la carte » s'instaure.

Les expériences montrent que l'absentéisme diminue fortement et que la productivité de travail est plus élevée grâce à un meilleur équilibre de l'état nerveux des employés. D'autres recherches concernent l'environnement de la production (clarté, espaces verts, architecture variée, ambiance musicale, etc.) et le remplacement du travail «posté» à la chaîne de fabrication. Le travail en équipe avec la responsabilité du produit final sont des tentatives que l'on juge *concluantes*[1].

● La durée du travail, contrairement à ce que l'on a observé dans les autres pays occidentaux où elle diminuait, est restée stable en France de la fin de la guerre jusqu'en 1968; depuis, la diminution est de l'ordre de 1% par an, pour être en moyenne de 40 heures par semaine et 1 900 heures en 1980 ce qui est à peu près le niveau des pays développés. La gauche politique au pouvoir a considéré comme action prioritaire l'amélioration des conditions de travail. Les lois de 1982 (39 heures par semaine de travail, 5e semaine de congés payés, retraite à 60 ans ou après 37 ans et demi de cotisations à la Sécurité sociale) correspondent à cette optique, l'objectif déclaré restant la réduction progressive du temps de travail à 35 heures. Dans la stratégie de la gauche la réduction du temps de travail devait être menée de pair avec la création d'emplois, donc avec la lutte contre le chômage. Ces espoirs sont rapidement déçus et il fallait réviser les principes de départ. Tout le monde s'accorde à considérer que la réduction du temps de travail est une nécessité sociologique et que l'évolution de la société doit en permettre la réalisation, ce qui est possible dans une situation de dynamisme des forces de production du pays, autrement dit, elle est fonction des possibilités des entreprises et de l'économie. Mais comment l'organiser ? Faut-il réduire la durée de la vie active ? Ou bien réduire le temps de travail, à savoir celui de la journée, de la semaine, du mois ou de l'année ? Qui doit supporter les charges financières ? L'État, la Sécurité sociale, l'entrepreneur ou l'individu ? Le choix de la réponse entraîne la levée des boucliers. L'allongement des vacances d'été est néfaste pour l'économie qui chaque année, lors de cette saison, tourne au ralenti. Augmenter le temps de congé de fin de semaine invite au «travail au noir», contre lequel s'insurgent les chômeurs. Les sondages indiquent que la réduction de l'horaire journalier n'a pas la faveur de la population. Les retraites anticipées, déjà pratiquées, coûtent très cher. N'est-il pas nécessaire de rattacher ce problème à une réflexion plus large concernant l'organisation de la vie quotidienne au sein de la famille, des collectivités (horaires scolaires, vacances, travail à mi-temps, organisation du transport, des loisirs, etc.) ?

● Les très longues discussions de 1984 et 1985, autant entre partenaires sociaux qu'à l'échelle du gouvernement et de l'Assemblée nationale ont mis en lumière les grandes questions des années à venir. Il s'agit de moderniser l'appareil productif en *réhabilitant*[2] l'entreprise et en lui donnant les moyens d'assimiler les formidables progrès technologiques qui lui permettront de reconquérir les marchés et sortir la France de la crise économique. Cette modernisation exige l'aménagement du temps de travail dans un esprit tout à fait nouveau, pour mieux exploiter le potentiel de production ou de marché; la productivité est désormais dans la capacité d'organisation de l'entreprise. La notion de ''flexibilité'' est au centre des débats: adaptation du droit social aux mutations technologiques et aux conditions d'emploi; souplesse pour l'embauche (''emplois nouveaux à contraintes allégées''), assouplissement des procédures de licenciement (abandon de l'autorisation préalable de l'inspecteur du travail); introduction du ''travail différencié'' (travail intérimaire, travail à temps partiel, travail à durée déterminée, travail décalé, travail en équipe, horaires souples ou personnalisés, travail de nuit, de samedi ou de week-end, etc.). Le raisonnement se fait sur la base de la durée annuelle du travail ou peut-être même sur la base d'une vie de travail. Ces tendances irréversibles bousculent des habitudes séculaires et ont des répercussions sociales importantes.

DOCUMENTS

Annexe I.

« Il ne peut être question que la relance de la croissance et la réduction du chômage se traduisent pour les travailleurs, comme par le passé, par une détérioration de leurs conditions de travail. Le retour au plein emploi favorisé par la réduction de la durée de travail, l'introduction de la cinquième équipe, le ralentissement des cadences, doivent au contraire permettre l'amélioration des conditions de travail que le progrès technique rend *d'ores et déjà*[1] possible. »

Le projet socialiste, *Le Poing et la rose*,
n° 85, (p. 50) novembre-décembre 1979.

Annexe II.

« Il y a dans la France socialiste une conspiration silencieuse de tous les conservatismes pour préserver la société des avantages acquis. Même quand il se couvre du beau pavillon syndical, le corporatisme est la négation d'une société solidaire. La socialisation syndicale des égoïsmes catégoriels est le contraire d'une action de classe généreuse et responsable... Au bout de cette logique, si on l'encourage et si on ne fait rien pour changer les modèles de production et de communication, il y a, en dépit de tous les bavardages passés et futurs sur la ''rupture'', une soumission complète, encore qu'involontaire, à la logique même du capitalisme, l'institution d'une société *duale*[2] séparant les individus utiles des déchets, rejetant les travailleurs d'un côté, les chômeurs de l'autre. »

J. Juillard, *Le Nouvel Observateur*, 27 février 1982.

Annexe III.

« Une enquête menée au début de 1981 sur l'ensemble du territoire français, à l'inspiration de l'Institut de l'Entreprise, révélait que :
— Trente actifs sur cent veulent, quel que soit le niveau actuel de leurs revenus, gagner plus d'argent et sont prêts pour cela à travailler plus longtemps. Quinze d'entre eux accepteraient un travail de nuit, et huit, un travail le dimanche. Les femmes sont aussi nombreuses à le vouloir que les hommes. Les jeunes sont les plus intéressés.
— Une formule telle que 24 heures par semaine, payées 40 mais concentrées uniquement sur le week-end, intéresse 30 % des hommes et 25 % des femmes, tous sensibles à la forte réduction du temps de travail entraînée par un tel type d'emploi.
— 40 % des femmes et 18 % des hommes, de nombreux jeunes, seraient intéressés par un travail à temps partiel, surtout s'il ne manquait pas d'intérêt. Qui plus est, 23 % de femmes et 7 % d'hommes de tous âges aimeraient trouver un emploi à mi-temps. »

Économie-Géographie, n° 215, mai 1984.

Annexe IV.

[1] ancienne, dépassée

Évolution du travail à temps partiel (en pourcentage).

Personnes ayant un emploi principal à temps partiel (semaine de référence)	France	RFA	Italie	Pays-Bas	Belgique	Royaume Uni	Dane-mark
1979							
Total	7,1	9,5	2,6	7,5	5,7	15,4	19,4
Hommes	2,0	0,9	1,2	1,8	0,8	1,3	2,3
Femmes	15,2	24,2	6,0	23,2	16,0	37,7	43,0
1981							
Total	7,4	10,2	2,7	19,4	6,4	15,4	20,8
Hommes	1,9	1,0	1,4	8,9	1,3	1,4	3,0
Femmes	15,9	25,7	5,8	45,2	16,3	37,1	43,6

Source : *Économie-Géographie*, n° 215, mai 1984.

Annexe V.

« La durée effective de travail des ouvriers est de 1650 heures en France contre 1690 en Allemagne fédérale, 1750 en Grande-Bretagne, 1870 aux États-Unis et 2100 au Japon. En Europe, la Suisse a tout à la fois la durée de travail la plus forte — 1910 heures — et le chômage le plus faible ; la Belgique, la durée de travail la plus faible — 1510 heures — et le chômage le plus élevé. Alors, ne me parlez pas du partage du travail pour vaincre le chômage. Nous avons fait le bilan des 39 heures, il est négatif. Et puis, pour la France de 1984, préconiser la réduction de la durée du travail à 35 heures est une démarche malthusienne de repli sur soi. C'est une attitude de résignation et de renoncement. »

Y. Chotard : D'accord pour les 35 heures... en 2004,
Entretien avec Émile Favard, l'*Expansion*, 22 juin-5 juillet 1984.

Annexe VI.

« Il est trop facile de caricaturer, pour mieux la critiquer, notre démarche vers les 35 heures. Celle-ci, en fait, a sa propre justification économique. Si la France accuse un retard de compétitivité sur bon nombre de pays industrialisés, ce n'est pas à cause de ses coûts salariaux. Des études sérieuses prouvent qu'ils sont moins élevés que ceux des États-Unis, d'Allemagne et de Suède. Le mal n° 1, c'est une organisation du travail *obsolète*[1], très hiérarchisée et soumise à la décision exclusive du chef d'entreprise (...) Dans ce contexte culturel suranné, l'objectif des 35 heures constitue à nos yeux une occasion sans pareille pour modifier l'organisation du travail (...) C'est en effet l'occasion de mieux profiter de toutes les potentialités de l'entreprise, des aptitudes des cadres et des capacités de salariés mieux formés qu'autrefois. En termes d'efficacité, l'entreprise ne peut qu'y gagner : en productivité, et donc en compétitivité. »

E. Maire : Une contrainte bienvenue pour modifier
l'organisation du travail. Entretien avec Emile Favard,
L'*Expansion*, 22 juin-5 juillet 1984.

Annexe VII.

« La réduction de la durée hebdomadaire du travail n'est certes pas la seule forme possible de diminution du temps de travail individuel. Celle-ci peut également passer par la réduction de la durée annuelle ou pluri-annuelle du travail (allongement du temps libre sur l'année, congés sabbatiques, etc.), ou par le développement du travail à temps partiel. Cependant, à l'horizon de cinq ou dix ans, la baisse de la durée hebdomadaire devrait constituer un point de passage obligé de toute politique massive en ce domaine : le développement des autres formes d'organisation du travail susceptibles de produire des effets identiques ne pourra en effet qu'être progressif, sans d'ailleurs concerner forcément l'ensemble de la population. »

Travail et Emploi, n° 19, mars 1984 ;
article repris dans *Problèmes politiques et sociaux*, n° 496,
La Documentation française, 5 octobre 1984.

Annexe VIII.

« A partir de 1984, le gouvernement et les partenaires sociaux inscrivent la notion de ''flexibilité'' au cœur du débat social comme source de nouveaux gisements de productivité et, à terme, comme solution aux problèmes d'emploi. Ils y voient également un moyen de répondre aux aspirations des salariés à un temps maîtrisé. L'aménagement du temps de travail est *appréhendé*[1] dans une perspective radicalement différente de celle des années soixante et soixante-dix. Il ne s'agit plus d'en faire un correctif aux dysfonctionnements temporels et spatiaux de la société, mais de le penser dans une combinaison avec la réduction du temps de travail. »

J.Y. Boulin, J. Loss, in *l'État de la France et ses habitants)*
(dir. J.Y. Potel), p. 95, Éd. La Découverte, 1985.

ENVIRONNEMENT ET CADRE DE VIE

**La dégradation de l'environnement et ses conséquences.
La politique de conservation et d'aménagement.**

[1] donné par héritage
[2] canalisations
pour les eaux sales
[3] salissent
[4] appétit insatiable
[5] concentrationnaire
[6] malversations des jeunes

L'air et l'eau purs, les espaces naturels, l'espace tout court, constituent un patrimoine national, cadre de notre vie et dans une large mesure un facteur de notre développement. Il est essentiel donc, pour ne pas compromettre notre avenir, de ne pas gaspiller la partie non renouvelable de ce patrimoine mais aussi de régénérer ce qui nous est *légué*[1].

● La société industrielle, la civilisation de consommation, régies par le seul souci du profit maximum, sont à l'origine d'une dégradation continue de notre environnement. L'accélération du processus de destruction depuis la guerre met en danger les équilibres biologiques indispensables à notre survie. L'urbanisation rapide aboutissant à la concentration de la population sur un espace restreint du territoire amène des risques supplémentaires de dégradation mais a, de plus, des incidences multiples sur la santé et le bien-être de la population.

Les exemples de dégradations graves sont fort nombreux. La pollution, conséquence du dégagement de fumées d'usine, du chauffage urbain inadapté ou des véhicules, rend l'air irrespirable à certains moments dans les grandes agglomérations. La plupart des rivières et des étangs sont devenus des *égouts*[2] à la suite de déversements de produits chimiques d'origine industrielle ou ménagère, tuant le milieu biologique et interdisant toute approche humaine. Des accidents fréquents de transport maritime, *souillent*[3] régulièrement les plages, tuant la faune et la flore. L'exploitation industrielle de la pêche et de la chasse menace nombre d'espèces encore existantes. L'urbanisation, l'extension des aires d'habitations, de loisirs, d'activités et de transports dévorent les espaces verts avec *voracité*[4]. Les incendies, accidentels ou volontaires, détruisent des milliers d'hectares de forêt chaque année. L'utilisation massive des engrais chimiques, des détergents, des pesticides pollue le sol et rend l'eau que nous buvons de moins en moins potable.

La qualité de la vie et celle de l'espace environnant notre vie quotidienne se dégradent à vive allure. L'urbanisation hétéroclite, désordonnée et son corollaire de béton est un affront à l'harmonie et l'équilibre. La densification des constructions, l'expansion des «grands ensembles» installent des ghettos, un univers *carcéral*[5]. Bruits, poussières, course haletante sont le lot des villes. La société de consommation privatise l'espace et encourage l'individualisme donnant à la notion de liberté un sens de plus en plus étriqué et rendant la vie sociale et la communication humaine aléatoires...

● La dégradation de l'environnement et de la qualité de la vie a des conséquences immédiates que l'on essaie actuellement de cerner et de mesurer. La pollution de l'atmosphère, des eaux, le rythme et les exigences de la vie moderne sont les causes de toute une série de maladies cardiovasculaires, respiratoires, etc. L'augmentation du coût de la santé, des soins médicaux et paramédicaux constitue pour la société et les individus une charge accrue. La *délinquance juvénile*[6], les méfaits de la drogue, la violence généralisée sont les reproches faits à la société de son incapacité à constituer des cadres bâtis et sociaux équilibrants, permettant l'épanouissement de l'individu. La détérioration de façon visible des immeubles urbains et de l'espace naturel rend de plus en plus coûteuses les infrastructures. La publicité de la société de consommation appelle aux gaspillages, accumule les déchets, qui ne sont pas toujours biodégradables, et leur enlèvement grève considérablement le budget des collectivités...

Au-delà des effets immédiats, les problèmes de pollution pour l'avenir sont certainement plus graves et à peine soupçonnés. L'installation des centrales nucléaires et le danger éventuel qu'elles constituent sont une immense inquiétude, les déchets atomiques enfouis dans le sol ou en mer sont-ils vraiment inoffensifs ? L'exploitation inconséquente des richesses de la mer compromet l'équilibre du futur. Les voix s'élèvent pour montrer que la diminution des espaces verts agit sur le climat et la composition de notre atmosphère...

● La prise de conscience de ces problèmes doit être générale. «Nous sommes des pollueurs» et l'effort doit être collectif. L'écologie est un mot à la mode, il faut qu'il devienne un précepte de vie. Il ne s'agit pas de refuser en bloc le progrès, mais d'examiner sérieusement les choix possibles et de décider en fonction du moindre coût sur l'environnement.

En France la lutte contre la pollution et pour la protection ou l'amélioration de l'environnement date véritablement de 1961 où un ensemble de lois concernant la pollution de l'air est accepté, suivi bientôt (1964) d'une législation des eaux (création des «agences de bassin»). Un programme d'ensemble gouvernemental a été décidé en 1969 («les cent mesures pour l'environnement») suivi en 1971 par la création d'un ministère chargé de la coordination des actions et préventions (Ministère de la Protection de la nature et de l'Environnement ; puis Ministère de l'Environnement et de la Qualité de la vie). Une série d'agences nationales ont été mises en place, spécialisées dans un domaine restreint (comme l'Agence nationale contre la pollution de l'air en 1976, l'Agence nationale pour la récupération et l'élimination des déchets en 1977, l'Agence nationale pour la qualité de l'air en 1979, etc.). L'Aménagement du territoire, abandonnant ses principes de recherche de la croissance économique, s'oriente maintenant vers la réalisation d'un meilleur cadre de vie. La CEE fait beaucoup pour harmoniser les législations ou pour imposer des réglementations indispensables. Par exemple, elle a imposé la réduction de teneur en plomb de l'essence (0,40 g/l en 1981, 0 en 1989) et décidé en 1985 l'installation obligatoire des pots d'échappement à conversion catalytique (adoption progressive d'ici 1991). Elle resserre les liens entre riverains des grands fleuves, comme le Rhin. Mais elle ne peut empêcher les accidents graves (comme les pollutions successives du Rhin en novembre 1986) et le remboursement promis des dégâts subis ne rétablit pas la nature à jamais détruite.

● Un aspect de la politique de l'environnement mérite une attention particulière, celle des espaces naturels. Il s'agit d'une législation qui introduit une différentiation territoriale, soustrayant des régions à des actions humaines jugées *nocives*¹ pour permettre la conservation des milieux naturels et le contrôle de leur utilisation. 8 % du territoire français sont ainsi protégés en tant que parcs nationaux : Vanoise (1963), Port-Cros (1963), Pyrénées-Occidentales (1967), Cévennes (1970), Écrins (1973), Mercantour (1979) ; ou en tant que parcs régionaux (24 créés entre 1968 et 1986) ou réserves naturelles (57).

● En France la défense de l'environnement est le plus souvent l'œuvre du pouvoir public. Il n'existe pas, comme dans d'autres pays (ex. l'Allemagne) un fort courant d'opinion ayant représentation politique importante. Les partis écologistes recueillent moins de 2 % des votes aux élections nationales et il n'y a aucun conseiller régional écologiste en 1986. Par contre, les associations locales de défense d'intérêt sont nombreuses et souvent fort efficaces.

DOCUMENTS

Annexe I.

« Les nations industrielles sont très attirées par la mer. L'océan permet en effet d'innombrables activités qui leur sont essentielles : les voies maritimes sont les traits d'union les plus naturels entre les continents et les ports des zones d'effervescence commerciale. En outre, de nombreuses usines sont grandes consommatrices d'eau ; il est très tentant — et commode — de rejeter dans la mer ou dans les fleuves qui y aboutissent les *effluents*[1] et les *détritus*[2] qui sont les sous-produits de la civilisation industrielle. On peut ainsi comparer l'océan à la poubelle universelle où se retrouve la majeure partie des résidus habituels ou accidentels des sociétés évoluées. »

Le Monde. Dossiers et Documents n° 36, décembre 1976.

Annexe II.

« La végétation est atteinte par des sels métalliques toxiques... L'effet le plus frappant est le brusque dépérissement des forêts ; celles de la RFA sont atteintes à 35 % ; l'est de la France, Vosges en premier lieu, est touché. Une réduction assez importante des émissions d'oxydes (60 % pour SO_2, 40 % pour NO et NO_2, en 1995) a été décidée au niveau européen. Alors que l'opinion allemande est prise à la gorge par le Waldsterben — la mort des forêts —, les Français ne sont pas encore très sensibilisés, sauf dans l'est, où le maire de la commune d'Aubure a installé un ''itinéraire de la désolation'' à travers ses forêts atteintes ; il faut dire que les déclarations officielles sont souvent trop lénifiantes. »

P. Samuel, *L'État de la France et de ses habitants* (p. 519),
Ed. La Découverte, 1985.

Annexe III.

« Avec le naufrage du pétrolier malgache TANIO au nord de l'île de Batz, la Bretagne reste l'une des régions les plus touchées par les marées noires, puisque cinq catastrophes de ce genre ont eu lieu dans cette région depuis 1967.
— 13 mars 1967, naufrage du pétrolier libérien TORREY-CANYON (123 000 tonnes), entre la Cornouaille et les îles Sorlingues : 180 kilomètres de plages anglaises et françaises sont polluées.
— 13 mars 1976, le pétrolier libérien OLYMPIC-BRAVERY (278 000 tonnes) échoue au large de l'île d'Ouessant : 800 tonnes de pétrole se répandent sur les côtes de l'île.
— 15 octobre 1976, naufrage du pétrolier est-allemand BOEHLEN : 5 000 tonnes de pétrole polluent l'Océan et les côtes de l'île de Sein et de la baie d'Audierne.
— 16 mars 1978, naufrage de l'AMOCO-CADIX, un pétrolier libérien de 233 000 tonnes : les côtes du Finistère sont touchées sur 350 kilomètres.
— 28 avril 1979, collision entre le pétrolier libérien GINO et le pétrolier norvégien TEAM-CASTOR au large de l'île d'Ouessant : une nappe épaisse de 80 centimètres se répand sur 800 mètres au sud et 100 mètres au nord de l'épave, au fond de la mer. »

J. Videau, *Le Monde,* 18 mars 1980.

Annexe IV.

« Si l'on en croit les sondages, la majorité des Français, après avoir longtemps refusé, semblent avoir accepté le fait nucléaire. Comment, d'ailleurs, s'en passer ? Pourtant, sur le terrain, les points de résistance se multiplient : à Golfech, au Pellerin, à Flamanville, à Nogent-sur-Seine, à Cattenom, à Chooz, à Saint-Priest comme à Plogoff, on dit non. Et cette permanence de la contestation peut s'observer dans tous les pays où les citoyens ont la liberté de s'exprimer. Cela aussi est un fait. Mais le refus a sans doute changé de nature. Ce n'est plus tellement la peur prétendument «irrationnelle» de l'atome qui mobilise, c'est tout ce que son utilisation pacifique implique : la gêne de chantiers interminables et gigantesques, la destruction des sites sans doute. Mais surtout, les atteintes répétées aux libertés locales. »

Le Monde, 27 mai 1980.

Annexe V.

« Une centaine de milliers de personnes (cent cinquante mille, disent les organisateurs ; trente-cinq mille à quarante mille, indique la préfecture) ont participé à la manifestation (fêtes musicales, débats de plein air), organisée les 24 et 25 mai autour du site choisi, à Plogoff, dans le Finistère, pour installer une centrale nucléaire... Ils étaient tous à Plogoff, les 24 et 25 mai, les «Larzac», les «Lip», les objecteurs de conscience, les écologistes hostiles au remembrement, mais aussi le P.S.U., l'Organisation communiste des travailleurs, les maoïstes, la Ligue communiste et beaucoup d'autres. Durant deux jours, les forums sur les énergies de remplacement, les séances de cinéma sur les méfaits du nucléaire, les discussions spontanées qui s'engageaient entre les responsables d'un stand et leurs visiteurs assis en tailleur devant eux s'étaient succédé ·. »

M.C. Robert, *Le Monde,* 27 mai 1980.

Annexe VI.

« Actuellement nous constatons que la droite, avec une politique dite libérale, nous dit avoir fait promulguer des arrêtés, des lois pour protéger le milieu naturel et contrecarrer le comportement odieux des dévastateurs, dont le maître mot est le profit. Mais cette législation est inopérante du fait des nombreuses dérogations accordées à certains pollueurs privilégiés du pouvoir, ces faveurs dérogatoires ont tendance à croître au détriment de l'intérêt des habitants dont l'environnement est constamment agressé, souvent sans motif valable. Pour mieux *édulcorer*[1] ces actions mal-intentionnées, les pouvoirs publics nous les annoncent sous le vocable ''utilité publique''. »

[1]minimiser

B. Roger, *Vert* n° 7, février 1980.

Annexe VII.

« On peut également se demander si à trop vouloir protéger, on n'a pas abouti à mal saisir la réalité des problèmes d'environnement. L'opposition et la revendication écologiques revêtent souvent un aspect conservateur, strictement négatif. Au nom de l'écologie et de la protection de l'environnement, on s'oppose à tout ce qui est porteur de progrès, de modernisation, de mise en valeur. Tout territoire est inévitablement lieu de conflit entre des perspectives économiques et les protections des équilibres écologiques. Les solutions, les compromis entre les parties prenantes sont finalement d'ordre géographique, c'est-à-dire, d'organisation spatiale : localisations, tracés, dimensionnements, inter-actions... »

P. Pinchemel, *La France* (tome I, p. 123), Armand Colin, 1981.

LES JEUNES

**Les jeunes de Mai 1968. La ''bof-génération''.
Les jeunes de 1986 : leurs idées, leurs aspirations.**

[1] *discutées*
[2] *peu graves*
[3] *autrefois*

Les jeunes sont les phares de la société. Leurs préoccupations, leurs inquiétudes, leurs aspirations reflètent les imperfections et les espoirs de la société. De 1968 à 1986, ils ont toujours joué un rôle important, bien que différencié, dans l'évolution des structures d'ensemble qui définissent notre vie quotidienne.

● En mai 1968, la jeunesse s'est révoltée contre cette société qu'elle jugeait inhumaine, sclérosée, autoritaire, trop hiérarchisée. Les jeunes de cette époque ont un sentiment de frustration profonde : être considérés comme mineurs, incapables de raisonnement logique, de comportement responsable. Toutes les questions concernant leur vie de tous les jours sont *débattues*[1] sans eux et les solutions proposées obéissent à un modèle défini sans leur consentement, modèle recopié ou actualisé de génération en génération. L'imagination est suspecte et bannie, tout doit être conforme à une échelle de valeurs éprouvées que chaque individu devait acquérir pour être accepté par la société. Devant le refus du pouvoir (pouvoir politique mais autorité familiale aussi) d'entreprendre des réformes en profondeur, le seul moyen de se faire entendre est la révolte. Parti de revendications *bénignes*[2] de quelques universités parisiennes, le mouvement trouve rapidement un écho favorable auprès de toute la jeunesse qui réclame une plus grande liberté, plus de responsabilités, plus de possibilités d'expression, et au contraire, rencontre incompréhension et répression policière. Alors c'est l'affrontement violent ; le mouvement devient anti-social et de plus en plus politisé et sur les barricades du Quartier latin on exige le changement politique et la construction d'une nouvelle société.
La révolte de mai échoue, pourtant son influence sur l'évolution de la société sera incontestable. Les grandes réformes de législation sociale des années 1970-75 lui doivent beaucoup (majorité à 18 ans, révision du code civil, autorisation de l'avortement, amélioration de la condition féminine, renforcement du rôle des syndicats, etc.), les réformes dans l'université sont directement issues des revendications de Mai 68 (participation des étudiants aux conseils, nouveau système d'examen basé sur le contrôle continu, formation ''à la carte'' avec la mise en place des unités de valeur, réforme des règlements dans les cités universitaires instaurant la mixité, etc.).

● Quelque 10 ans, 15 ans après Mai 68, les sondages successifs montrent que la nouvelle génération de jeunes n'a plus rien en commun avec celle de leurs aînés (ou parents). C'est tout juste s'ils ont entendu parler de 68 ; en tout cas, leur vie est différente, leurs préoccupations aussi. Ce qui était considéré comme un privilège, souvent obtenu par de longues luttes, est devenu chose normale, une banalité même dans la vie quotidienne d'aujourd'hui.
La famille n'est plus le cadre autoritaire d'*antan*[3], les jeunes ont imposé leur façon de vivre et les parents, de peur de les ''perdre'', acceptent.

Parmi ces personnalités, qui selon vous, incarne le mieux vos aspirations personnelles ?	
Jean-Paul II	10
Harlem Désir	11
Bernard Tapie	27
Madonna	20
Renaud	31
Soljenitsyne	3
Bob Geldof	12
Yannick Noah	12
Christophe Lambert	23
Lech Walesa	9
Aucune d'elles	6
Sans opinion	2

Sondage du *Nouvel Observateur*,
29 nov.-1er déc. 1986

[1] rejetées
[2] enflamme
[3] s'étendre

Parmi les problèmes suivants quels sont ceux qui vous préoccupent le plus ?	
Le surarmement	15
Le terrorisme	49
Les centrales nucléaires	15
Le sida	22
Le chômage	62
Votre avenir personnel	38
Aucune	1
Sans opinion	—

Parmi ces choses, quelles sont celles qui vous indignent personnellement le plus ?	
Le racisme	54
Les ventes d'armes	21
La famine dans le tiers monde	53
La place de l'argent dans la société	14
La façon dont les jeunes sont traités	15
Les thèmes sécuritaires	9
Aucune	1
Sans opinion	—

Sondage du *Nouvel Observateur*,
29 nov.-1er déc. 1986

La liberté sexuelle est largement acquise, ''l'union libre'', ''le mariage à l'essai'' n'offusquent plus personne. Les ''filles-mères'' ne sont plus *au ban*[1] de la société, elles forment les ''familles mono-parentales'' (comme les veuves avec enfants) et sont fortement aidées par la législation. Si la façon de vivre peut encore choquer les proches, la société s'accommode de toutes les formes, de tous les excès dans la recherche de modèle culturel ou d'identité sociale des jeunes, qu'ils soient ''rockers'', ''babas'', ''rastas'', ''funks'' ou ''punks''. L'essentiel pour les jeunes est d'être ''branché'' ou ''câblé''.

Cette génération est souvent décriée par les moralistes de la société, comme étant ramollie, ''pourrie'' par les facilités matérielles, individualiste, égoïste, ''je-m'en-foutiste'' à tel point que certains parlent de ''bof-génération'', la génération des blasés, des défaitistes, et affirment qu'ils n'ont pas d'idéal, pas d'opinion politique, pas de projets d'avenir. L'université est celle des étudiants sages, studieux où chacun vit sa propre petite vie sans se préoccuper du voisin, travaillant sans relâche pour décrocher un diplôme qui permettra peut-être d'éviter le chômage.

● Quel désaveu pour ces moralistes que le mouvement de novembre-décembre 1986 ! La grève éclate, spontanée, se répand très vite, *embrase*[2] toute la France en deux jours. Grève de protestation contre un projet de loi voulant imposer les réformes universitaires basées sur la sélection. Grèves et manifestations parfaitement menées, avec coordination nationale apolitique, refusant la violence comme la récupération politique, à la fois gaies et graves, sachant *s'amplifier*[3] pour faire aboutir les revendications et s'arrêter net une fois le but atteint. Cette génération des années 80 a surpris tout le monde. Comment sont-ils, ces jeunes, en réalité ? Un sondage sérieux de l'hebdomadaire *Le Nouvel Observateur* auprès des 16-22 ans donne un aperçu de quelques-uns des traits caractéristiques (voir tableaux ci-contre).

A l'idéal de l'action politique se substitue une éthique de solidarité et de générosité, fortement exprimée par le refus du racisme et de la misère dans le monde, mais aussi par la sympathie pour SOS-Racisme, les ''Restaurants du cœur'' et les différentes actions au tiers monde au cours d'un passé récent. Leurs grandes inquiétudes sont liées au chômage persistant (40 % chez les moins de 25 ans), à l'incertitude de l'avenir, à l'insécurité du moment. S'ils étaient si nombreux dans les rues, c'est parce qu'ils avaient le sentiment d'une menace supplémentaire : de voir fermer — par la réforme projetée — un des chemins qui mènent à cet emploi futur, de voir par la sélection en cours d'études une incertitude de plus. Ils se reconnaissent en même temps en Renaud et Bernard Tapie : c'est qu'ils ont besoin d'efficacité, de réussite et en même temps de générosité et de tendresse. Ils sont terriblement réalistes, mais des réalistes au cœur tendre.

DOCUMENTS

Annexe I.

«Selon une enquête effectuée en 1981 par le mensuel "l'Étudiant", 72 % des étudiants passent chaque été quinze jours au moins à travailler ; 40 % travaillent à temps partiel durant l'année — plus ou moins régulièrement, il est vrai. Chez les lycéens, la tendance est aussi à la hausse ; ils sont près de la moitié à travailler l'été. Un phénomène de société ? Peut-être. Aussi ennuyeux que mal payé, le job, dit aussi petit boulot, est le premier contact avec le monde du travail. »

A. Silber, *Le Nouvel Observateur,* 30 avril - 7 mai 1982.

Annexe II.

«"Aimer, c'est aussi prendre des risques. La pilule pollue les sentiments", dit Anne. "Ce n'est pas excitant de savoir que toute l'histoire est réglée par cette petite chose qu'il faut prendre tous les soirs", dit Julie. Elles détestent programmer. Elles aimeraient "se donner totalement", prendre tous les risques, et n'en courir aucun. Elles savent que c'est un rêve. Leurs aînées pensaient que la contraception était un droit qu'il fallait conquérir. Elles, elles jugent parfois leurs responsabilités un peu lourdes. »

Jacqueline Rémy, *L'Express,* 31 juillet - 6 août 1978.

Annexe III.

«"Nos enfants rêvent déjà en vidéo, ce sont tous des fils de pub", considère le publicitaire Jacques Séguéla. Ils passent plus de temps devant le petit écran (1450 heures par an) que sur les bancs du lycée (900 heures). La télé est devenue leur nouveau maître d'école. "Non seulement les jeunes Français regardent la télévision plus de 1450 heures par an, mais de surcroît ils sont, de tous les Européens, ceux qui se couchent le plus tard", estime Jeanne Delais de Fréminville, agrégée de Lettres, auteur d'un rapport sur les enfants et la télévision. »

C. Makarian, *Le Point,* 1er septembre 1986.

Annexe IV.

«Jusqu'à une date très récente, dans la plupart des familles on cachait les jeunes couples qui vivaient ensemble sans être mariés. Il ne fallait pas "faire de la peine à la grand-mère". Désormais, ces amoureux dînent à la table familiale, partent en vacances avec les parents, et on n'oserait plus leur proposer des chambres séparées. Ils incarnent la nouvelle "normalité", remarque M. Louis Rossel, de l'Institut national d'études démographiques (INED) ; c'est tout juste si l'on ne va consulter un médecin quand son enfant de vingt ans ne vit pas de cette manière. »

R. Solé, *Le Monde,* 3 février 1985.

Annexe V.

François Mitterrand, dans une interview à *l'Étudiant* en mars 1986, disait à propos de l'emploi des jeunes : « Il y a aujourd'hui entre le monde des adultes et le monde des jeunes une distance beaucoup plus grande que naguère. L'entreprise est faite par les adultes pour des adultes, elle est moins tolérante qu'autrefois à l'égard des jeunes, de leurs modes, de leurs langages et de leur comportement. » Coluche aurait sûrement ironisé en disant : « Y en a marre de ces jeunes enfoirés qui veulent venir béqueter le pain de nos vieux... »

L'Étudiant, janvier 1987.

Annexe VI.

« Aujourd'hui, les isolés sont, de plus en plus, des jeunes. La ''décohabitation'' avant le mariage tend à devenir une pratique courante, en particulier dans les grandes villes. Au recensement de 1982, on dénombrait près de 400 000 jeunes de moins de 25 ans vivant seuls (dont autant de filles que de garçons), contre 120 000 en 1962. S'il a été rendu possible par le boom de la construction, ce phénomène reflète surtout la modification des relations entre générations : les liens affectifs (et souvent financiers) demeurent, mais les parents reconnaissent aux adolescents un droit à l'indépendance. »

G. Moatti, Demain la France (p. 410),
L'Expansion, octobre - novembre 1985.

Annexe VII.

« Ces étudiants bloquent l'université mais ne la contestent aucunement. Ils occupent la rue, mais récusent la violence. Ils affirment qu'ils ne veulent pas de Mai 68, mais 68 est dans leurs têtes. Ils sont apolitiques, mais se battent pour casser une logique politique. »

Libération, 4 décembre 1986.

Annexe VIII.

« Les étudiants de 1986 préfèrent les actes aux discours, la pratique à la théorie, la mécanique à la politique. Finis les maîtres à penser, les prophètes, les gourous. Finies les grandes causes — même écologiques. Vivent la vidéo, le bricolage ou la télématique. Les étudiants lisent peu, mais ils écrivent. Ils ignorent l'histoire du cinéma, mais taquinent la caméra. Une génération du regard. De l'émotion. Du vécu. Pas rebelle, non, mais indépendante. Capable d'aller sagement en classe, tout en vivant sa vie. Assez bien adaptée en somme, et sachant habilement concilier la mode et le programme. Le plaisir et la nécessité. »

F. Gaussen, *Le Monde,* 20 novembre 1986.

Annexe IX.

« Si les jeunes en cette fin d'année 1986 ont fait l'apprentissage de la révolte et de la violence, ils ont aussi démontré qu'ils étaient capables même dès l'âge de 14 ans d'analyser, de tirer les conséquences d'un projet de loi et de se mobiliser dans le calme et l'organisation. Comme le faisait remarquer un professeur de français de la banlieue parisienne : ''On les croyait amorphes, ils nous ont montré qu'ils pouvaient nous précéder''. »

Béatrix Grégoire, *La Lettre de l'Éducation,* 13 décembre 1986.

LE COUPLE ET LA FAMILLE

**L'éclatement de la famille traditionnelle.
Le nouveau couple, la nouvelle éducation.
La politique familiale.**

[1] *indestructibles*
[2] *raisonnables*

Longtemps, la famille est restée une des institutions *inébranlables*[1] de la société. Elle demeure encore le fondement, mais elle a changé de valeur et de finalité. Les liens familiaux apparaissent plus lâches actuellement par rapport au passé : l'autorité parentale a beaucoup perdu de sa vigueur, et l'éducation des enfants s'effectue en grande partie en dehors de la famille, formant des enfants plus *matures*[2], plus indépendants.

● L'exemple que constituait pour les enfants le père ou la mère n'a plus la même valeur. L'école, la télévision, les mass media fournissent à l'enfant un système de valeurs qui a souvent plus de portée que l'enseignement des parents. Les intérêts des enfants, qui s'adaptent mieux et plus vite à la société de consommation que les parents, sont souvent autres que ce qui leur paraîtrait essentiel. L'autorité arbitraire n'entraîne que l'incompréhension et la révolte de la part des jeunes dont les désirs de liberté et d'indépendance sont précoces. Traditionnellement, la vie familiale était fortement structurée, rythmée. Maintenant, c'est l'extérieur, la société des copains qui détermine les goûts, les lectures, la mode, les activités, les loisirs, et cela dès le plus jeune âge. L'augmentation du niveau de vie, l'octroi de l'argent de poche (qui n'est plus un cadeau, mais un droit «indexé sur le coût de la vie») augmentent le sentiment d'indépendance. L'épanouissement sexuel précoce — l'enseignement sexuel est obligatoire à l'école dès l'âge de 12 ans — laisse les parents désarmés.
La crise de la famille est avant tout la crise de l'éducation des enfants. Balancés entre l'autorité et le chantage sentimental, échouant dans les deux cas, les parents démissionnent souvent. Le rythme insensé de la vie professionnelle, l'activité de la mère, la vie de famille résumée à la soirée devant la télévision, sont des facteurs du «désert» familial.

● La première des notions de base de la famille est le mariage, considéré pendant des générations comme l'aboutissement logique et normal de l'amour. L'amour n'a pas disparu, mais il ne conduit plus forcément au mariage. Depuis une dizaine d'années, des couples en nombre sans cesse croissant choisissent la cohabitation avant le mariage. Selon les statistiques de l'I.N.E.D. (Revue Population, janvier 1978), ils étaient 17 % en 1968, ils sont 44 % dix ans plus tard. Près de la moitié des jeunes couples choisissent donc actuellement le mariage à l'essai en France. Le fait est accepté dans les villes mais rencontre encore des résistances à la campagne. Les trois quarts des parents savent que leur enfant vit «maritalement», et s'ils n'approuvent pas toujours, ils respectent la décision des jeunes et la moitié d'entre eux apportent même une aide matérielle à leurs enfants. Beaucoup de parents vont jusqu'à considérer que cette forme de relation remplace les antiques fiançailles et espèrent néanmoins qu'elle sera «légitimée» par le mariage.

Ce désir des jeunes de vivre ensemble ne paraît pas être une révolte contre la société ou les parents, comme c'était le cas en 1968 quand ils étaient peu nombreux à le faire. Il est considéré maintenant comme l'aboutissement normal de l'évolution de la société.

Auparavant, l'émancipation de la femme avait besoin du relais du mariage; avec l'éducation sexuelle dispensée à l'école et la vie professionnelle généralisée, la femme a acquis une liberté et une indépendance ainsi que le droit à la sexualité. Le bonheur peut exister en dehors du mariage, et les sondages insistent sur la plus grande exigence de fidélité et de partage qui existe au sein de ces nouveaux couples. Les naissances interviennent tardivement. Les difficultés matérielles n'expliquent pas cette tendance. Les études insistent sur le désir des jeunes couples de vouloir vivre à deux, d'être libres, de pouvoir sortir. Le planning familial, la contraception, l'avortement libéralisé permettent de programmer les naissances, désirer les enfants, les avoir dans les conditions optimales.

Chez les jeunes couples, la notion de partenaires égaux est d'une grande importance, et cela concerne aussi la vie affective. L'affection pour les enfants n'est plus l'apanage de la mère. Le sentiment devient, comme les courses au supermarché, la vaisselle ou le travail professionnel, l'objet d'un partage égalitaire.

● La famille constitue, depuis toujours, l'unité de base de la société. Sa structuration, son évolution, ses tendances ont une influence considérable sur la mentalité sociale comme sur les institutions; elle détermine les besoins d'infrastructure, elle conditionne à moyen et long termes la répartition des richesses et la politique économique. Aussi, la politique familiale est-elle au centre de tout programme de société.

— Les mots ''allocation'' et ''prestation familiale'' sont très connus de tous les Français, autant que ''salaire'' ou ''revenu''. En effet le système d'aide aux familles existe depuis 1946 et concerne la majorité de la population.

Le système des prestations familiales a été créé au lendemain de la guerre pour provoquer la reprise de la natalité après trois décennies d'attitude malthusienne, pour aider les familles qui acceptent d'avoir des enfants sans que cette décision soit ressentie comme un sacrifice financier trop important. Il s'agit d'un ensemble d'aides qui s'ajoute à d'autres mesures favorables aux «familles nombreuses», comme le calcul d'impôt dégressif en fonction du nombre d'enfants.

Les prestations familiales contiennent un nombre impressionnant de versements divers, dont le montant varie, selon les cas, en fonction du nombre et de l'âge des enfants, des ressources des ménages, de l'environnement social. Leur montant est revalorisé régulièrement en fonction du coût de la vie, et les prestations sont exemptées d'impôt.

— Tout en maintenant cette politique d'aide financière, la période de 1968-75 sera surtout marquée par les grandes réformes de la législation: majorité à 18 ans, libéralisation du divorce, égalité de droit des conjoints, amélioration de la condition féminine, réforme des droits de succession, et par l'aide renforcée aux délaissés de la société: personnes âgées, femmes seules, handicapés.

— La forte baisse de la natalité à la fin des années 1970 renforce la politique en faveur des naissances. L'offensive actuelle pour le troisième enfant revêt des aspects fort variés: ''allocations familiales'' en forte hausse à partir du 3e enfant (2 enfants: 538,67 F/mois, 3 enfants: 1228,84 F/mois en juillet 1986), ''complément familial'' pour les familles de trois enfants (701 F/mois), ''allocation parentale d'éducation'' à la naissance du 3e enfant (2400 F/mois et pendant 3 ans, versée aux femmes qui s'arrêtent de travailler), ''allocation de garde d'enfant à domicile'' (2000 F/mois à partir de 1987) pour les parents qui continuent de travailler.

DOCUMENTS

Annexe I.

« L'enquête menée par l'I.N.E.D. (Institut national d'études démographiques) par M. Louis Roussel et Mme Odile Bourguignon sur ''Générations nouvelles et mariage traditionnel'' confirme que pour beaucoup de jeunes, la qualité du couple importe plus que le mariage en tant qu'institution.

L'enquête a porté sur deux mille sept cent soixante-cinq personnes de dix-huit à trente ans.

L'entente et l'harmonie des goûts, pour 42 % des hommes et des femmes interrogés, la fidélité et la tendresse, pour 29 % des hommes et 32 % des femmes, sont les qualités les plus appréciées dans l'amour. Mais aussi, une personne sur cinq estime que l'harmonie sexuelle est l'élément déterminant ; 69 % des hommes et 72 % des femmes estiment que c'est là une condition indispensable mais insuffisante.

Si une large majorité déclare que l'on peut, dans la vie, aimer successivement plusieurs personnes, une même majorité admet que l'on ne peut en aimer plusieurs en même temps. Toutefois, chacun fait preuve dans ses réponses d'une parfaite tolérance : il est bon que les jeunes filles puissent avoir des relations sexuelles sans projet de mariage (50 % des hommes, 48 % des femmes) ou seulement avec leur futur mari (20 % des hommes, 24 % des femmes).

C'est encore à plus de 70 % que les jeunes se déclarent en faveur d'une égalité des rôles dans l'éducation des enfants et dans la vie du ménage. On retiendra enfin que, loin de tomber en *désuétude*[1], le mariage est regardé par 48 % des hommes et 45 % des femmes comme la manière la plus répandue de vivre ensemble, par plus du tiers d'entre eux comme une façon de vivre parmi d'autres, et que seulement 13 à 14 % des jeunes interrogés considèrent qu'il s'agit là d'un modèle appelé à disparaître. »

[1]hors d'usage
[2]tomber en chute libre

François Simon, *Le Monde,* 31 mai 1979.

Annexe II.

« On se contentait jadis d'une harmonie partielle. Aujourd'hui on attend du couple une réussite parfaite dans tous les domaines : affectif, sexuel, matériel... Souvent, rien n'est fait pour sauver une union branlante. Au nom de l'authenticité, on se sépare. C'est le salut ou l'enfer. »

L. Roussel, *Le Monde,* 3 février 1984.

Annexe III.

« La rupture, les courbes la date avec une étonnante précision. Jusqu'en 1972, la famille reste stable, solidement assise sur le mariage quasi indissoluble, dans un contexte de forte natalité. A partir de 1973, le nombre des naissances faiblit, celui des mariages ne cesse de *dégringoler*[2], celui des divorces de grimper. Entre deux recensements — 1962 et 1982 — symétriques de la date fatidique, l'image de la France a déjà profondément changé. D'abord la famille s'est rétrécie. Tout se passe comme si le nombre de deux enfants semblait souhaitable et suffisant : c'est ce modèle qui connaît la croissance la plus forte en vingt ans (+ 50 %)... Cette famille plus étroite est aussi plus émiettée... Pas seulement parce que les familles sont plus petites, mais surtout parce que — c'est la deuxième transformation notable — le nombre des personnes vivant seules a massivement augmenté (+ 69 %). »

G. Moatti, Demain la France (p. 410), *L'Expansion,* octobre-novembre 1985.

Annexe IV.

« Parents de deux enfants, nous désirons une troisième naissance, mais nous nous heurtons à de nombreuses difficultés. Je travaille à temps partiel et j'ai du mal à faire garder mes enfants malgré une bonne organisation. Je suis à la recherche d'un logement près de mon lieu de travail, car ma fille qui va à la crèche doit y être à 6 h 45 le matin. Lever actuellement pour elle : 6 h et pour moi : 5 h. De plus, si notre troisième enfant naît entre Noël et le mois de septembre suivant, la crèche n'en voudra pas l'année de ses trois ans et l'école maternelle non plus. Alors que faire pendant ces six mois ? Je pense que si la France veut des enfants... le plus urgent : augmenter de façon spectaculaire le nombre de places en crèche (et pourquoi pas des crèches sur le lieu de travail ?). »

Marie-Hélène B., *Enfants-Magazine*, novembre 1986.

Annexe V.

¹insupportable
²exigé

Christine, 25 ans, infirmière, qui partage depuis sept ans la vie de Patrick, kinésithérapeute : « Autrefois, dit-elle, les femmes n'étaient ''reconnues'' qu'en se mariant. En attendant de devenir l'épouse de Monsieur X, on était en sursis. On n'était pas quelqu'un de complet aux yeux des autres. N'être pas marié, c'est laisser penser qu'on est *imbuvable*¹ ! » Parce qu'elle commence à avoir « fait sa place » au soleil, cette adversaire du mariage ne veut plus être la moitié d'un couple. Elle refuse la formule frustrante qui fait dire : « Les Fenouillard... Les Dupont ». Les plus énervés s'exclament : « Le mariage, c'est l'institution par laquelle un travail gratuit est *extorqué*² à une catégorie : les femmes-épouses. »

M.T. Guichard, *Le Point* n° 358, 30 juillet 1979.

Annexe VI.

« Docteur Colette Chiland : Les civilisations ont toujours cherché à former les enfants selon l'idée qu'elles se faisaient de l'adulte de leur temps. On demandait autrefois à l'individu de s'adapter à sa culture. On lui demande aujourd'hui de s'adapter à une culture en constant changement. Ce que doit être l'adulte, nous n'en avons plus une vision bien arrêtée. Comment les parents ne seraient-ils pas beaucoup plus démunis devant le problème de l'éducation qu'à l'époque où ils pouvaient se référer à un modèle pour le pérenniser ? »

L'Express, (p. 152), 22-28 mars 1980.

Annexe VII.

« Ce qui compte aujourd'hui c'est que chacun arrive à vivre sa réalisation personnelle dans son couple. Le but est immédiat. Et l'avenir ? Pourquoi le prévoir, alors qu'il se déroule à la vitesse qui engendre sans cesse de nouvelles conjonctures sociales, de nouvelles formes de vie ? Tout devient possible, on n'a plus besoin du couple, pas même du coït. On peut avoir des enfants de mille façons. Nous assistons à la naissance de la famille monoparentale. Une femme prête son utérus à une autre femme. On peut se faire inséminer artificiellement de l'homme que l'on aime sans qu'il soit là, on peut même ne pas s'occuper de la gestation de l'enfant qui sera fabriqué en éprouvette. Il faut s'attendre à tout du côté de la science ! »

Christiane Olivier, *L'état de la France et de ses habitants*, (p. 56), Ed. La Découverte, 1985.

6
LES LOISIRS ET LA CULTURE

¹*effet, conséquence*
²*se consacre*
³*divertissement*

La croissance économique de l'après-guerre a eu pour *corollaire*¹ la hausse du niveau de vie. L'amélioration des ressources a permis l'augmentation des dépenses : de 1959 à 1973 la consommation (par tête en franc constant) s'accroissait chaque année en moyenne de 4,6 %, mais la crise économique a compromis cette évolution, ramenant progressivement à moins de 1 % la hausse annuelle. Tout logiquement on aurait pu s'attendre à la diminution des dépenses superficielles en temps de crise. Toutes les statistiques montrent le contraire : on réduit la part des dépenses fondamentales (alimentation, habillement) dans le budget au profit des dépenses de santé, de loisirs et culture. Le poste des loisirs et culture qui n'intervenait que pour 5,4 % dans le budget des familles en 1959, atteint 8 % actuellement et il est en constant accroissement. La réduction du temps de travail, l'augmentation de la période de congé, l'allongement général de la vie concourent à élargir ou à prolonger le temps libre disponible après le travail. L'utilisation de ce temps libre ouvre de nouvelles perspectives sociales. Nous sommes incontestablement entrés dans la ''civilisation des loisirs''.

I. Distractions comme loisir

L'activité de loisir la plus populaire, celle qui occupe le plus de temps, est le jardinage-bricolage. L'engouement pour ces activités est devenu en quelques années un phénomène social. Il n'est pas propre à la France — on le constate dans tous les pays à niveau de vie élevé — mais ici, la soudaineté et le caractère massif du phénomène surprennent : presque la moitié de la population *s'adonne*² à ces occupations qui alimentent une véritable industrie, relayée par des chaînes de distribution puissantes et vantée par une presse spécialisée offrant plus de 50 titres. Ce phénomène s'explique d'abord par l'extension de la propriété individuelle (58 % des foyers possèdent un jardin) et l'aspiration à un meilleur confort et à une certaine qualité de vie. Le coût et la rareté de la main-d'œuvre, en particulier dans le secteur de réparation, ont certainement joué un rôle dans la détermination des Français à bricoler. L'aspect créatif et ludique du bricolage-jardinage, la rentabilisation d'un temps libre, le *délassement*³ grâce à ces activités librement choisies après un temps de travail à cadences imposées, sont autant d'aspects intéressants de ce phénomène nouveau.

L'autre grand loisir des Français est la télévision. Si le bricolage-jardinage concerne surtout les 30-60 ans, la télévision a ses amateurs dans toutes les catégories d'âges et de milieux socioprofessionnels (cf. chapitre L2). Associé à la télévision, le magnétoscope est en pleine expansion (3 millions de propriétaires en 1985) et on a vu surgir quelque 2500 vidéoclubs qui ont loué plus de 70 millions de cassettes en 1985. Comme pour la télévision et le cinéma, la préférence des Français va aux films d'aventures et d'humour, le divertissement étant le but toujours recherché.

II. Les activités culturelles

Les Français consacrent relativement peu de temps aux activités culturelles. Un Français sur quatre ne lit aucun livre (cf. chapitre L1), les deux tiers d'entre eux ne vont jamais au théâtre, à l'opéra ou à un concert classique; il est vrai que les différences sont importantes selon les catégories socioprofessionnelles (voir annexe I).

Pourtant dans les années 80, un véritable renouvellement artistique s'opère sous la houlette de jeunes représentants (Patrice Chéreau, Antoine Vitez, Jean-Pierre Vincent, Georges Lavaudant, Ariane Mnouchkine, etc.) sans toutefois réussir à faire bouger un public resté fidèle au ''théâtre de boulevard'', séduit ici par le théâtre de grand spectacle de Robert Hossein ou là, par le ballet de Maurice Béjart. Opéra et concerts ne soulèvent pas l'enthousiasme des Français mais les statistiques soulignent la renaissance de la pratique musicale. Un million et demi de jeunes fréquentent les différents cours ou écoles de musique: de 15 à 19 ans, un jeune sur deux joue d'un instrument (piano et guitare ont leur préférence) et les concerts de musique moderne battent tous les records dans les nouveaux centres de la création musicale que sont entre autres ''La Villette'' ou autre ''Zénith'' à Paris. Le ''Centre Pompidou'' s'est confirmé comme un véritable carrefour de la recherche et de la création artistique dans une multitude de domaines.

III. L'évasion, le rêve

Objet de préparation minutieuse toute l'année, les vacances sont la réalisation des rêves d'évasion. Résultat heureux de l'évolution de la société, de plus en plus de Français en bénéficient: plus de la moitié de la population part en été, surtout vers les plages ensoleillées, un Français sur quatre se retrouve encore sur les pistes de ski en hiver (cf. chapitre L5). Les rêves de fortune ou la passion de forcer le hasard amènent aux jeux. Les Français sont grands joueurs: 7 à 8 millions de personnes jouent au ''tiercé'' (pronostic de course de chevaux) chaque semaine, 14 à 15 millions au ''loto''. Si l'on ajoute ceux qui préfèrent la traditionnelle ''loterie nationale'', le ''tac-o-tac'' ou le récent ''loto sportif'' (1985), ils sont finalement la moitié de la population à jouer plus ou moins régulièrement. La télévision et la presse ont beaucoup popularisé ces jeux, qui sont désormais non seulement un loisir mais un moment télévisé attendu, un vrai spectacle. Chez les jeunes, la passion du jeu existe mais il est de nature différente: le tiercé et le loto ne les intéressent pas, ils sont fervents de jeux électroniques et de plus en plus, de jeux informatiques.

Le rêve c'est aussi de vouloir rester jeune. Les gens ne se sont jamais autant préoccupés de leur corps que dans les années 80. Les soucis de santé, d'esthétique, de forme physique poussent à la pratique du sport (cf. chapitre L4). Mais contrairement au passé et à la pratique collective du sport, l'entraînement physique a moins comme but de vaincre (un record, un adversaire) que de procurer une satisfaction personnelle. L'individualisme de la société des années 80 triomphe là aussi. Les distractions, comme les loisirs culturels et les rêves sont des produits indissociables du modèle que la société impose.

DOCUMENTS

Annexe I.

Catégories socioprofessionnelles individuelles des actifs	Lecture de plus de 20 livres (8)	Concert classique (10-7-8)	Théâtre (8-7)	Cinéma (6-8)	Musée (8-7)	Écoute de la TV (2)	Lecture d'un quotidien (1)
Cadres supérieurs et professions libérales	51	28	33	45	61	68	47
Cadres moyens	45	18	25	42	53	71	44
Employés	31	7	9	32	33	77	40
Ouvriers qualifiés, contremaîtres	23	6	7	24	23	82	43
Ouvriers non qualifiés, personnels de service	20	3	4	19	19	79	37
Patrons de l'industrie et du commerce	21	8	13	28	33	73	55
Agriculteurs, exploitants et salariés	12	5	3	9	17	36	

Source : *Eenquête sur les pratiques culturelles*, 1981. Ministère de la Culture. Données sociales 1984.
(1) Tous les jours. (2) Un jour sur deux ou moins. (6) Plus de dix fois. (7) Au moins une fois. (8). Au cours des 12 derniers mois.

Annexe II.

« Le démarrage en flèche du marché du bricolage remonte à une dizaine d'années, période à partir de laquelle s'est constitué dans son sillage un véritable empire avec ses fabricants, ses chaînes de distribution, sa presse spécialisée (plusieurs titres). Le journal le plus ancien, *Système D,* tire à 233 000 exemplaires et possèderait selon le CESP une audience de 1 864 000 lecteurs. A cela s'ajoutent notamment des catalogues édités par les différentes sociétés commerciales ou de vente par correspondance, et les rubriques de bricolage des revues, notamment féminines ou de décoration. Chaque année, deux salons sont consacrés au bricolage, l'un destiné aux professionnels et l'autre au grand public. »

Dominique Frischer, *Le Monde,* 26-27 octobre 1980.

Annexe III.

« Près de 58 % des foyers français possèdent au moins un jardin, ce qui représente plus de 12 millions de petits enclos cultivés avec soin et amour, dont 10 millions sont attenants à la résidence principale. Une superficie globale équivalant à celle de la région Ile-de-France ou de l'ensemble du vignoble dans notre pays ! Résultat, le marché du jardin d'agrément, qui, outre les végétaux, comprend aussi les graines, les engrais, les produits de traitement, l'outillage, etc., connaît une croissance annuelle de 4 à 4,5 % avec un chiffre d'affaires dépassant les 17 milliards. »

Michèle Lamontagne, *Le Monde,* 14 septembre 1985.

Annexe IV.

« Les plus atteints par le virus de la vidéo sont les trente-quarante ans. Les spécialistes constatent une forte proportion de célibataires et une majorité d'hommes, parmi la clientèle des vidéo-clubs, les femmes se contentant souvent d'acheter des cassettes le week-end. Ce qui est sûr : on loue de plus en plus de vidéo-cassettes. Selon le BIPE, Bureau d'informations et de prévisions économiques, on est passé de 48 millions de cassettes louées en 1983 à 70 millions en 1985. On en prévoit 80 millions en 1986 et 114 millions en 1990. Des trois pratiques audiovisuelles (télévision, fréquentation des cinémas et location de vidéo-cassettes), c'est en fin de compte celle qui connaît le plus fort taux de croissance.

A Paris, le vidéophile devient vidéophage, avec une moyenne de 8 à 10 cassettes par semaine. Plus sage en province, l'amateur se contente d'avaler 3 ou 4 cassettes hebdomadaires.

Mettez du suspense, beaucoup de suspense. Ajoutez des uniformes. Saupoudrez d'un zeste d'humour viril. Assaisonnez d'une bonne sauce violente. Remuez le tout avec courses poursuites et des cascades spectaculaires en pagaille. Servez bien chaud. Voilà la recette miracle qui séduit le plus de consommateurs. »

Murielle Szac-Jacquelin, *Le Monde,* 31 août 1985.

Annexe V.

« De la chanson, du cinéma, de la presse, de la publicité, de la radio, de la télévision ou du théâtre, quels sont les *trois modes d'expression* qui reflètent le mieux la société d'aujourd'hui ? »

	Étudiants	Ensemble(*) des Français
	%	%
La publicité	76	32
La télévision . . .	67	70
La presse	55	43
Le cinéma	47	36
La chanson	27	40
La radio	20	33
Le théâtre	7	9

« Pour vous, la création publicitaire, est-ce quelque chose de proche ou d'éloigné de la création artistique ? »

	Étudiants	Ensemble(*) des Français
	%	%
Proche de la création artistique	79	60
Éloigné de la création artistique	17	27
Ne se prononcent pas	4	13
	100	100

Étudiants : *Sondage Le Monde* - P.U.F. - IPSOS réalisé du 15 au 22 oct. 1986.
*Ensemble des Français : *Sondage Le Point* - IPSOS du mois d'août 1985
paru dans *Le Monde,* supplément Campus, 20 nov. 1986.

L₁

LA LECTURE

**L'habitude de lire se perd.
Les livres préférés des Français.
Le choix de la lecture.**

Les Français sont très fiers de leur littérature, connue dans le monde entier, récompensée par 12 prix Nobel. Mais cela signifie-t-il pour autant que la lecture soit un fait social ou une distraction privilégiée ?

[1] régulier
[2] provoquer, faire naître
[3] succès

● Tous les sondages s'accordent : les Français lisent relativement peu. Un tiers des adultes n'ouvre jamais un livre ; un Français sur sept seulement peut être considéré comme un *assidu*[1] de lecture, ayant lu au moins 20 livres dans l'année. Le faible engouement pour la lecture peut surprendre dans un pays où l'école est obligatoire depuis déjà plus d'un siècle. En fait, on estime qu'il reste en France 400 000 illettrés de plus de 15 ans et entre 2 et 4 millions de personnes qui ne savent plus réellement lire et écrire, en ayant totalement perdu l'habitude, mal acquise, lors d'un apprentissage scolaire bref et lointain. On les trouve principalement dans les milieux ouvriers ou paysans des régions rurales et parmi les gens âgés. Mais le fait le plus alarmant, est le peu d'attrait des jeunes pour la lecture. Le système scolaire est souvent mis en cause. Combien de jeunes ne sachant pas suffisamment lire et écrire à l'entrée de la sixième (11 ans) seront rapidement orientés vers les métiers manuels, en raison du système de formation classique, trop théorique, exigeant une bonne capacité de compréhension de textes et éliminant le lecteur médiocre.
Les enseignants se plaignent des habitudes sociales, de l'influence des mass media, de la télévision qui détournent les jeunes de la lecture. Ce ne sont pas les initiatives qui manquent, mais *susciter*[2] l'envie de lire demeure une entreprise difficile. L'État a considérablement augmenté les crédits consacrés à la promotion du livre et de la lecture : le réseau de bibliothèques s'est étoffé, les bibliobus parcourent la campagne et apportent le livre au lecteur, mais les résultats demeurent médiocres : 14 % seulement des Français sont inscrits à des bibliothèques, empruntant 4 à 5 livres par an en moyenne, trois fois moins que les Allemands, dix fois moins que les Danois, sans parler des chiffres records des pays socialistes.

● Parmi les lectures choisies, les romans l'emportent nettement. Les véritables best-sellers sont exceptionnels (Charrière : *Papillon,* 1966), mais les Français préfèrent les lectures faciles de Guy des Cars, ou de Cesbron qui dépassent régulièrement le million d'exemplaires ; Sabatier, Troyat, Clavel ou Barjavel n'en sont pas loin. L'Histoire sous forme de roman connaît une grande *vogue*[3] et des records de vente, et donne au lecteur la rassurante impression de s'instruire en se distrayant (Denuzière, Bourin, Deschamps, Frain et surtout Deforges).

Les mémoires sont très prisés par le grand public avide de sensationnel surtout s'il s'agit d'un homme de spectacle bien connu, dont la réussite individuelle continue à faire rêver (Linda de Suza ; Rika Zaraï ; Demis Roussos ; Jean-Luc Lahaye ;

Simone Signoret ou Sophia Loren ont vendu plus d'un million d'exemplaires en 1985). Les essais politiques, les analyses sociales ont eu des succès retentissants que les querelles idéologiques des années 1976-82 n'expliquent pas à elles seules (Alain Peyrefitte, Giscard d'Estaing, François Mitterrand, Jacques Attali). Les Français découvrent cette envie nouvelle de comprendre les mécanismes de la société: la large diffusion du livre de François de Closets *(Toujours plus)* est une véritable révélation dans ce domaine. Ils restent aussi *inassouvis*[1] de romans policiers: la série de Gérard de Villiers *(S.A.S.)* connaît un tirage régulier entre 700 000 et 1 million par volume, or il en paraît quatre titres par an!

● Au moment du choix de la lecture, les mass media jouent un rôle considérable. La télévision française est la seule dans le monde où depuis 13 ans une émission hebdomadaire de littérature est programmée avec grand succès: ''Apostrophes'' de Bernard Pivot. Autour d'un thème, plusieurs auteurs sont réunis: ils discutent des œuvres présentées. Pivot, meneur de jeu consciencieux, *jovial*[2] et *goguenard*[3], sert de *révélateur*[4] en poussant les auteurs à se dévoiler; le téléspectateur a ainsi l'occasion de connaître les œuvres et leurs auteurs. Les spécialistes estiment qu'un ''passage chez Pivot'' équivaut à 30 % de vente supplémentaire. La télévision ou le cinéma en programmant les films tirés de romans révèlent ou font redécouvrir des auteurs. Cela est particulièrement vrai pour des auteurs étrangers tel Umberto Eco *(Le Nom de la rose)*, William Styron *(Le Choix de Sophie)*, C. M. Cullough *(Les oiseaux se cachent pour mourir)*, Karen Blixen *(La Ferme africaine)*, Doctorow *(Ragtime)*, etc. pour ne prendre en exemple que les films du milieu des années 1980. Les journaux, les hebdomadaires tout particulièrement, publient tous des critiques littéraires. Selon les sondages, un sur trois, sinon un sur deux des lecteurs se fie à leur avis pour choisir dans *l'amoncellement*[5] des livres proposés celui qui correspond à son goût. Chez les libraires comme dans les supermarchés, un rayon spécial bien en évidence expose les livres ''Vus à Apostrophes'' ou ''Choisis par l'Express''. Chaque mois de décembre amène le cortège des prix littéraires (Goncourt, Renaudot, Médicis, Interallié, Fémina) dont le plus prestigieux est le prix Goncourt, attribué depuis 1903. Plusieurs auteurs nés après la dernière guerre ont été ainsi révélés au grand public (Almira, Billetdoux, Cholodenko, Decoin, Faraggi, Grainville, Lévy, Modiano, Queffélec, Rihoit, Rouart), mais vu les tractations qui président à leur attribution (trois éditeurs trustent les prix littéraires: Gallimard, Le Seuil, Grasset), le public s'en méfie. Seule, pour le moment, Marguerite Duras échappe à cette règle en ayant su constituer un large public.

● Malgré des signes indiscutables montrant une réorganisation de l'édition et de la diffusion (FNAC, grandes surfaces, clubs de lecture) la crise de la lecture en France est indéniable. Apprendre à mieux lire nécessite la reconsidération de l'école. Rendre la lecture attractive passe peut-être par la démocratisation des institutions comme les bibliothèques. Augmenter le vouloir-lire, c'est peut-être se tourner beaucoup plus vers la littérature étrangère plus dépaysante en abandonnant une partie du nationalisme culturel. Épouser son temps passe par l'intégration du progrès scientifique et des habitudes sociales. Répandu depuis plusieurs années en Allemagne, au Canada, en Belgique, faisant un véritable boom aux États-Unis, le livre-cassette littéraire reste un produit quasi inconnu en France (quelques essais chez Des Femmes et Gallimard-Jeunesse). En sachant l'écouter on retrouvera peut-être l'envie et le savoir-lire.

[1] *satisfaits*
[2] *plaisant*
[3] *critique léger*
[4] *confident*
[5] *grande quantité*

DOCUMENTS

Annexe I.

Grands prix littéraires.

PRIX NOBEL	PRIX GONCOURT
1901 : Sully Prudhomme	1975 : Emile Ajar : la Vie devant soi
1904 : F. Mistral	1976 : Patrick Grainville : Les Flamboyants
1915 : R. Rolland	1977 : Didier Decoin : John l'Enfer
1921 : A. France	1978 : Patrick Modiano : Rue des boutiques obscures
1927 : H. Bergson	1979 : Antonine Maillet : Pélagie la Charrette
1937 : R. Martin du Gard	1980 : Yves Navarre : Le Jardin d'acclimatation
1947 : A. Gide	1981 : Lucien Bodard : Anne-Marie
1952 : F. Mauriac	1982 : Dominique Fernandez : Dans la main de l'ange
1957 : A. Camus	1983 : Frédérick Tristan : Les Égarés
1960 : Saint-John Perse	1984 : Marguerite Duras : L'Amant
1964 : J.-P. Sartre	1985 : Yann Queffélec : Les Noces barbares
1985 : C. Simon	1986 : Michel Host : Valet de nuit

Annexe II.

Les vingt meilleures ventes de romans écrits entre 1954 et 1984 (nombre d'exemplaires en mille), d'après *Quid*, 1987.

G. Cesbron : Chiens perdu sans collier (1954) 2173	H. Charrière : Papillon (1966), 11000
F. Sagan : Bonjour Tristesse (1954), 2157	D. Saint-Alban : Noëlle aux quatre vents (1967), 2879
P. Daninos : Les Carnets du Major Thompson (1954), 1960	J. Joffo : Un sac de billes (1973), 1688
G. des Cars : Le Château de la Juive (1958), 1615	M. Denuzière : Louisiane (1977), 1520
J. Kessel : Le Lion (1958), 3159	J. Bourin : La Chambre des dames (1979), 1669
G. des Cars : Les Filles de joie (1959), 1614	J. Bourin : Le Jeu de la tentation (1981), 1817
J. Lartéguy : Les Centurions (1959), 1600	M. Denuzière : Bagatelle (1981), 1500
G. des Cars : La Brute (1961), 1781	R. Deforges ; La Bicyclette bleue (1982), 2683
B. Vian : L'Arrache-cœur (1962), 1982	F. de Closets : Toujours plus (1982), 1540
M. Pagnol : La Gloire de mon père (1964), 1715	R. Deforges : 101, Avenue Henri-Martin (1983), 1590

Annexe III.

"Parmi les romans contemporains français du vingtième siècle que vous avez lus, lesquels vous ont le plus marqué ?"	
Les titres les plus cités	Les auteurs les plus cités
1. "L'Étranger" (Camus) . . . . 13 %	1. Albert Camus . . . . 22 %
2. "La Peste" (Camus) . . . . 10 %	2. Boris Vian . . . . 16 %
3. "L'Écume des jours" (Vian) . . . . 10 %	3. Jean-Paul Sartre . . . . 15 %
4. "Vipère au poing" (Bazin) . . . . 4 %	4. Marguerite Duras . . . . 6 %
5. "Le Mur" (Sartre) . . . . 4 %	5. François Mauriac . . . . 5 %
6. "J'irai cracher sur vos tombes" (Vian) . . . . 4 %	6. Hervé Bazin . . . . 5 %
	7. Marcel Pagnol . . . . 5 %

Annexe IV.

| "Parmi les romans français parus récemment que vous avez lus, quels sont ceux que vous avez préférés ?" ||
Les titres les plus cités	Les auteurs les plus cités
1. "L'Amant" (M. Duras) . . . . 5 %	1. Marguerite Duras . . . . 6 %
2. "Les Noces barbares" (Queffélec) . . . . 4 %	2. Yann Queffélec . . . . 4 %
3. "Mes nuits sont plus belles	3. P.-L. Sulitzer . . . . 2 %
que vos jours" (Billetdoux) . . . . 2 %	4. Bernard-Henri Lévy . . . . 2 %
4. "La Cité de la joie"	5. D. Lapierre et L. Collins . . . . 2 %
(Lapierre et Collins) . . . . 2 %	6. Régine Deforges . . . . 2 %
5. "Le Diable en tête" (B.-H. Lévy) . . . . . 2 %	7. Michel Tournier . . . . 2 %
6. "La Bicyclette bleue" (Deforges) . . . . . 2 %	8. Raphaëlle Billetdoux . . . . 2 %

Annexe V.

| "Quels sont parmi les romans étrangers classiques ou contemporains que vous avez lus, ceux qui vous ont le plus marqué ?" ||
Les titres les plus cités	Les auteurs les plus cités
1. "Les Raisins de la colère"	1. John Steinbeck . . . . 10 %
(John Steinbeck) . . . . 6 %	2. Fedor Dostoïevski . . . . 8 %
2. "1984" (George Orwell) . . . . 5 %	3. Franz Kafka . . . . 6 %
3. "Cent ans de solitude"	4. George Orwell . . . . 5 %
(Gabriel Garcia Marquez) . . . . 4 %	5. Gabriel Garcia Marquez . . . . 5 %
4. "Le meilleur des mondes"	6. Edgar Poe . . . . 4 %
(Aldous Huxley) . . . . 4 %	7. Ernest Hemingway . . . . 4 %
	8. Aldous Huxley . . . . 4 %

Annexes III, IV, V. Sondage réalisé du 15 au 22 octobre 1986 auprès d'un échantillon représentatif de 570 étudiants et étudiantes français, par IPSOS-Le Monde-PUF.

Supplément "Le Monde/Campus", *Le Monde*, 20 nov. 1986.

L₂

LA TÉLÉVISION

**La télévision, phénomène de société.
L'État et la télévision.
Télévision publique ou privée ?**

¹écoute
²intéresse fortement
³provocateur
⁴défenseurs
⁵décidait

Quels que soient la catégorie sociale, l'âge ou le sexe, la télévision vient toujours en tête de toutes les pratiques culturelles et de loisirs.

● Il y a 18 millions de téléviseurs en France, 93 % des ménages en sont équipés. Ces chiffres sont éloquents : tous les Français sont consommateurs de télévision. D'une catégorie sociale à l'autre les différences sont insignifiantes. Aucun autre moyen de culture ou de loisir ne réalise une telle homogénéité et une telle *audience*¹. A la différence de la radio qui est un media d'accompagnement, la télévision fixe l'intérêt et occupe de façon exclusive 37 % du temps libre des Français. Selon les études menées en 1986, le téléviseur est allumé en moyenne 5 heures par jour (7 heures aux États-Unis), et chaque Français est assis pendant 3 heures en moyenne devant le petit écran. L'audience est faible le matin, remonte un peu à l'heure du déjeuner, mais la grande période commence vers 19 heures pour atteindre son maximum entre 20 et 22 heures.
Étant devenue un véritable phénomène de société, indispensable et inévitable, la télévision façonne les mœurs et les pratiques sociales, bouleverse les politiques, *subjugue*² les hommes d'affaires. Elle est la première source d'information mais aussi d'évasion, de rêve. Elle fait et défait les modes, impose des attitudes et des comportements. Elle modifie le langage, détermine le goût, sélectionne les articles de consommation à acheter, établit la hiérarchie des valeurs et la notoriété, mobilise les esprits et les énergies. Mais, parce qu'elle est influente, la télévision est loin d'être considérée comme un aspect favorable de l'évolution de la société. Les détracteurs lui attribuent le rôle de principal *pourvoyeur*³ des malaises sociaux : violence, amoralité, irascibilité. D'autres lui reprochent son caractère superficiel, qui donne l'apparence de facilité, enlevant à l'individu l'esprit d'engagement et de tenacité. Son rôle paraît être déterminant dans le recul de la vie collective et le triomphe de l'individualisme. Certains estiment qu'elle perturbe la vie familiale, la communication. Tout le monde critique son influence néfaste sur la jeunesse à qui elle enlève le goût de travailler, de se cultiver, de se reposer même. *Encenseurs*⁴ ou détracteurs, tout le monde est d'accord sur un point : la télévision est indispensable à la vie quotidienne et en tant que telle il faut qu'elle soit le meilleur moyen d'information, de culture, de loisir.

● L'influence de la télévision est si subtile qu'elle est au centre de la convoitise des pouvoirs politique, économique, culturel de la société.
En France, depuis son origine jusqu'en 1982, la télévision est un monopole d'État. La loi de 1972 *stipulait*⁵ que l'organisme public de télévision "l'ORTF seul a qualité pour assurer la diffusion des programmes par tous procédés de télécommunication''. Même, si la loi de 1974 créait de nouvelles sociétés concurrentes à la place de l'unique ORTF, l'État continue de garder la haute main sur

la télévision, en nommant ses directeurs de chaînes, en *cautionnant*[1] la désignation des responsables de programme, en définissant le système de financement et en établissant le ''cahier des charges''. La maîtrise technique lui appartient aussi : TDF (Télédiffusion de France), établissement public, est chargé de répartir les fréquences, de poser les réseaux de câbles et d'émetteurs, de lancer des satellites de télédiffusion directe.

En 1982, le gouvernement socialiste remet en cause le monopole d'État. L'autorisation des radios privées puis d'une chaîne de télévision privée payante, Canal +, en sont les premiers effets. La mise en place de la ''Haute Autorité de l'audiovisuel'' est destinée à décharger l'État de l'organisation des télécommunications, en lui conférant dès 1983 la tâche de garantir l'indépendance du service public, de veiller à la libre expression de tous et d'arbitrer les conflits de toutes origines. Pour rendre la concurrence plus réelle, deux nouvelles chaînes sont autorisées à émettre, la Cinq et TV6 (chaîne musicale) en 1985 et 86.

Dès son arrivée au pouvoir la droite libérale veut aller plus loin dans la libéralisation. Succédant à la Haute Autorité de l'audiovisuel, la CNCL (Commission Nationale de la Communication et des Libertés) a vu élargir ses compétences : c'est elle et non l'État qui dorénavant nomme les directeurs de chaînes publiques, et qui veille au respect de la liberté et de la libre concurrence. C'est elle encore qui, après que le gouvernement a décidé la privatisation de TF1, de la Cinq et de TV6, choisit les repreneurs parmi les candidats déclarés.

● Le débat télévision publique-privée passionne la France. L'apparition de la télévision privée est très généralement souhaitée et ''Canal +'', malgré l'abonnement supplémentaire, est un réel succès. Mais les Français ne veulent pas une exploitation commerciale de l'audiovisuel (la publicité entrecoupant les émissions est particulièrement décriée) à la façon américaine ou italienne, ni même la multiplication à l'infini des chaînes. La privatisation de TF1, la meilleure chaîne publique, a été l'objet de controverses passionnées en 1986-1987. L'exigence d'une chaîne publique servant de référence s'impose, montrant les réticences des téléspectateurs à croire que la liberté totale n'est pas forcément synonyme d'*avilissement*[2] et de baisse de qualité.

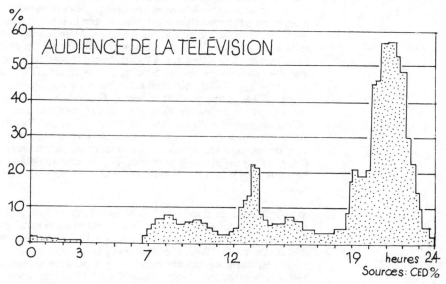

AUDIENCE DE LA TÉLÉVISION

Sources : CED %

DOCUMENTS

Annexe I.

[1] profils uniformisés
[2] vieilli, engourdi
[3] excès de paroles
[4] records d'audience
[5] influencer
[6] soumission acceptée

« La télévision fait croire à l'enfant qu'il y a, ou doit y avoir, une solution facile à tous ses problèmes. Ce n'est évidemment pas le cas, et les enfants deviennent insatisfaits d'eux-mêmes et de la société. Ils se laissent aller et peuvent même se tourner vers la drogue... La télévision vit dans les *stéréotypes*[1]. Son effet est dévastateur pour le développement de l'intelligence des jeunes. Les personnages, à la télévision, ne sont jamais modifiés par l'expérience, contrairement aux personnages de Shakespeare ou de Tolstoï, que le cours du temps transforme. Les jeunes ont pourtant besoin de cela. »

Bruno Bettelheim, *Le Point,* 1ᵉʳ sept. 1986.

Annexe II.

« L'enfant va à l'école car il faut y aller ; par contre, il regarde la télévision de son plein gré. La télévision est le premier moyen sérieux pour détruire — éventuellement — un système scolaire *sclérosé*[2]. La télévision s'oppose au *verbalisme*[3] au profit de la démonstration. »

Judith Lazar, *École, communication, télévision.*
Ed. Presses universitaires de France (PUF).

Annexe III.

« Le cinéma est le triomphateur écrasant du hit-parade de l'audience télévisée de 1986. Selon une étude — confidentielle — réalisée par Médiamétrie, sur les 50 émissions les plus regardées de l'année dernière figurent 39 films, 5 matchs du Mundial impliquant l'équipe de France, et seulement 3 émissions de variétés (dont ''Carnaval'' de Patrick Sébastien, premier dans le genre mais en 18ᵉ position), 2 téléfilms, dont ''L'ami Maupassant'', et 1 ''Intervilles'' (en 49ᵉ place). Les émissions les plus prisées du public sont avant tout — et pour près des deux tiers — des films comiques français. Les trois plus gros *scores*[4] à la télévision en 1986 sont : ''Les Sous-Doués'' (58,7 % d'audience), ''Inspecteur La Bavure'' (52 %), ''La Chèvre'' (51,4 %). »

Le Point, 2-8 février 1987.

Annexe IV.

« La télévision est devenue indispensable, mais elle ne satisfait personne. Certains l'accusent de *manipuler*[5] les esprits. D'autres lui reprochent sa *complaisance*[6] envers le pouvoir politique. Quand les uns incriminent le gaspillage de l'argent public, d'autres invoquent la ''création'' et parlent au nom d'une ''élite''. Service public, modèle privé : quel serait le meilleur type d'organisation pour concilier la communication par l'image et la démocratie ? Peut-il y avoir une ''bonne télévision'', libre, respectueuse du pluralisme ? »

L'Express, 30 septembre-6 octobre 1983.

Annexe V.

« Le pouvoir politique étant toujours isolé dans la société, le désir d'utiliser le cordon ombilical des médias lui vient naturellement. Quand le champ de son action ne cesse de s'étendre, il juge plus que jamais nécessaire d'expliquer sa politique. La tentation est grande de considérer les médias, et particulièrement la télévision, comme un relais, comme une voie de passage vers un public à convaincre. Consciemment ou non, la télévision est perçue comme une courroie de transmission. Pour les journalistes, au contraire, l'information, dans la mesure où elle émane d'un acteur politique, doit nécessairement faire l'objet d'un travail critique. L'information n'existe pas en soi. Elle est le produit d'une situation historique et doit être examinée avec prudence et scepticisme. Informer consiste d'abord non pas à convaincre, mais à expliquer, à démêler. »

Jean-Lous Missika et Dominique Wolton, *La Folle du logis,* Ed. Gallimard, 1983.

Annexe VI.

« A TF1, le premier président-directeur général de l'après 10 mai 1981, Jacques Boutet, a embauché des journalistes sur simple présentation de leur carte du parti communiste. Il a également confié le service politique au candidat du Premier ministre. Le deuxième P.d.g., Michel May... a mis fin aux fonctions du directeur de l'information : Jean-Pierre Guérin ne tenait sa réputation que de ses compétences professionnelles et déplaisait au clan des protégés de Matignon. Le troisième P.d.g. (nommé le 15 juillet 1983), Hervé Bourges, vient de désigner comme responsable du service politique un membre important du Cérès et du Mouvement de la paix, Pierre-Luc Séguillon, et, à la tête du service étranger, un défenseur de Fidel Castro, Jacques Decornoy. Faut-il croire, avec l'un des deux cent cinquante journalistes de la chaîne, qu'à TF1 ''l'indépendance de la rédaction est une tradition qui remonte au prochain P.d.g. ? »

Philippe Meyer, *L'Express,* 14-20 octobre 1983.

Annexe VII.

« Déjà, 28 % des foyers américains, 14 % des foyers britanniques, 40 % des ménages néerlandais, 75 % des Belges sont abonnés à des réseaux de télévision par câble. Ailleurs, la révolution du câble a commencé il y a des années. Pas chez nous. Il existe en France trois cents réseaux communautaires, ce qui fait environ 300 000 prises de raccordement. C'est dérisoire. La seule ville de Bruxelles compte 80 000 prises. A Philadelphie, il y en a 500 000. Autant dire qu'il faudra des années si l'on veut câbler les Français comme le sont les Belges, qui dans ce domaine sont les champions. »

Fabien Gruhier et Antoine Silber, *Le Nouvel Observateur,* 27 mars 1982.

Annexe VIII.

« Le groupe Havas est en position dominante dans la communication et la publicité, pour lesquelles il occupe le premier rang en Europe. Avec bonne santé et bon appétit : 11,5 milliards de francs de chiffre d'affaires cumulé, 122 filiales, sous-filiales et participations, 12 600 collaborateurs. Sa puissance n'a pas d'égale en France. Tous les médias ont affaire à un ou plusieurs éléments de l'empire Havas, aux activités variées... Curieux groupe de droit privé où les fonds publics sont majoritaires ! 50,26 % du capital appartient à l'État. »

Alain de Penanster, *L'Express,* 23-29 mars 1984.

LE CINÉMA

**L'évolution du cinéma français.
Cinéma populaire et ''films d'auteur''.
Le cinéma au service de la télévision?**

[1] *très rapide*
[2] *ensemble des manifestations*

Outre la vie de famille, la télévision, le bricolage qui occupent l'essentiel de leur temps libre, les Français sortent volontiers — ne serait-ce que deux ou trois fois par mois — pour assister à un quelconque spectacle. Leur préférence va au cinéma: la moitié de la population totale y est allée au moins une fois au cours de 1982. 20 % des Français peuvent être considérés comme cinéphiles en allant au spectacle 2 à 3 fois par mois. Les jeunes sont les plus concernés (la moitié des spectateurs ont de 15 à 24 ans), ils préfèrent à la télévision familiale souvent triste, la sortie au cinéma avec leurs amis.

● En 1985, on a compté 172 millions d'entrées dans les cinémas, chiffre qui est loin des 400 millions de spectateurs des années 1950-60. La télévision est la cause de cette baisse de fréquentation, c'est un phénomène mondial, encore qu'en France, le cinéma ait beaucoup mieux résisté que dans la plupart des autres pays développés. En Grande-Bretagne par exemple, le nombre annuel des entrées dans les salles est tombé de plus de un milliard à une cinquantaine de millions en vingt ans, en Allemagne ou en Italie de 800 millions à moins de 200 millions. On peut estimer que le Français reste plus attaché au cinéma que ses voisins. D'ailleurs, depuis une quinzaine d'années le nombre de spectateurs est stable, même si l'on assiste simultanément à un développement *fulgurant*[1] de la télévision et de la vidéo. La raison de cette relative bonne santé tient d'abord à l'aide que l'État consent à la création cinématographique (avances sur recettes, TVA au taux de 7 % seulement, retour de taxe pour modernisation des infrastructures, etc). Cette aide a permis de restructurer l'équipement d'accueil pour le rendre attirant par son côté confortable et moderne. L'entente entre l'État et les professionnels du cinéma a permis de diminuer la concurrence de la télévision: l'interdiction de programmes de films, samedi soir à la télévision, la subvention spéciale de l'État pour la réduction des tarifs de cinéma le lundi, ont beaucoup aidé à remplir les salles. L'aide de l'État n'aurait pas été suffisante pour sauver le cinéma sans l'existence d'une production dynamique. Avec 130 à 150 films produits annuellement (autant que l'URSS), la France est le 4e producteur mondial, et contrairement aux autres pays européens, les films nationaux contribuent pour la moitié des recettes des salles de cinéma et se vendent assez bien à l'étranger (407 millions de F de recettes en 1984).

● Les talents de réalisateurs et d'acteurs ne manquent pas. *L'effervescence*[2] de Mai 68 a fait naître tout un courant de cinéma militant au service des sujets immédiatement politiques où excelle particulièrement Constantin Costa-Gavras (''Z'', 1968, ''Missing'', 1982). La France a toujours eu un cinéma

— Nombre de films produits en 1983 (A) — Spectacles annuels par habitants (B)		
	A	B
Inde	741	6,8
États-Unis	396	4,5
Japon	320	1,3
URSS	159	14,9
France	131	3,5
Italie	128	2,9
Hong-Kong	116	12,2
Mexique	105	3,9
Espagne	99	3,7
Corée du Sud	91	—
Égypte	90	—
Allemagne	83	2,0

[1] d'atmosphère
[2] inattendu
[3] épopées

intimiste[1], mais les courants issus de 1968 poussent à donner une part plus grande à la réflexion sur la transformation de la société. De Jean-Louis Bertucelli ("Docteur Françoise Gailland", 1975), à Maurice Pialat ("A nos amours", 1983), à Eric Rohmer ("Les Nuits de la pleine lune", 1984), à Alain Resnais ("L'Amour à mort", 1984), à Claude Pinoteau ("La Boum", 1982), à Jean-Jacques Beineix ("37°2", 1986), les styles et les thèmes sont très divers, mais privilégient toujours la peinture d'atmosphère. Semblables en cela à la littérature, les sujets rétro, les études de mœurs du passé et les thèmes sur arrière-plan historique ont beaucoup de succès à l'exemple du "Vieux Fusil" (R. Enrico, 1977), "Le Dernier Métro" (F. Truffaut, 1981), "Le Retour de Martin Guerre" (D. Vigne, 1981), "Jean de Florette" (Pagnol et Berri, 1986). Le public voue une passion sans bornes pour les films policiers ou d'aventures spectaculaires, qu'exploitent nombre de réalisateurs, comme Jacques Deray, Georges Lautner, Henri Verneuil en faisant intervenir des acteurs très populaires, tels Belmondo, Alain Delon ou Lino Ventura. Les plus grands succès populaires, représentant parfois plusieurs millions de spectateurs, vont aux films comiques dont la veine ne tarit pas en France. Fernandel, Bourvil, Louis de Funès, les Charlots ont eu leurs heures de gloire dans les années 1960-70. Quand Gérard Oury réussit à réunir Louis de Funès et Bourvil ("La Grande Vadrouille" 1966, "Le Corniaud" 1965) alors le succès est au maximum, et ces films restent jusqu'à maintenant des grands classiques (17 et 12 millions de spectateurs depuis leurs sorties).

Dans les années 1980, le comique pur tourné autour d'un personnage, laisse la place aux comiques de situation sur fond d'aventures. Le tandem inattendu de Francis Weber, Pierre Richard et Gérard Depardieu, va de succès en succès ("La Chèvre" 1981, "Les Compères" 1984, "Les Fugitifs" 1987); le comique d'insolite[2] est une autre recette payante ("La Cage aux folles", 1979, avec Michel Serrault, "Trois hommes et un couffin" de Coline Serreau (1986) avec Michel Boujenah). Le cinéma est perçu avant tout comme un spectacle de divertissement par le grand public, qui reste fidèle au cinéma français.

Les jeunes, les étudiants, ont des goûts différents (voir annexe): l'humour, la fantaisie, la légèreté ne les touchent que peu, ils se sentent beaucoup plus concernés par les films évoquant les grand drames de leur temps. Leurs préférences vont à "Midnight Express" d'Alan Parker, à "La Déchirure" de Roland Joffé, à "Apocalypse now" de Francis Ford Coppola, trois films anglo-saxons d'une extrême violence, mais où la violence exprime, illustre des problèmes réels, universels et actuels: la drogue, la guerre, la folie. En contrepartie logique, ils sont touchés par le romanesque, les sagas[3], les grands sentiments ("Out of Africa", "La Couleur pourpre", "Mission", "Jean de Florette").

Quel avenir pour le cinéma français? Si à la fin des années 70 et au début des années 80 le cinéma français résiste bien à la concurrence des autres moyens audiovisuels, depuis 1983, chaque année il perd 8 % de ses spectateurs. En 1982, les trois quarts de l'amortissement d'un film français provenaient des recettes des salles. Les entrées ne couvrent même plus la moitié des dépenses en 1987. Pour rentabiliser un film, le passage dans une salle devient insuffisant. Ce sont de plus en plus les droits de passage à la télévision, les droits de vidéo et bientôt les droits de câbles et de satellite qui constituent l'assurance financière. La production cinématographique dans l'avenir serait-elle totalement aliénée aux besoins de la télévision?

DOCUMENTS

Annexe I.

Films ayant eu le plus de succès en France en salle depuis 1970.

Titre	Réalisateur	Année	Acteurs principaux	Millions de spectateurs
Aristochats	W. Reitherman	1971	dessin animé	9,3
Emmanuelle	J. Jaeckin	1974	S. Kristel	8,7
E.T. l'Extraterrestre	S.Spielberg	1982	Dee Wallace	7,9
Les Bidasses en folie	C. Zidi	1971	Les Charlots	7,5
Les Aventures de Rabbi Jacob	J. Girault	1973	Louis de Funès	7,4
La Chèvre	F. Weber	1981	P. Richard, G. Depardieu	6,9
Les Dents de la mer	S. Spielberg	1975		6,2
Le Gendarme et les Extraterrestres	J. Girault	1978	Louis de Funès	6,2
Mourir d'aimer	A. Cayatte	1971	A. Girardot	5,9
Orange mécanique	S. Kubrick	1971	M. MacDowell	5,9
L'Aile ou la cuisse	C. Zidi	1976	Louis de Funès	5,8
Les Fous du stade	C. Zidi	1972	Les Charlots	5,7
A nous les Petites Anglaises	M. Lang	1976		5,7
La Folie des grandeurs	G. Oury	1971	L. de Funès, Y. Montand	5,6
Les Valseuses	B. Blier	1974	Miou-Miou, G. Depardieu	5,5
Le Cerveau	G. Oury	1970	Bourvil, Belmondo	5,5

Sources : C.N.C.

Annexe II.

Le goût des jeunes.

Parmi tous les films que vous avez vus dans votre vie, lesquels vous ont le plus marqué ?	Quels sont parmi les films récemment sortis que vous avez vus ceux que vous avez le plus aimés ?
1. Midnight Express (A. Parker) .... 16 %	1. 37°2 le matin (J.-J. Beineix) ...... 13 %
2. La Déchirure (R. Joffé) .... 9 %	- Jean de Florette (C. Berri) .... 13 %
3. Apocalypse Now (F.F. Coppola) ..... 7 %	3. Out of Africa (S. Pollack) .... 11 %
4. Autant en emporte le vent (V. Fleming) .... 6 %	4. La Couleur pourpre (S. Spielberg) .... 10 %
- Birdy (A. Parker) .... 6 %	- Mission (R. Joffé) .... 10 %
6. Vol au-dessus d'un nid de coucou (M. Forman) .... 5 %	6. Autour de minuit (B. Tavernier) ..... 7 %
- 37°2 le matin (J.-J. Beineix) .... 5 %	7. Trois Hommes et un couffin (C. Serreau) .... 6 %

Sondage ''Le Monde - PUF - IPSOS'', réalisé du 15 au 22 octobre 1986 auprès d'un échantillon représentatif de 570 étudiants et étudiantes français. Publié par Le Monde, Supplément ''Campus'', 20 novembre 1986.

Annexe III.

''Césars'': créés par Georges Cravenne à l'imitation des ''Oscars'' américains. Attribués par un vote d'environ 200 membres de la profession cinématographique française, à la fin de chaque année. Remise des récompenses (statuettes sculptées par César) en février de l'année suivante.
— César du meilleur film. 1976: Le Vieux Fusil (R. Enrico), 1977: Monsieur Klein (J. Losey), 1978: Providence (C. de Chalonge), 1980: Tess (R. Polanski), 1981: Le Dernier Métro (F. Truffaut), 1982: La Guerre du feu (J.-J. Annaud), 1983: La Balance (Bob Swaim), 1984: A nos amours (M. Pialat), 1985: Les Ripoux (C. Zidi), 1986: Trois Hommes et un couffin (C. Serreau).
— César du meilleur acteur: Philippe Noiret, Michel Galabru, Jean Rochefort, Michel Serrault, Claude Brasseur, Gérard Depardieu, Philippe Léotard, Coluche, Alain Delon, Christophe Lambert.
— César de la meilleure actrice: Romy Schneider, Annie Girardot, Simone Signoret, Miou-Miou, Catherine Deneuve, Isabelle Adjani, Sabine Azéma, Sandrine Bonnaire.

Annexe IV.

Quand ils vont au cinéma, qu'est-ce qui guide le choix des Français?
45 % sont guidés dans leur choix par les acteurs, 34 % par les extraits vus à la télévision, 33 % par les critiques, 29 % par ce qu'en disent leurs amis autour d'eux, 27 % par le ''genre'' du film (comédie, policier, aventure), 26 % par le metteur en scène, 15 % par la publicité (journaux, radio), 13 % par la bande-annonce vue au cinéma.

Sondage réalisé du 4 au 9 avril 1986 pour *Le Monde, R.T.L.* et *les Cahiers du Cinéma* sur un échantillon national de 1 000 Français âgés de 18 ans et plus. (Total supérieur à 100 en raison des réponses multiples).

Annexe V.

« L'originalité du cas français est qu'il existe dans ce pays une passion pour le cinéma qui ne se retrouve nulle part ailleurs, même aux États-Unis. Bien entendu, le cinéma américain a été et reste le premier du monde et de l'histoire. Mais la Mecque du cinéphile, c'est Paris. Paris, avec sa périphérie, dispose de plus de 800 salles, soit deux fois ce qu'on trouve à New York. Du Grand Café et des frères Lumière à Henri Langlois et à la Cinémathèque, de Charles Pathé et de Léon Gaumont à Robert Dorfman, à Alain Poiré et à Anatole Dauman, la France a fait preuve, depuis quatre-vingt-dix ans, d'une vitalité sans cesse renouvelée dans tous les domaines de l'activité cinématographique. Il va de soi que cette vitalité n'aurait pas eu de sens si elle n'avait nourri la création et le talent. »

René Guyonnet, *Le Nouvel Économiste,* 5 avril 1984.

Annexe VI.

« La télévision est en train de devenir le diffuseur privilégié des films de cinéma. Vrai phénomène de vampirisation du grand écran par le petit et cauchemar pour tous les cinéastes! Si la télévision devient le grand décideur, à la fois producteur et diffuseur des images, aura-t-elle la volonté de susciter encore la création de films? Ou se contentera-t-elle de commander et de programmer des produits standardisés? »

Anne Andreu et Michel Boujut, *L'Événement du jeudi,* 12-18 mars 1987.

L4

LES ACTIVITÉS SPORTIVES

Sports traditionnels et sports à la mode.
Sport d'élite et sport de masse.
La télévision et le sport spectacle.

[1] *inconditionnels*
[2] *inscrits*
[3] *perte d'intérêt*
[4] *enthousiasme passager*
[5] *orné*

Si l'on mesure l'importance de la pratique des sports par les résultats atteints au niveau mondial, il est difficile de considérer la France comme un pays sportif. Pourtant, il existe plus de 150 000 clubs avec près de 12 millions de licenciés. Un Français sur cinq pratique un sport. Plus spectaculaire encore est l'engouement récent pour la pratique sportive. Le sport, après avoir été pendant longtemps réservé aux *illuminés*[1] de l'effort, devient un phénomène de société.

● De 1970 à 1985, le nombre de licenciés sportifs a doublé, passant de 6 millions à près de 12 millions. Les sports traditionnels, le plus souvent sports olympiques, ont gardé leur importance, mais la hiérarchie s'est modifiée. Le sport le plus populaire reste, de loin, le football avec 1 708 000 licenciés dans les 22 000 clubs *affiliés*[2] à la Fédération française en 1985. Dans ce sport, le dynamisme vient surtout de la création dans tous les clubs de sections jeunes et vétérans. Le football est maintenant suivi de deux sports, insignifiants encore il y a 15 ans : le tennis et le ski. L'ascension fulgurante du tennis (8 000 clubs et près de 1,3 million de licenciés), jadis sport élitiste, entre pour une large part dans cette évolution. Le nombre de licenciés de ski (800 000 en constante progression est le reflet de la vogue de plus en plus appréciée des vacances de neige ; et ce qui semble plutôt un jeu qu'un sport pour les étrangers, la pétanque, continue de passionner les Français et donne lieu à de grands rassemblements locaux ou nationaux organisés par de nombreux clubs (7 500) qui comptent 500 000 adhérents de tous âges. Viennent ensuite le judo et le basket-ball, d'importance comparable (5 000 clubs, près de 400 000 pratiquants) bien que la trajectoire de leur évolution soit différente, marqués actuellement par une certaine *désaffection*[3]. Le rugby et le jeu à XIII (2 000 clubs, 250 000 licenciés) ont des défenseurs inconditionnels, mais ces sports restent cantonnés dans le sud-ouest. Les autres sports classiques (athlétisme, natation, cyclisme, équitation, gymnastique, handball, tennis de table, volley-ball, etc) réunissent 1 à 2 000 clubs et ont rarement plus de 100 000 licenciés.
Le progrès phénoménal de la pratique sportive depuis quinze ans est aussi le fait de la multiplication de clubs d'entretien physique et de sport-loisir (gymnastique volontaire, cyclo-tourisme, randonnée pédestre, course d'orientation, musculation, etc). Dans 32 000 clubs dont les profils sont extrêmement diversifiés, on compte 2 millions de licenciés et les femmes y sont presque aussi nombreuses que les hommes. Cet *emballement*[4] pour les activités sportives traduit un changement de mentalité dans la société. Il y a 15 ans on opposait l'intellectuel et le sportif, "la tête et les jambes", finesse et rudesse. Les années 80 redécouvrent le corps, et le sport est *paré*[5] de toutes les vertus.

¹équipement
²quelques heures
³reconnaît
⁴service gratuit
⁵suppriment le côté "superman"

Le Français est à la recherche du "bien-être", de "l'équilibre", valeurs nouvelles véhiculées par les médias, qui poussent les citadins à faire leur jogging dominical, à trouver à tout prix la place pour le tennis hebdomadaire, à souffrir le martyre dans les salles de musculation. Depuis que Véronique et Davina, les stars de la gym-télé du dimanche matin ont montré l'exemple, toutes les femmes se sentent obligées de suivre (il faut rester "branchées") les séances d'aérobic, d'expression corporelle, de biogymtonic, de body building et d'autres pratiques que la mode ne cesse pas d'importer des États-Unis avec tout l'attirail¹ vestimentaire et le vocabulaire spécifique.Il faut être bien dans sa peau, "garder la forme mais pas les formes", chasser le stress quotidien, rester jeune et disponible.

● Derrière la floraison de clubs et d'associations sportives, un constat d'échec: celui de l'éducation physique à l'école et à l'université. Malgré toutes les déclarations de bonnes intentions, rien de changé: deux heures hebdomadaires de pratique de sport, souvent dans de mauvaises conditions matérielles, sont nettement insuffisantes pour faire de l'école un centre d'apprentissage et d'éveil sportif. Pourtant ce n'est pas la faute des professeurs d'éducation physique — qui font, après une sévère sélection, quatre années d'études très poussées — mais de tout le système scolaire. Le seul effort des années 70 est la création des classes de "sport-études", mais peu nombreuses et réservées à une élite fortement sélectionnée. La situation est encore pire dans les universités où il n'est même pas possible de réserver des plages horaires² pour la pratique du sport. En France on est très loin des universités et des campus anglo-saxons.

Alors, l'école échouant dans cette tâche, les jeunes se retrouvent dans des clubs, municipaux ou privés. Ces clubs ne reçoivent des pouvoirs publics que des subventions misérables, mais doivent payer de fortes cotisations à leur fédération nationale qui les agrée³ et qui, à son tour, entretient généreusement les grands clubs, où se retrouve l'élite. Une centaine de milliers de petits clubs survivent grâce au bénévolat⁴ de ses dirigeants et entraîneurs, à l'ingéniosité de ses membres qui réussissent, souvent par des acrobaties financières (bal, loto, action publicitaire) à créer autour de la pratique du sport un véritable centre de vie collective que la société a été incapable d'organiser.

● La télévision a fait du sport un spectacle. Les ralentis, les analyses détaillées disséquant les mouvements glorifient l'exploit, rendent intelligibles des phases de jeu. Les micros au bord de la touche, dans les vestiaires, suivant même les sportifs en plein effort et après l'effort, démystifient⁵, les rendent humains. Ainsi la télévision en familiarisant avec le sport, peut en susciter l'envie chez un public de plus en plus élargi. Mais pour les téléspectateurs le sport est un spectacle par excellence où le côté dramatique joue un rôle important. Les étapes du Tour de France cycliste, les matchs du tournoi des Cinq nations en rugby, le tournoi de tennis de Roland Garros ou les matchs de Coupe d'Europe ou du Monde de l'équipe de France de football déchaînent les passions et "font sauter" tous les indices d'écoute de la télévision. Les acteurs deviennent des héros, des vedettes semblables à des stars de cinéma des années 1950-60. Mais la télévision reste un produit commercial: malheur au sport qui n'est pas assez spectaculaire, il sera ignoré des programmateurs et du public.

DOCUMENTS

Annexe I.

Annexe II.

Annexe III.

[1] exploits

« Pour que cent se livrent à la culture physique, il faut que cinquante fassent du sport. Pour que cinquante fassent du sport, il faut que vingt se spécialisent. Pour que vingt se spécialisent, il faut que cinq se montrent capables de *prouesses*[1] étonnantes. Impossible de sortir de là. Tout s'enchaîne. C'est ainsi que le record se tient au sommet de l'édifice sportif. »

Pierre de Coubertin, *Mémoires olympiques,* 1911.

Annexe IV.

Pratique régulière d'un sport par catégorie socioprofessionnelle (CSP)

CSP	Jogging		Sports individuels		Sports collectifs	
	1973	1981	1973	1981	1973	1981
Cadres moyens	25,5	30,2	22,9	27,0	11,3	12,0
Cadres supérieurs, professions libérales	21,3	23,0	22,5	25,7	7,3	5,0
Patrons	5,3	8,5	5,8	30,0	3,8	6,3
Ouvriers qualifiés	5,4	12,4	7,8	12,8	5,6	10,6
Employés	9,3	15,6	9,7	17,8	5,5	6,8
O.Q, manœuvres	7,6	16,2	8,5	8,6	5,7	7,3
Femmes inactives	14,5	18,4	8,9	8,8	5,0	3,2
Agriculteurs	0,9	5,0	0,5	4,8	2,3	3,6
Inactifs et + de 60 ans	1,3	8,1	0,3	1,8	—	0,3

Sur cent personnes de chaque CSP au cours des douze derniers mois.
Source : Ministère de la Culture. *Enquête sur les pratiques culturelles 1981.*
INSEE, Données sociales 1984.

Annexe V.

« Je cours, tu cours, il court... Des milliers de Français n'en démordent plus. Drogue dure, drogue douce, la course de fond est devenue leur passion. Une passion à la carte qui peut s'exprimer sur 15, 20 kilomètres, prendre la forme d'un marathon (42,195 km) ou s'exprimer sur des trajets de 100 bornes, défis plus fréquents qu'on ne le pense... La course de fond est tyrannique. Elle demande, elle exige des efforts considérables, une disponibilité réelle de la part d'amateurs, la plupart âgés de trente-cinq à quarante-cinq ans, qui, souvent, découvrent ou redécouvrent le sport à cet âge en rêvant d'une deuxième jeunesse. »

Laurent Greilsamer, *Le Monde,* 4-5 novembre 1984.

Annexe VI.

[1] *le profane*
[2] *se prélasser*
[3] *maniérés*
[4] *coléreux*
[5] *fantaisistes*
[6] *excitation*

« Pour le *néophyte*[1], une suite de machines en fonte qui ressemblent comme deux gouttes d'eau à des machines à tortures, mais dans les bras d'acier desquels des corps bronzés viennent *se lover*[2] et bientôt se battre pour soulever les 10, 20, 30 ou 50 kilos qui assureront la gonflette optimale des pectoraux, mollets et quadriceps. C'est le lieu du body building, sculpture du corps muscle par muscle. On se croirait dans l'antichambre de M. de Sade. On ne se trouve, en fait, que dans l'une des centaines de lieux, plus ou moins *sophistiqués*[3], plus ou moins ''in'', qui jonchent la France bien nourrie et bronzée qui veut garder, du premier au troisième âge compris, le teint éclatant de sa jeunesse. »

Annie Daubenton, *L'état de la France et de ses habitants,*
Ed. La Découverte, 1985.

Annexe VII.

« Alain Prost, deux fois champion du monde des pilotes de formule I, Michel Platini, glorieux capitaine de l'équipe de France de football, Yannick Noah, classé depuis plusieurs années parmi les dix premiers tennismen du monde. La France est fière de son triumvirat de champions. Pourtant, malgré les médailles et les réceptions triomphales, les trois seules vraies stars internationales du sport français ont transporté leurs pénates hors des frontières de l'Hexagone... Tous trois ont confié que, s'ils souffraient du mal du pays, ils ont dû aller chercher la tranquillité à l'étranger. C'est que le supporter français, descendant des Gaulois querelleurs, des Francs *irascibles*[4], des Celtes *fantasques*[5], s'il se pâme quand ses champions triomphent, se métamorphose en moraliste intransigeant dès que *l'euphorie*[6] est tombée. »

Jean Noli, *Le Point,* 3-9 novembre 1986.

Annexe VIII.

« 3500 adolescents ont pu, l'an passé, accéder à 173 sections sports-études réparties en 27 disciplines sur l'ensemble du territoire. L'an prochain, sur une initiative de Christian Bergelin, le secrétaire d'État chargé de la Jeunesse et des Sports, ces sections sports-études disparaîtront pour laisser place à des centres d'entraînement et de formation pour le sport de haut niveau... ''Plutôt que la masse, on privilégie la sélection par le haut.'' Ce sont les champions qui attirent à un sport toute une jeunesse. L'entrée sera donc soigneusement filtrée. Alors que pour sports-études, l'intuition était un peu la règle générale, ici on s'occupera des capacités physiques, mais aussi du psychique... 103 centres sont d'ores et déjà prévus. »

R.C., *La Lettre de l'éducation,* novembre 1986.

LES VACANCES

**Le tourisme : un phénomène de masse.
Un potentiel touristique très riche.
L'équipement touristique en pleine rénovation.**

Alors qu'avant 1936 le tourisme était réservé aux catégories sociales fortunées, il est devenu, avec le développement des congés payés et la reconnaissance du droit de tous aux loisirs, un phénomène de masse.

● Au milieu des années 80, un peu plus de 31 millions de Français, près de 58 % de la population prennent des vacances. Vingt ans plus tôt, ils n'étaient encore que 19 millions (41 %) à pouvoir partir. D'année en année, la masse des vacanciers augmente mais les inégalités liées aux différences de revenus ne s'estompent que lentement. Les cadres supérieurs et professions libérales (90 %), de même que les cadres moyens (85 %) partent presque tous en vacances, la plupart au moins deux fois dans l'année et cela depuis longtemps. Malheureusement le tiers des employés et près de la moitié des familles ouvrières restent exclus des joies du départ (taux respectifs : 67 % et 52 %).

Pour les deux tiers des personnes concernées, la période de vacances par excellence est l'été, réduit aux mois de juillet (28,2 %) et d'août (38,4 %). Les Français restent dans ce domaine très conservateurs, ignorant délibérément toute la publicité qui fait miroiter les avantages des mois de juin ou septembre. Le rêve, *réconfort*[1] de toute une année de labeur et de grisaille, c'est la plage de sable inondée de soleil, garantie en juillet et août. Dans ces conditions les vacances donnent lieu à de grandes migrations estivales qui mettent sur les routes au même moment plusieurs millions de personnes, occasionnant des ''bouchons'' mémorables malgré l'amélioration apportée par les autoroutes, les ''itinéraires bis'', et les conseils de ''Bison fûté'' à la télévision. Les journées des 31 juillet-1er août sont des journées noires pour la Prévention routière avec 8 millions de ''juillettistes'' qui croisent 11 millions ''d'aoûtiens'', sans parler des étrangers non avertis qui se retrouvent *éberlués*[2] dans ce flot de voitures, pare-chocs contre pare-chocs. Et comme pour tout arranger, ce sont précisément ces jours *fatidiques*[3] que choisit telle ou telle catégorie de travailleurs pour manifester son mécontentement par des barrages de routes, des déplacements des panneaux indicateurs, par des grèves classiques, ou par des grèves de *zèle*[4] aux frontières du pays, créant une confusion, une ''pagaille'' dont la France est seule à avoir le secret.

14 millions de personnes partent en vacances en hiver. Insignifiantes il y a 20 ans, les joies de la neige font de plus en plus d'adeptes. Il ne s'agit pas d'un véritable choix entre été et hiver, car les quatre cinquièmes de ces personnes partent aussi en été. Si la tendance à la démocratisation des sports d'hiver est indéniable, il reste encore de grandes différences entre les catégories socioprofessionnelles : 60,4 % des cadres supérieurs et leurs familles en bénéficient, mais les ouvriers et leurs familles ne sont que 16 %.

[1] *soutien*
[2] *perdus*
[3] *inévitables, difficiles*
[4] *responsabilité exagérée*

● La France a un potentiel touristique très varié et très riche (voir carte). La côte méditerranéenne et l'île de la Corse attirent le plus d'estivants par leur climat, leurs plages et leur douceur de vivre. La Côte d'Azur avec ses stations mondialement connues (Nice, Cannes, St-Tropez, etc...) est fréquentée depuis plus d'un siècle. La côte languedocienne a été récemment aménagée par l'État qui y a construit six stations nouvelles (La Grande-Motte, Cap d'Agde, Leucate-Barcarès, etc...).

— La côte de l'Atlantique et de la Manche ne bénéficie pas de l'ensoleillement méditerranéen, mais a d'autres atouts, comme la proximité parisienne. Chaque grande station (Biarritz, Arcachon, Royan, les Sables-d'Olonne, la Baule, Deauville, etc...) a sa spécificité et sa clientèle.

— Les Alpes sont par excellence le domaine des sports d'hiver dotées d'une multitude de stations de toute époque et de toute nature s'adressant autant à une clientèle mondaine et internationale (Chamonix, Megève, Morzine, Val d'Isère, les Arcs, etc...) qu'à des classes de la société à revenu plus modeste. Les Pyrénées n'ont pas un domaine skiable aussi important.

— Les montagnes moyennes (Massif central, Vosges, Jura) sont à côté des Alpes et des Pyrénées, des zones de tourisme d'été où existent d'autres formes sociales de vacances (gîtes ruraux, colonies de vacances, ''village-vacances-famille'', etc...), et de nombreux centres de thermalisme (Vichy, La Bourboule, le Mont-Dore, Vittel, etc...) et de villégiature dont la renommée dépasse les frontières.

— Le tourisme culturel et itinérant a de plus en plus d'amateurs. Paris reste de loin le premier centre touristique de la France, mais des joyaux d'architecture ou de site parsèment densément la France : grottes préhistoriques de Dordogne, monuments romains du Midi (Nîmes, Arles, Orange), calvaires de Bretagne, églises et couvents romans (Caen, Périgueux, Conques, Toulouse, Moissac, etc...), cathédrales gothiques (Reims, Rouen, Strasbourg, Chartres, Mont-St-Michel...), châteaux médiévaux (Carcassonne, Avignon), Renaissance (châteaux de la Loire) ou de style classique (Versailles, Nancy) pour ne citer que quelques exemples.

● Le potentiel est immense, mais sa mise en valeur par un équipement touristique approprié a longtemps laissé à désirer. Il existe une multitude de petits hôtels et restaurants charmants et sympathiques sans nul doute, mais qui correspondent de moins en moins aux exigences de confort des touristes français ou étrangers. Le logement chez l'habitant, si bien développé ailleurs, n'est pas du tout généralisé en France. Pourtant de grands efforts de modernisation ont été entrepris dans le cadre de l'aménagement du territoire au cours des années 1960-70. Paris a enfin été doté d'un équipement hôtelier digne de son rôle international. La mise en valeur touristique a donné quelques bons résultats (aménagement des côtes languedocienne, aquitaine et de Corse, création des stations de sports d'hiver, des parcs nationaux et régionaux, modernisation de l'infrastructure de transport et de services), et l'extension des formes sociales du tourisme dans les campagnes est en bonne voie. Dans le domaine du tourisme il reste pourtant encore beaucoup à faire si on compare la France à des pays d'accueil traditionnels comme l'Autriche, la Suisse ou même l'Italie.
La richesse, la variété, la beauté de la France justifient le choix de nombreux touristes étrangers : ils étaient 35 millions en 1985. L'arrivée massive d'étrangers (4e pays touristique du monde, après les États-Unis, l'Italie et l'Espagne) et le faible départ des Français (15 % seulement des Français partent en vacances à l'étranger) expliquent un solde touristique qui, bon an mal an, laisse un excédent très appréciable (26 milliards de F en 1986) et qui, par sa valeur, n'est dépassé dans le monde que par l'Espagne et l'Italie.

DOCUMENTS

Annexe I.

RÉGIONS ET CENTRES TOURISTIQUES

::::: principales régions touristiques

Type de stations

✳ bains de mer ○ château remarquable
✳ ski ◆ ensemble de monuments exceptionnels
✳ thermalisme ○ autre monument célèbre
⊕ pélerinage □ tourisme d'affaires

Annexe II.

Départs en vacances selon la catégorie socioprofessionnelle du chef de famille

Catégories socioprofessionnelles	1973 (%)	1985 (%)	1985 (%) en été	1985 (%) en hiver
Exploitants et salariés agricoles	15,7	22,2	20,1	6,8
Patrons de l'industrie et du commerce	56,7	59,2	54,3	22,3
Cadres supérieurs et professions libérales	88,0	90,8	84,6	60,3
Cadres moyens	77,9	85,3	77,7	46,6
Employés	60,3	66,9	64,7	25,4
Ouvriers	44,7	54,9	53,2	16,0
Personnel de service	49,3	54,5	53,7	15,5
Autres actifs	71,3	71,4	68,2	35,9
Inactifs	—	43,9	37,3	18,8
Ensemble	49,2	57,5	53,8	24,9

Annexe III.

Mode d'hébergement (% de séjours en 1985).

	en été	en hiver
Parents et amis	29,2	42,8
Hôtel	8,9	9,2
Résidence secondaire	9,1	15,9
Résidence secondaire des parents et amis	10,5	10,4
Location	14,4	12,2
Tente et caravane	19,5	0.6
Autres	8,4	8,9

Annexe IV.

Budget touristique, millions de dollars, 1984			
	Recettes	Dépenses	Solde
États-Unis	11.426	15.805	− 4.379
Italie	8.595	2.098	+ 6.497
Espagne	7.760	840	+ 6.920
France	7.598	4.317	+ 3.281
Royaume-Uni	5.546	6.143	− 597
RFA	5.479	13.910	− 8.431
Autriche	5.029	2.607	+ 2.422
Suisse	3.171	2.288	+ 883
Canada	2.829	3.883	− 1.054
Grèce	1.309	303	+ 1.006

Annexe V.

Touristes étrangers en France mille personnes, 1984	
Ensemble	34.812
Allemands	7.656
Britanniques	5.786
Hollandais	3.768
Suisses	3.714
Belges	3.043
Nord-Américains	2.768
Italiens	2.347
Espagnols	821
Japonais	448

LA GASTRONOMIE

**Variété et diversité de la grande cuisine.
L'art de recevoir.
Traditions et obligations de la vie quotidienne.**

[1]table
[2]goûteur de vin

Le monde entier connaît l'art culinaire des Français et leur empressement à se sacrifier à la bonne *chère*[1] et aux bons vins, fût-ce au prix de renoncements à d'autres postes de consommation. Les traditions du goût se maintiennent en dépit du nouveau rythme de vie qui, dans ce domaine aussi, modifie progressivement les habitudes.

● La grande cuisine française se distingue par sa variété et sa diversité dans les saveurs. Toutes les sortes de viandes, poissons, crustacés, gibier constituent la base des préparations avec une préférence pour la viande de bœuf plutôt que de porc, les viandes grillées et rôties plutôt que de la viande bouillie. Les sauces, il y en a plus de 200 répertoriées, onctueuses et cependant légères, sont une des grandes spécialités des ''cordons bleus'' de France. Les viandes s'accompagnent d'un éventail très large de légumes, frais ou secs, suivant la nature du mets à présenter. Mais les salades, les hors-d'œuvre, les entrées, les entremets sont autant de sources d'étonnement et de raffinement.
La France est le paradis des fromages et des vins. Avec une gamme extraordinaire de saveurs et d'arômes de plus de 300 variétés reconnues, depuis le roquefort et le camembert jusqu'au brie et autres reblochon ou cantal, qui accompagnent obligatoirement et judicieusement tous les repas. Quant aux vins et alcools, la réputation de la France remonte à la nuit des temps. Les vins de France, les uns légers, les autres puissants, forment un choix unique, capable de satisfaire les plus difficiles. Tout un vocabulaire, tout un art s'attachent à la présentation et à la dégustation des vins. Dire en France que ''ce vin est bon ou mauvais'' est un signe de banalité verbale de *taste-vin*[2], voire de manque d'éducation : les vins sont ''bouquetés'', ''fruités'', ''corsés'', ''gouleyants'', ''généreux'', ''puissants'', ''délicats'', ''éclatants'', ''vigoureux'', ''secs'', ''mœlleux'', ''liquoreux'', ''jeunes'', ''verts'', ''âpres'', ''rugueux'', etc. Champagne, cognac, armagnac, mousseux, vins doux, eaux-de-vie... la liste des vins et alcools agrémentent les repas serait très longue à évoquer.
La variété de la cuisine française vient aussi de la diversité des plats régionaux. Si dans tout le pays on déguste un ''gigot de mouton'', un ''coq au vin'', un ''canard à l'orange'', un ''chateaubriand'' par exemple, il faut aller en Alsace pour apprécier la choucroute, en Lorraine les jambons en croûte, en Bretagne le homard à l'armoricaine, en Normandie le carré d'agneau de pré-salé, dans le Lyonnais les quenelles de brochet et les poulets de Bresse à la crème, à Marseille la bouillabaisse, à Toulouse le cassoulet, en Savoie la fondue... Toutes les régions françaises présentent une gastronomie originale et savoureuse.

● A cette richesse gastronomique s'allie l'art de recevoir suivant des règles, parfois très strictes, qui doivent constamment veiller à l'esthétique des présentations, à l'harmonie et l'équilibre gustatif des plats qui se succèdent, au choix des vins qui accompagnent le repas. Servir un plat de poisson après une viande rôtie serait une faute impardonnable, aussi grave qu'inverser fromage et dessert. Les vins blancs (servis très frais) doivent apparaître en même temps que les crustacés ou poissons; les vins rouges (''chambrés'' et débouchés deux heures avant d'être servis) accompagnent les viandes ''rouges'' et fromages, le bordeaux précédant le bourgogne. Tout doit être minutieusement programmé pour ne pas commettre une faute de goût. Le plaisir et l'art s'allient à la rigueur.

● Pourtant, il semble bien que les traditions se perdent. Le rythme de la vie quotidienne ne laisse pas assez de temps pour se consacrer régulièrement à *l'art culinaire*[1]. Un Français sur quatre ne rentre pas à la maison pendant la journée et les repas rapides au comptoir d'un café, devant une baraque à frites ou pizzas, dans un snack, un restaupouce (fast-food) ou même dans les cantines d'entreprises n'ont rien de gastronomiques. Le soir, après une journée de travail, le courage et la force manquent souvent pour se lancer dans les préparations de haute cuisine qui exigent attention et temps. Il est plus commode de passer au supermarché qui présente des parts de repas individuelles, des portions prédécoupées, préemballées, précuites, les sauces et mayonnaises préparées, des bouillons et potages instantanés, une série complète de plats surgelés cuisinés parfois par des grands cuisiniers, sans parler de la pâtisserie de mieux en mieux présentée. Alors la cuisine le soir est *expédiée*[2] en une demi-heure et la famille est au complet à 20 heures devant la télévision. Comme à regret, pris de remords, le dimanche est le jour de festin. Le repas du midi de dimanche doit compenser toutes les négligences gastronomiques de la semaine. Pour les jeunes de la famille, ce repas est une hantise car beaucoup trop lourd, trop riche et il faut plusieurs heures pour récupérer.

Les Français, soucieux de leur corps, de leur santé, désirent manger léger. Séduits par les recommandations des diététiciens, nutritionnistes et autres *gourous*[3] du bien-être, ils adoptent les repas légers, font le régime, condamnent le pain, la pomme de terre, les pâtes, les féculents et ne jurent que par la grillade-salade. Ils utilisent moins de beurre, moins d'huile, moins de sucre alors que les produits diététiques, biologiques — ou prétendus tels —, ou les eaux minérales ont des propriétés magiques à leurs yeux. La publicité accompagne et renforce ces tendances.

La cuisine familiale, quand elle existe, est devenue un compromis entre toutes ces tendances. A coup sûr, une alimentation à tendance allégée prédomine. D'ailleurs les grands restaurants, gardiens véritables de la tradition (les grands chefs n'ont-ils pas reçu la Légion d'honneur?) ont suivi cette voie. La ''nouvelle cuisine'' française est allégée, plus digeste, plus simple, tout en gardant ses caractéristiques de qualité. Les Français vont volontiers au restaurant pour bien manger. Il faut voir avec quelle rapidité disparaissent les guides de restaurants! Les goûts évoluent, les habitudes sociales changent, mais ce qui est sûr, c'est que la France continue de rester le haut lieu de la gastronomie.

[1] *cuire et présenter les plats*
[2] *vite préparée*
[3] *tous les extra-médicaux*

DOCUMENTS

Annexe I.

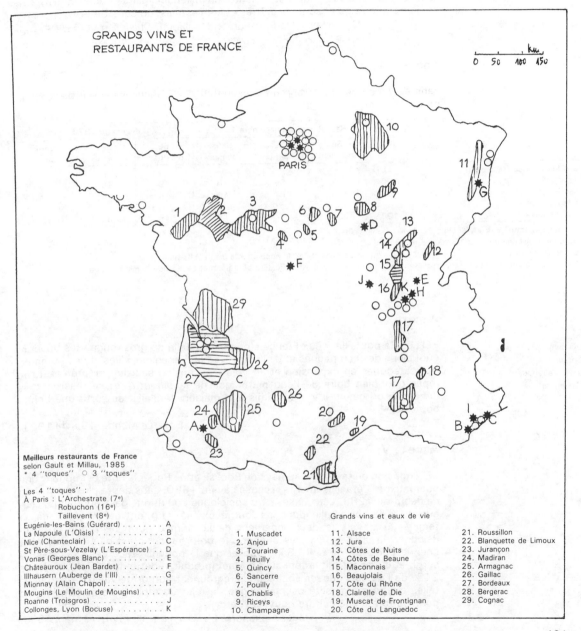

GRANDS VINS ET
RESTAURANTS DE FRANCE

km
0 50 100 150

PARIS

Meilleurs restaurants de France
selon Gault et Millau, 1985
* 4 "toques"   ○ 3 "toques"

Les 4 "toques" :
À Paris : L'Archestrate (7e)
          Robuchon (16e)
          Taillevent (8e)
Eugénie-les-Bains (Guérard) . . . . A
La Napoule (L'Oisis) . . . . B
Nice (Chanteclair) C
St Père-sous-Vezelay (L'Espérance) . . D
Vonas (Georges Blanc) . . . . E
Châteauroux (Jean Bardet) . . . . F
Illhausern (Auberge de l'Ill) . . . . G
Mionnay (Alain Chapol) . . . . H
Mougins (Le Moulin de Mougins) I
Roanne (Troisgros) . . . . J
Collonges, Lyon (Bocuse) . . . . K

Grands vins et eaux de vie

1. Muscadet	11. Alsace	21. Roussillon
2. Anjou	12. Jura	22. Blanquette de Limoux
3. Touraine	13. Côtes de Nuits	23. Jurançon
4. Reuilly	14. Côtes de Beaune	24. Madiran
5. Quincy	15. Maconnais	25. Armagnac
6. Sancerre	16. Beaujolais	26. Gaillac
7. Pouilly	17. Côte du Rhône	27. Bordeaux
8. Chablis	18. Clairelle de Die	28. Bergerac
9. Riceys	19. Muscat de Frontignan	29. Cognac
10. Champagne	20. Côte du Languedoc	

Annexe II.

[1] spécialistes de cuisine
[2] gardiennes (dans l'Antiquité)

« L'indiscutable précellence (comme on disait si bien au XVIe siècle) de la cuisine française, reconnue et proclamée depuis des siècles par le suffrage universel des nations civilisées, est due sans doute à la richesse, à la fécondité et à la qualité de nos produits, à la splendeur unique de nos vins et de nos eaux-de-vie..., mais aussi et surtout au talent, au goût inné et à la probité technique de nos chefs et de nos cordons-bleus[1], qui depuis bientôt un millénaire maintiennent la suprématie de notre cuisine et sont les prêtres et les vestales[2] du culte de la table. »

Curnonsky (Maurice-Edmond Sailland), Cuisine et vins de France, Ed. Larousse, 1953.

Annexe III.

Estimez-vous que la tradition de la bonne cuisine française se maintient ou se perd ?

	Rappel enquête décembre 1971			décembre 1979		
	Se maintient	Se perd	Sans opinion	Se maintient	Se perd	Sans opinion
Dans les familles françaises en général ... 100 %	58	36	6	49	48	3
Chez les jeunes ménages ... 100 %	26	64	10	19	74	7
Dans les hôtels et les restaurants ... 100 %	64	14	22	45	39	16

- Sondage effectué pour « Midi Libre » et le « Dauphiné Libéré ».
- Date de réalisation du 5 au 10 décembre 1979.
- Échantillon national de 1.000 personnes représentatif de l'ensemble de population âgée de 18 ans et plus.
- Méthode des quotas (sexe, âge, profession du chef de famille) et stratification par région et catégorie d'agglomération.

Annexe IV.

[1] vin de qualité médiocre
[2] entame, rape
[3] sorte de ragoût
[4] Auvergnat

« Face à la bouteille, deux France s'opposent: celle du gros rouge, des buveurs quotidiens des campagnes et de l'usine... et la France des villes et des bureaux, des catégories en expansion et en voie d'ascension sociale, qui préfèrent, au repas quotidien boire de l'eau plutôt que de la piquette[1] et se réservent, le dimanche ou quand il y a des amis à la maison, le plaisir de sortir une bonne bouteille. »

F.G., Le Monde, 18 avril 1981.

Annexe V.

« L'explosion du fast-food au pays de Bocuse et de Roger la Frite est un fait: une quarantaine d'établissements recensés avant 1980, sans doute plus de 400 en ce début de 1983. Les causes? Du sociologue au critique gastronomique, chacun y va de son explication: les fourneaux familiaux ont été désertés par la femme au travail, le développement de la journée continue rogne la pose-déjeuner, la crise lamine[2] les budgets, le bœuf-mode[3] n'est plus ce qu'il était chez le bougnat[4] du coin. Sans oublier que la nouvelle race des ''décalés'' a surgi; et qu'ils ont fait la fête au Big'Mac' (produit vedette de McDonald's), ces 21 % de Français que les sociologues regroupent autour de valeurs montantes telles que la marginalité psychologique, le rejet du modèle dominant, le goût pour les formes de culture nouvelles, etc. »

Roger Alexandre, L'Expansion, 18 février/3 mars 1983.